中国近现代针灸文献研究集成

教材卷

王富春
杨克卫／主编

针灸临床分卷（上）

北京科学技术出版社

图书在版编目（CIP）数据

中国近现代针灸文献研究集成. 教材卷. 针灸临床分卷 / 王富春, 杨克卫主编. —北京：北京科学技术出版社, 2021.11

ISBN 978-7-5714-1890-8

Ⅰ. ①中… Ⅱ. ①王… ②杨… Ⅲ. ①针灸疗法—文献—汇编—中国—近现代 Ⅳ. ①R245

中国版本图书馆CIP数据核字(2021)第204645号

策划编辑：侍　伟
责任编辑：吴　丹
文字编辑：吕　艳　董桂红　杨朝晖　严　丹　陶　清
责任校对：贾　荣
图文制作：北京艺海正印广告有限公司
责任印制：李　茗
出 版 人：曾庆宇
出版发行：北京科学技术出版社
社　　址：北京西直门南大街16号
邮政编码：100035
电　　话：0086-10-66135495（总编室）　0086-10-66113227（发行部）
网　　址：www.bkydw.cn
印　　刷：北京捷迅佳彩印刷有限公司
开　　本：787 mm × 1092 mm　1/16
字　　数：679千字
印　　张：72.25
版　　次：2021年11月第1版
印　　次：2021年11月第1次印刷
ISBN 978-7-5714-1890-8

定　　价：**980.00**元（全二册）

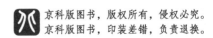

“中国近现代针灸文献研究集成”丛书

编委会

张　琪	张　楚	张子扬	张丹枫	张珊珊	张晓旭
张晓梅	张瀚文	陆孟静	陈丽丽	陈春海	陈维伟
陈新华	邵　阳	范芷君	范嘉毅	岳永月	周　丹
冶丁铭	赵晋莹	赵雪玮	胡英华	柳正植	哈丽娟
钟　祯	洪嘉靖	姚　琳	贺怀林	柴佳鹏	党梓铭
徐　铭	徐万婷	徐立光	徐晓红	高　姗	郭丽君
郭晓乐	曹　洋	曹家桢	康前前	董国娟	蒋海琳
韩香莲	路方平	詹旭晖	谭蕊蕊		

《中国近现代针灸文献研究集成·教材卷》

编 委 会

总 前 言

1840年，鸦片战争爆发，西方列强入侵中国，自此中国由独立的封建社会逐步沦为半殖民地半封建社会。20世纪初，受“五四运动”时期各种新思潮的影响，许多有识之士开始积极地向西方学习，由此，大量的自然科学和社会科学知识传入中国，这对中国的政治和社会经济等都产生了重大影响。近代西医学的影响力逐渐增大，解剖学、生理学等知识开始被当时的人们所了解和接纳，西医医院、西医学校等机构也在中国相继出现。随着西医医护队伍的不断壮大，许多人以转译日本人所著的西医学书籍的方式来学习西医学，并成立了相应的学术团体和职业团体。这一时期的针灸界亦是如此，宁波东方针灸学社、中国针灸学研究社等学术团体相继成立，针灸医家访问日本，带回大量日本的针灸著作并将之翻译出版。这些翻译著作较传统针灸医籍更容易学习，颇受民众喜爱。中国近代中医学家、教育家对针灸学术的研究极大地推动了针灸学的现代发展。中华人民共和国成立后，中医针灸学研究越来越受到重视，著书者众、办学者多，由此，针灸成为中医学研究与发展不可或缺的一环，并逐渐在世界范围大放异彩。2010年，中医针灸被列入《人类非物质文化遗产代表作名录》。中国近现代是中西方思想碰撞的时期，是中医学术多流派发展、百家争鸣的时代，其中又以民国时期最具代表性。研究民国时期这一特殊历史时期的针灸文献，可以为今后的针灸学术发展提供良好的借鉴。“中国近现代针灸文献研究集成”丛书对中国近现代针灸文献进行收集、整理和研究，其中以民国时期的针灸文献为主。

一、民国时期针灸的发展概况

民国时期的针灸学术研究一直未被学界所重视，但作为传统针灸与现代针灸的衔接，这一时期的针灸学术研究影响深远。民国时期是中医针灸学院化教育的萌芽时期，是现代针灸教育模式的源头时期，是针灸学术发展的历史转折期。近年来，对于民国时期针灸文献的研究逐渐被学界重视，大量民国时期的针灸医籍得以整理出版，如承淡安编撰的《中国针灸治疗学》《中国针灸学讲义》，杨医亚在民国时期办学的讲义等。然而，随着对民国时期针灸学术、针灸医籍的研究日渐增多与深入，研究者们面临着一个共同的难题——民国时期针灸文献的收集十分困难。这一难题产生的主要原因是民国时期的针灸文献存量不多，有些甚至已经失传。

经历了明清时期的积淀，民国时期的针灸学术得到进一步发展，针灸学术团体、学术体系逐渐形成，这一时期是传统针灸向现代针灸过渡的时期。以承淡安为代表的澄江针灸学派的先辈们创办中国针灸学研究社，开办针灸讲习所，招收学员，传播针灸技术，实践“针灸科学化”，对民国时期的针灸学术发展具有举足轻重的作用。民国时期针灸名医曾天治提倡的“科学针灸”的理念在这一时期备受关注，这对现代的针灸教育及针灸体系产生了巨大影响。中华人民共和国成立初期，全国各地兴办针灸学校，以承淡安为代表的针灸医家在继承古法、融汇新知的基础上，总结民国时期针灸学术研究成果及针灸教育的经验，开办针灸学习班，创办针灸高等教育学校，为现代针灸教育的发展打下了坚实的基础。

二、民国时期针灸文献的保存现状

有学者据《中国中医古籍总目》考查，发现民国时期的针灸医籍共有193种，较之明代的24种、清代的86种多出数倍。另有学者认为，民国时期的针灸医籍共有254种，其中中国本土针灸医籍有229种。民国时期是针灸医籍大量出现的时期。随着印刷技术的发展，出版书籍的成本逐渐降低，许多书籍得以大量出版。另外，民国时期各种中医学校、学术团体大量涌现，由于教学及学术交流的需要，针灸医籍的出版数量激增。

然而，对这些文献的保护并未得到足够的重视。首先，受当时的历史条件所限，大量图书并未经过正规出版，只是简单印刷，数量较少，且战乱频仍，导致不少文献难以留存全本。其次，由于不是正规出版物，相当一批文献没有进入馆藏系统，而是散落于民间，这使得这些文献留存状况不明，有些文献已经成为孤本，甚至已经散佚。同时，由于当时书籍纸张的质量普遍较差，且装订十分粗糙，部分文献在辗转流传过程中被损坏，已成残本，这种情况尤以油印材料及手抄本为突出。民国时期是我国出版业由手工造纸、印刷向机械造纸、印刷的过渡时期，相关技艺还不够成熟，用于印刷的纸张酸性强、保存期限短，加上长期以来各馆藏机构对民国时期文献的保护观念滞后、认识不足、保管不善，以致部分医籍呈现出不同程度的老化或损毁现象，情况岌岌可危。当前，亟须对这批文献进行重新整理及抢救性保护，使之进入国家各级馆藏体系，为我国针灸学术的传承及中医药事业的发展提供宝贵的文献资料。

三、本丛书所收录的针灸文献情况分析

（一）本丛书所收录的针灸文献书目

作者团队通过查阅《中国中医古籍总目》《中国针灸文献提要》《中国针灸荟萃·现存针灸医籍》《民国时期总书目·医药卫生》等工具书，参考各省（自治区、直辖市）及院校图书馆、档案馆和民间个人收藏书籍，共收集针灸文献1000余种，以来源可靠、记录严谨、实用性强、学术价值及文献价值高为原则筛选出210余种针灸书籍作为本丛书的书目。本丛书所收录的针灸文献以私人藏书为主，除了涵盖约90%的《中国中医古籍总目》所收录的民国时期的针灸文献，还增补了《中国中医古籍总目》所未收录的民国时期的针灸书籍近50种，其中不乏珍稀文献，如讲述“广西派针法”的《针灸菁华》、四川程兴阳的《针灸灵法》（石印本）等。对于抄本针灸文献，部分图书馆公藏的难以查阅，故本丛书未予收录，而民间发现的则择而收之。

本丛书按收录文献的内容题材进行分类分卷，并参考编者或学术团体所在地域进行分册，使体例清晰，便于使用。本丛书所收录文献按内容题材具体分为：①教材类；②专著类；③医案类；④杂志类；⑤图谱类；⑥其他（主要包括清末民国时期的佚名抄本等）。本丛书所收录针灸文献的情况如表1、表2所示。

表1　本丛书所收录针灸文献情况（按内容题材分类）

	教材类	专著类	医案类	杂志类	图谱类	其他
数量	54种	127种	5种	13种	6种	10种

表2　本丛书所收录《中国中医古籍总目》中针灸文献书目数量与《中国中医古籍总目》书目数量对比

	针灸通论类	经络孔穴类	针灸方法类	针灸临床类
“中国近现代针灸文献研究集成”收录书目数量	50种	23种	18种	16种
“中国近现代针灸文献研究集成”未录书目数量	15种	15种	8种	6种
《中国中医古籍总目》收录书目数量	65种	38种	26种	22种

注：《中国中医古籍总目》书目包括本丛书所收录书目与本丛书未录书目。其中抄本书目不在统计范围内，且《中国中医古籍总目》中的重复书目算作1种。①针灸通论类：收录50种，未录15种；另存抄本44种。②经络孔穴类：收录23种，未录15种（其中民国时期11种）；另存抄本64种，其中挂图7种，经查未见3种。③针灸方法类：收录18种，未录8种（多为太乙神针别本）；另存抄本15种（收录1种）。④针灸临床类：收录16种，未录6种（含针灸医案别本）；另存抄本17种。

（二）本丛书未收录的针灸文献书目

在对《中国中医古籍总目》进行查阅及对馆藏图书进行实地考察的基础上，现列举部分本丛书未收录的书目，以便后续收集。

针灸通论类：《针灸便览》、《中医刺灸术讲义》、《针灸秘法》、《简明针科学·论针篇》、《针灸纂要》、《针灸说明书》、《实用针灸医学》、《针灸学薪传》、《针灸学》（富锦文新书局）、《针灸学讲义》、《针灸精华》，以及《针灸学》（《中国中医古籍总目》载四川铅印本，经实地考察，实为《针灸医案》油印本）、《针灸学讲义》（重庆石印本，经查未见）、《针灸讲义》（石印本，经查与《针灸医案》同一函，蓝印）。

经络孔穴类：《脉度运行考》、《经络图说》、《俞穴指髓》、《铜人经穴骨度图》（张山雷）、《明堂孔穴针灸治要》（孙鼎宜）、《经络要穴歌诀》（经实地考察，该书与《经穴摘要歌诀·百症赋笺注》系同一馆藏代码，系重复编目）、《经穴辑要》（勘桥散人）、《十四经穴分布图》（姚若琴，经查未见，经考证为中华人民共和国成立后出版的，《中国中医古籍总目》有误）、《铜人新图》（范更生）、《正统铜人插针照片》、《实用铜人经穴图》（董德懋）、《针灸经穴挂图》（杨医亚）、《人体十四经穴图像》（赵尔康）、《人体经穴图》（承淡安）。以上多系人形挂图，未收录。

针灸方法类：《砭经》、《神灸经论》、《传悟灵济录》、《灸法秘传》、《灸法心传》、《延寿针治症穴道》等部分晚清针灸古籍。以上近年多有出版，未予收录。

针灸临床类：《济世神针》、《针灸治验百零八种》、《针灸医案》（系收录《针灸医案》别本）。

如上所述，本丛书基本涵盖了《中国中医古籍总目》所列大部分馆藏图书，亦收录了馆藏未见的民国时期的针灸书目近50种（其中新发现的民间私立学校所用针灸材料有数十种），缓解了目前民国时期针灸文献研究材料难得一见的窘迫局面，既能及时抢救该时期的中医针灸文献，又可使之化身千百，服务于学界，促进文化的传承。

四、民国时期针灸文献的价值及其对近现代针灸学术的意义

（一）民国时期针灸文献的价值

1. 文献保存

民国时期是一个战乱不断的特殊历史时期，战乱对书籍的保存流传的影响是灾难性的，如《针灸杂志》有35期，其中一部分印有千余册，时隔近百年，存世者已非常稀少，可见民国时期的针灸文献散佚了不少。部分老中医所藏医籍在1966—1976年亦有损毁，如著有《实用科学针灸》的谈镇尧（《中国中医古籍总目》为淡镇垚，系误）多年来整理的资料在这一时期几乎被销毁殆尽。《实用科学针灸》一书在河南中医药大学有藏，惜其只藏有中、下两册。在收集文献的过程中，作者团队收集到了谈镇尧的《实用科学针灸》《实用针灸讲义》。其中《实用针灸讲义》为1955年内部铅印本，其内容包含了谈镇尧已散佚的著述与资料，因此，该书的发现将谈镇尧的主要针灸医籍很好地保存了下来。民国时期的针灸文献凝结了一代中医针灸工作者的宝贵经验，是一代人无私奉献的结果，是我国中医针灸工作者宝贵经验和学术成果的集中体现。收集整理民国时期的针灸文献，可有力推动中医针灸学的发展。

2. 历史研究

1929年震惊中医界的“废止中医案”事件，使民国时期的中医学发展遭遇了前所未有的政策压制。民国时期的针灸史研究是整个近现代医学史研究的重要组成部分。目前我国对针灸史的研究多集中在民国时期以前的文献，对民国时期针灸文献

的研究基本处于空白状态。

民国时期是以澄江针灸学派为主导的多流派共发展、百家争鸣的时期。澄江针灸学派兴起于20世纪30年代。该学派以近代针灸名家承淡安先生为代表，以中国针灸学研究社核心成员及其传人为主体，是中国针灸学术发展史上具有科学学派特质的学术流派。民国时期该学派的代表人物还有罗兆琚、曾天治、赵尔康、杨甲三、程莘农等。该学派创办了民国时期影响最大、发行时间最长的针灸专业期刊《针灸杂志》，开创了具有现代化教育模式的中国针灸讲习所，推进了针灸学院化教育方式的发展。该学派的代表人物撰写了高质量的著作，如承淡安的《中国针灸治疗学》《中国针灸学讲义》，曾天治的《科学针灸治疗学》《针灸医学大纲》，罗兆琚的《中国针灸经穴学讲义》《实用针灸指要》，赵尔康的《针灸秘笈纲要》。这些书籍对民国时期及后世针灸医生影响甚深。除此之外，《（香港）广东中医药学校针灸学》（周仲房）、湖南国医专科学校《针灸学讲义》、《莆田国医专科学校针灸讲义》、《广西省立医药研究所针灸学讲义》、《广西省立南宁区医药研究所针灸学讲义》、《华北国医学院针灸讲义》、江苏省立医政学院《经络俞穴歌诀》等馆藏未见讲义陆续被发现，这为研究民国时期全国各地的院校教育提供了宝贵的一手材料。

作者团队在关注学院教育的同时，也收集到数目可观的民间私立学校的教学讲义，如《天津私立益三针灸传习所讲义》、《私立叔平针灸学社讲义》、《温灸术函授讲义》（广东温灸术研究社讲义）、《针灸菁华》（胡耀贞传习广西派针法使用的讲义）等。这些讲义使得民国时期的一些针法及治疗经验得以保存下来。

3. 临床应用

（1）“穴性”对初学针灸者的指导价值。“穴性”一词起源于民国时期。中华人民共和国成立后，“穴性”一词经李文宪、孙振寰等针灸医家的推广而广为流传。陈景文《实用针灸学》记载：“穴之有性质，亦犹药之有性质，知其性质，而后方明其功用。”该书将86穴分为气、血、虚、实、寒、热、风、湿8门。罗兆琚《实用针灸指要》记载：“夫所谓穴义者，即各穴具有之主要特性也，知其性之所在，而后明其功用之特长。故研究针灸术者，不知穴之性质，亦犹讲求方剂，而不识其药性。”该书记载了122穴，依旧将其分为8门。曾天治《针灸医学大纲》第五编“证治”中有“分门取穴”一节，此节除了介绍气、血、虚、实、寒、热、风、湿8门，又介绍了汗、肿、积、痛4门，然而后增的4门实为治疗处方，并非“穴性”。李文宪的《针灸精粹》亦记载了8门“穴性”的相关内容。20世纪80年代，孙振寰的《针灸心悟》记载了

"经穴性赋"的内容，使"穴性"广为流传。

"穴性"分气、血、虚、实、寒、热、风、湿8门。将药性与"穴性"进行对比，对腧穴进行分类，可使腧穴的临床应用更加系统化。"穴性"理论对于初学针灸者有较大帮助，初学针灸者可以依据症状选取穴位进行治疗，这种按"穴性"进行针灸治疗的方式在当时得到了众多医家的认可，并影响至今。

（2）"针灸科学化"为临床建立了相对容易理解的针灸理论体系。民国时期，在"五四运动"时期各种新思潮的影响下，西方科学技术和西医学在中国迅速传播，对针灸学术的发展产生了巨大而深远的影响。中医存废之争及中医科学化思潮使中医针灸面临着巨大的生存危机，以致民国时期的针灸医家被迫对当时的针灸进行反思和变革，试图用"西学"阐释和研究针灸，力求用"科学"改善针灸的生存环境；同时，日本针灸著作和研究成果的引进和翻译，将日本明治维新时期通过引进西方科学技术、西医学方法来阐释和研究针灸机制的方式带入中国。这使民国时期的针灸医家看到了曙光和希望，他们力图效仿日本而革新针灸，试图将中医针灸科学化，这也成为民国时期针灸学术的一大特色。

民国时期的针灸医家将解剖学引入对经络实质的研究中，进而阐释针灸治病的机制。如张山雷在《经脉俞穴新考正》中言："中医之所谓经脉，质而言之，即是血管。"但在民国时期，以血管阐释经络的理论并未占据主流。这一时期以承淡安为代表的针灸医家，将用"西学"阐释针灸原理的方式从日本带回中国并广泛传播。如承淡安在《中国针灸治疗学》中用神经、血管、淋巴来解释经络系统；在《增订中国针灸治疗学》中明确指出经脉由血管、淋巴、神经等构成，用刺激神经的理论阐释针灸治病的机制，通过"强刺激、中刺激、弱刺激"来阐释传统针法的泻法、平补平泻、补法，并将手法量化为具体的操作范式，以便于临床应用。

（3）"广西派针法"的传承与实践。"广西派针法"肇兴于清代末期，起源于广西，创始人为光绪年间著名针灸医家左盛德先生。民国时期，"广西派针法"传播于安徽、天津以及江南等地，成为国内闻名、成绩斐然、颇具影响的针灸流派。

罗哲初（1878—1944），字树仁，号克诚子，"广西派针法"的代表性针灸学家、针灸教育家。罗哲初弟子张治平受该学派思想影响，编著《针灸菁华》。该书现仍存世，是目前研究"广西派针法"的重要资料。以《针灸菁华》为主线展开研究，作者团队发现了以罗哲初、张治平为主传承的2支"广西派针法"传承脉络，一是张治平→吕应韶→胡耀贞的传承脉络，二是张治平→王文锦→于冈樵→白荫昇的传承脉络。通过对《针灸菁华》所载内容的初步梳理发现，该书应为“广西派针法”传习过程中的针灸讲义，经张治平、胡耀贞等弟子整理得以保存下来。参考“广西派针法”相关研究文章，可以窥见“广西派针法”的针灸特色，其特点为遵循子午流注学说，以奇经八法、井荥输经合、主客原络为取穴原则，运用生成数施行补泻手法，独擅针下辨气，将针下气感分为紧、绵、虚、顶、吸、滑、涩、软、微、无力、纯紧、纯虚12种，并在辨气的基础上，采用针刺手法以治疗疾病。《针灸菁华》记载了《六十六穴歌》，将六十六穴每穴编为七言歌诀以便记诵，并记载了《治验效穴歌》《行针秘要歌》等针灸治验歌诀，以便读者学习或研究。

罗哲初及其弟子张治平对“广西派针法”的传承做出了突出贡献。近代分布在天津、安徽、山西及浙江宁波等地的数名针灸医家（如天津的郑静侯、曹一鸣、张治平、华佩文，安徽的刘泽涛和田理全，山西的胡耀贞，以及浙江宁波的裘如耕等）与“广西派针法”皆有渊源。这些针灸医家对“广西派针法”进行了传承与发扬，如郑静侯对“奇经八脉推算开穴法”进行了研究，曹一鸣对“养子时刻注穴法”进行了研究，华佩文对“不留针法”的催气、调气、行气进行了研究，胡耀贞对“无极针法”进行了研究等。这些针灸医家在继承“广西派针法”精髓的基础上，崇尚古法，融汇古今，形成了独具一格的针刺方法及手法，对“广西派针法”的传播做出了卓越的贡献。

（二）民国时期的针灸文献对近现代针灸学术的意义

1.是对近现代中医针灸学术成果的系统总结和突出展示

民国时期的针灸文献记载了当时的针灸医家传承针灸学术的宝贵经验。民国时期是中医针灸学院化教育的萌芽时期，是针灸学术发展的历史转折期，是现代针灸区别于古代传统针灸的开端，是现代针灸教育模式的源头时期。对该时期的针灸文献进行系统、全面的挖掘和总结，是我国中医针灸发展史上具有里程碑式意义的大事。保护好、传承好这些中医针灸文献，并对其进行深入、系统的研究，发掘针灸医家的宝贵经验，不但可以为当今的中医针灸学术研究提供资料和良好的借鉴，还对我国中医药事业的发展具有重要的现实意义和历史意义。

2. 使针灸学术经验得到完整的传承

民国时期的针灸文献凝结了一代中医针灸工作者的宝贵经验，是一代人无私奉献的结果，是该时期我国中医针灸宝贵经验和学术成果的集中体现。我们应珍惜该时期的文献资料，珍惜一代人的无私奉献。通过收集整理、出版该时期的文献，可以有力地推动我国针灸学术的传承发展。

3. 有助于我国中医针灸产业的发展

作者团队对民国时期中医针灸文献进行细致的筛选，并对本丛书所收录的每一种文献进行了深入的研究，撰写了内容提要，对每一种文献的主要学术价值、临床实用性等做出了客观的评价。这使得本丛书整体的学术质量得到了明显提高，也为中医针灸文献后续的学术研究、临床实践、学术流派研究、新疗法创新等工作，奠定了良好的学术基础。长期沉寂在近现代针灸文献中的技术、疗法的不断涌现，必然会对我国针灸相关产业的发展起到积极的推动作用。

4. 填补学界空白，有助于促进我国优秀传统文化的发展

对民国时期针灸文献的研究填补了这一时期针灸文献学术研究的空白。此次整理是中华人民共和国成立以来对这一时期针灸文献最集中、最全面的收集整理。此次整理以《中国中医古籍总目》为主要线索，对该时期的材料进行地毯式搜集。此次整理、出版使近现代针灸文献（本丛书目前所收录的文献以民国时期针灸文献为主）得到了抢救性保护，缓解了当前部分文献传承断裂的严峻局面，使民国时期针灸文献整体进入国家各级馆藏体系，有力填补了民国时期针灸文献学术研究的空白，为我国中医针灸的传承和中医药事业的发展提供了宝贵的文献资料，从而大大促进了我国优秀传统文化的发展。

前　言

《中国近现代针灸文献研究集成·教材卷》所收录的近现代针灸教材文献多出版于民国时期，少数出版于中华人民共和国成立后。

民国时期针灸教育的发展可谓曲折，1914年北洋政府主张废止中医，1929年国民政府通过了“废止中医”的提案，这些举动大大地影响了我国针灸学术的继承和发展。此时期的针灸学家们也清楚地意识到了中医针灸濒于湮灭的危机，他们团结一心，通过开班办学、创办杂志、翻译国外针灸著作等实际行动振兴中医针灸学，为我国针灸学的继承及发展做出了重大贡献。中华人民共和国成立初期，在民国时期中医院校、针灸学术团体的基础上，全国各地大力兴办中医学校，开办针灸学习班，中医针灸学术和教育得以进一步发展。

民国时期是传统针灸与现代针灸的衔接时期，是中医针灸学院化教育的萌芽时期，是针灸学术发展的历史转折期，是现代针灸治疗及理论区别于古代传统针灸的肇始。总结民国时期针灸学术的研究成果及针灸教育的经验，对现代的针灸教育影响深远。

民国时期的针灸教育主要有以下几方面的特点：一是针灸教育团体、学术体系逐渐形成，针灸学校主要由社会团体或个人创办；二是形成了具有地域特征的针灸学术流派，传承有序、传播广泛；三是教学内容以传统中医针灸理论为基础，注重吸纳西学，提倡“针灸科学化”，如以《西法针灸》、《高等针灸学讲义》等为代表的国外针灸著作被译成中文广为流传。

如1931年承淡安等学派先辈们创办了中国医学教育史上最早的针灸函授教育机构——中国针灸学研究社，开办针灸讲习所，开创了我国近代针灸教育的先河。该研究社传授并实践“西式”针灸学术，所用教材《中国针灸治疗学》与传统的针灸学著作不同，采用解剖学来讲解腧穴的定位。为了深入研究新法针灸，1934年10月，承淡安东渡日本学习和考察日本的针灸学，并带回针灸教学图具和在中国已经失传的

《十四经发挥》等医学专著。中国针灸学研究社培养出了邱茂良、罗兆琚、曾天治、赵尔康、杨甲三、程莘农等众多针灸名家，他们遍布全国各地，传道授业，对澄江针灸学派的传承与发展、对中医针灸学的传承与发展做出了重要贡献。

又如广西派针法的代表罗哲初游学办学，继承古法，以师传身授的教学方式在上海、南京、宁波、安庆等地先后举办了8期“针灸讲习班”，培养了一大批造诣颇深的针灸医家。这些人遍布大江南北，为传承和发扬广西派针法发挥了重要作用。罗氏弟子中如郑静侯、张治平、曹一鸣等积极研究学习针灸学术，对民国时期民间针灸学术的发展起到了重要的推动作用。

为适应时代变化和针灸学术的发展，民国时期的针灸教材在重视传统针灸理论的基础上，大都积极借鉴西方医学理论知识体系，重新诠释传统针灸理论。当时以西医学解剖部位及神经、肌肉等知识讲述腧穴的定位，以西医学神经、生理等知识阐释针灸现象已被广泛认可。针灸教材的内容渐趋规范化、科学化、实用化。

从民国时期针灸教材的内容中可以看到这一时期针灸学术研究的状况以及现代针灸教材的雏形。

但是需要注意的是，民国时期的针灸教材文献存量不多，大多已经失传。作者团队以《中国中医古籍总目》为主要线索，对以该时期为主的针灸文献进行地毯式搜集，经过10余年的努力，收集了1000余种针灸文献。此次，作者团队遴选了民国时期的针灸教材文献54种作为研究对象，以期保存和传承这些文献，为中医针灸的发展尽一份绵薄之力。以馆藏未见讲义为例，作者团队搜集到数种难得一见的针灸教材，如《（香港）广东中医药学校针灸学》（周仲房）、《针灸学讲义》（湖南国医专科学校）、《广西省立医药研究所针灸学讲义》、《广西省立南宁区医药研究所针灸学讲义》、《莆田国医专科学校针灸讲义》等，为民国时期全国各地的院校教育的研究提供了珍贵的一手材料。

另外，作者团队在关注学院教育的同时，也收集到数目可观的民间个人创办的私立学校的教学讲义，如《天津私立益三针灸传习所讲义》、《私立叔平针灸学社讲义》、《针灸菁华》（胡耀贞传习广西派针法使用的讲义）等。这些讲义在继承明清时期文献的基础上，以传承古法居多，使得一些家传针法及治疗经验得以较好地保存下来。私立办学在民国时期对针灸学术的发展也产生了举足轻重的影响。

此次对54种针灸教材文献的整理，以文献的内容题材进行分类，并参考编者或学术团体所在地域进行分册，体例清晰，便于使用。《中国近现代针灸文献研究集成·教材卷》按内容题材分为：①针灸基础分卷；②针灸技法分卷；③针灸临床分卷；④针灸综合分卷。其中，针灸基础分卷又按地域分为江浙闽篇、北方篇、两广篇；针灸综合分卷按地域分为江浙闽篇、北方篇、广东篇、广西篇、湖南篇。通过上述的分卷、分篇，可以方便读者学习与研究该地区的针灸学术特色。

以民国时期为主的近现代针灸教材文献承载了该时期针灸医家传承针灸学术及教学的宝贵经验，对整个近现代的针灸发展具有深远影响。本次对这一时期的针灸教材文献进行系统整理、深度挖掘和总结，对我国中医针灸的发展具有重要的历史意义和现实意义：不仅可以保护珍贵的文献资料、呈现针灸教育发展史，还将填补民国时期针灸教材文献研究的空白，为现代针灸教育的改革与发展提供参考和借鉴。

目 录

针灸治疗学纲要

提 要

一、作者小传

杨医亚（1914—2002），原名杨益亚，曾用名杨鸿星，河南温县人，中国共产党员，九三学社社员，河北中医学院教授。1934年，杨医亚考入近代名医施今墨先生主办的华北国医学院。在校学习期间，他受聘于施今墨先生主办的《文医半月刊》，任主编。1937年，杨医亚主办了《国医砥柱》月刊。办刊期间，他发表了大量针灸方面的文章。1938年，杨医亚从华北国医学院毕业。1939年，杨医亚在北京创办了国医砥柱总社函授部（1943年更名为中国国医专科函授学校）及中国针灸研究所函授部学习班。1943年，杨医亚受聘于华北国医学院，任教授。1949年，杨医亚被聘为华北国医学院院长。之后他辗转于河北、天津等处，任编辑、教师等。1983年，他被调至河北中医学院任中医基础教研组主任、教授，直至1988年退休。

办学期间，杨医亚撰写和翻译了多部针灸著作，包括《针科学讲义》《中国灸科学》《配穴概论》《针灸治疗学》《针灸处方集》《针灸秘开》《针灸经穴学》《针灸治疗医典》《耳针疗法》《孔穴学》《实用针灸治疗学》《袖珍针灸经穴便览》等。中华人民共和国成立后，上述书籍有部分再版。1954年，《近世针灸医学全书》出版，该书是在《针灸经穴学》《针科学讲义》《中国灸科学》《配穴概论》《实用针灸治疗学》等的基础上改编而成的。

二、版本说明

日本摄都周管圭撰，杨医亚翻译，北京国医砥柱总社印行，1938年10月初版，字数、印数未注明，定价大洋二角。

三、内容与特色

该书首述作者临床常用七十穴，次述临床各科证候之针灸取穴。该书认为针刺之深浅宜从其病；施灸之壮数随病情之轻重及医者之经验而定；至于用针，以铁制毫针为常，放血常用三棱针。全书分为针灸七十穴、杂证、妇人科、难产、小儿科五篇。第一篇主要讲述位于头面部、肩背部、胸胁部、手足部的常用七十穴的定位及主治。第二篇讲述内科病证、急症、五官病证和头面躯干痛证的症状、病因、病机、病性以及针灸治疗取穴、出血法之放血穴位，并提出部分疾病需针药配合治疗方可取得显著疗效。第三篇提出妇人科疾病多是气盛而血虚所致，讲述了各种月经病的证候及针刺穴位。第四篇讲述难产诸证以及针灸穴位。第五篇论述了儿科疾病的病因、病性、针灸治疗取穴，并提出儿科疾病除惊风、疳积、痘疹外，其治疗与大人针灸疗法无异。

现将该书特色介绍如下。

（一）重视临床经验

该书论述的临床常用七十穴为作者实践经验所得。此七十穴覆盖全身，为各经脉重要腧穴及病证反映点，也是当今临床常用穴位，对于当代应用针灸治疗疾病具有重要指导作用。该书指出白痢针合谷、赤痢针小肠俞、赤白痢针三里之说毫无根据，吾门所不取也；难产刺三阴交、刺合谷堕胎之说不可信；凡小儿诸病，亦与大人无异，唯惊风、痘疹、疳积为异。上述皆为作者结合自身实践经验所得出的结论。

（二）重视以古法为证

该书以古法为证，引用古籍所载之内容来阐述疾病证候、病性、病因病机，并提出针灸治疗选穴、出血法取穴。该书还具体论述疾病的证候、病因病机及证型，根据疾病性质选取针灸穴位，依古法辨证论治。

（三）认为针灸疗效广泛

该书认为针灸可以治疗内、外、妇、儿、五官等各科疾病，且在治疗时发挥的作用各不相同：针灸治疗中风时发挥疏通经络、调和气血的作用，治疗各种疼痛时发挥止痛作用，治疗呕吐时发挥和胃止呕的作用，治疗月经后期时发挥温经散寒、补血调经的作用，治疗小儿惊风时发挥醒脑开窍、息风镇惊的作用。针灸具有多种治疗作用，可治疗多种疾病。

（四）配穴精简，疗效显著

该书在分析病因病机、明确辨证立法的基础上，选取适当腧穴以治疗疾病。治疗时取穴精简，而有奇效。作者认为配穴精练、方法得当，才能更好地发挥针灸的治疗作用。

針灸治療學綱要

北京國醫砥柱總社印行

針灸治療學綱要序

大凡豪傑之倡復古者，非墨守成法。作抱殘守缺之舉也，其始皆受蒙於時師之門，鑽研揣摩，既盡其道，然有時疑慮橫生，不能起古人而問之，而師之所傳者，是否合於實情，言而無徵；亦空言而已。儒家之術，苟非聖人，其事業與言論，究否適當，未能使惑者信之也。譬諸兵家　雖飽嘗軍事學識，然昇平之世，未嘗臨陣，則其說之當否，亦未能使惑者信之也；醫術雖不然，病敵常臨于前，可以施諸實驗，其說之良拙，可以證之，然二豎不言，葯之偶中，而得名多矣，未必可以作證，而判其良拙，故醫學復古之說，亦以無博學之士，以證其虛妄，或說與術合而爲之證驗，故採用古法，以古法爲證耳。攝都醫士管用圭，以針灸復古，良于其術也，本其經驗，著爲是書，當其引證參考，構心苦思之事，突不暇黔，既成示其弟子，名曰針灸治療學綱要，蓋嘔吐損血之作也；此書梓行，豈但爲其子弟之南針，直濟世家之一古方則也・可謂豪傑之事業也已矣！
明和丙戌冬十一月東溟林義卿撰

凡例

一、針灸上切要之經穴，予所恒用者，僅七十穴耳，以此七十穴，而療諸病，不復求他經穴，固違舊說，然用諸實驗，每奏奇效，以治百病，自覺游刃有餘焉。

一、舊本十二經，十五絡，前生是動并榮俞經合八會，或刺中心，一日死，其動爲噫，刺中肝，五日死，其動爲語之類，或刺瘂門成瘂之說，一切不取，故不言太陽太陰經，別爲頭面之經穴，列頭面部，手足之經穴，列手足部。

一、治門中，皆不言針深淺，宜從其病，醫者不分輕重，妄言深刺爲害，或淺刺不治，難經所謂春夏淺刺，秋冬深刺之說，一切不可從。

一、治門中，皆不言灸數者，以隨病輕重多寡也，間亦言幾壯者，其所有經驗而得效者也。

一、是編之出血法，試用之十之七八，罔不取奇驗，然出血有多寡，可隨病虛實輕重矣。

一、余所用治諸病之針，乃毫針也，而世人好華，以金銀作之，余只用鐵針，以覺其有奇效也，是至剌皮肉甚亟而不傷氣血，醫人鐵針有毒，以不用，然之有毒，予亦未見之也。

一、予所用之出血針，乃三稜針也，和醫皆以和鋼鐵作之，出血之後，其創甚痛，當以南蠻輸入者爲佳，可選用之。

針灸治療學綱要目錄

【壹】雜症

針灸治療學綱要目錄

针灸治療學綱要目錄　　四

針灸七十穴

頭面部

百會 在項中陷中，容豆許，去前髮際五寸，後髮際七寸。主治卒中惡，卒起僵臥，惡見風寒。

頭維 額角入髮際一寸五分，俗爲未嚙。主治頭痛，眩暈。

翳風 耳後尖角陷中，按之引耳中。主治口噤不開，引鼻中，又治齒齲。

耳門 耳前起肉，當耳缺者陷中。主治唇吻强，上齒痛。

風池 耳後顳顬後，腦空中下，髮際陷中。主治面亦腫。

瘂門 在項入後髮際五分，項中央宛宛中，仰頭取之。主治瘖不能言，舌急語難，

睛明 內眥頭外一分，宛宛中。主治目腫，子痛瘡，遠視䀮䀮，昏夜無所見。

肩背部

大椎 在脊骨第一椎上陷者，宛宛中。

主治久瘧不愈，復未發前至已發時，灸之數十壯，衄血不止者，數十壯果止。

肩井 肩上陷中缺盆上大骨前，一寸半，以三指按取，當中指下陷中。

主治頭頂頭痛，臂不能舉，○婦人難產墮胎後，手足厥逆無力者，針之頓愈，又治乳癰極效。

肩髃 膊骨頭肩端上，兩骨罅門陷者，宛宛中舉臂取之有穴。

主治臂筋骨疼痛，頭頸拘急，不可回顧。

膏肓 四椎下，近五椎上兩旁相去脊中各三寸，苦坐曲脊伸兩手，以臂著膝前，令端直，手大指與膝頭齊，以物支肘，毋令搖動取之。

主治虛損勞傷，而病無所不療，○此穴尤氏傳所載，醫緩見晉候，病在盲之上膏之下，如不可攻之，亦以有治之功，而有此名也，蓋專上焦心肺之陽氣，心肺之降濁氣，升清氣，有雲行雨施之功矣，故曰百病無所不療者，陽氣虛損，神魂勞倦，氣鬱，眠多，夢遺、健忘等諸疾，無不瘥也，誠醫家緊要之寶穴也。

肺俞 第三椎下兩旁，相去各一寸五分，千金曰，對乳引繩度之。

主治上氣喘滿，欬嗽

膈俞 七椎。下兩旁，相去脊中一寸五分，正坐取之。

主治胸脇支滿，噎食不下，疼嗽氣痛。

肝俞 九椎下兩旁，相去脊中各一寸五分，正坐取之。

主治胸滿心腹積聚，疼痛嗽引兩脇。

脾俞 十一椎下兩旁相去脊中各一寸五分，坐正取之。
主治泄痢不化，飲食不食，不肌膚，黃疸，脹滿，痞氣，

胃俞 十二椎下兩旁相去脊中，各一寸五分，正坐取之。
主治胃寒吐逆，少食羸瘦，霍亂腹痛。

膀胱俞 十九椎下兩旁相去脊中，各一寸五分，伏取之。
主治小便赤澀，苦尿失禁，婦人帶下瘕聚。

腰眼 令病人解去衣服，直身正立，于腰上脊骨兩旁，有微陷處，是爲腰眼穴也。
主治傳屍癆瘵，滅門絕戶，百方難治尤妙，尸虫必吐瀉中而出，此比四花等穴，尤易且效，又常灸腰痛，消渴，且治婦人月水不定，赤白帶下，腰脊冷痛，下血痔漏等，有十全之功

胸脇部

天突 在頸結喉下四寸，宛宛中。
主治喘急痰涎咳嗽，○又云喉痺，咽乾急。

中府 乳上三肋間，動脈應手陷中，去中行六寸。
主治胸肋疼痛，中風。

鳩尾 蔽骨之端，在臆前，蔽骨五分，人無蔽骨者，從岐骨際下行一寸，曰鳩尾，言其骨垂下，如鳩尾形。
主治卒霍亂，神志昏昧者。

巨闕　鳩尾下一寸。
主治心胸疼痛。膈中不利。

上脘　去蔽骨三寸，臍上五分。
主治翻胃嘔吐，食不下。

中脘　上脘下一寸，臍上四分。
主治諸病有傳。

梁門　中脘旁去中行各三分。
主治積氣疼痛。

陰都　夾中脘兩邊相去五分。
主治噦嘔不得意息。

建里　中脘下一寸臍上三分。
主治宿食嘔吐。

下脘　建里下一寸，臍上二寸穴當胃口下，小腸上口，水穀于是入焉。
主治泄利，腹內腸鳴。

水分　下脘一寸，穴當小腸下口。
主治水脹腫滿，水穀不分，小便不通，○灸功尤勝于針灸。

章門　大橫外直，季脇肋端，臍上二寸，兩旁九寸，側臥屈上足，伸下足，舉臂取之。
主治胸脇支滿，痞氣食積，瘧疾瘧泄痢，疝痛。

京門 盡骨下，腰中季脇，本夾脊。
主治小腹急痛，○此空能利腰間之氣，通腹背之結，開升脾之路，扶持脾腎之元氣，諸不委言，惟須每日用之，方能有效，故記以傳之也。

神闕 當臍中。
主治卒中，不省者，卒霍亂轉筋入腹，四肢厥冷，欲絕者。

天樞 夾臍中兩旁，各二寸陷中。
主治賁豚䐜疝，○甲乙云，治氣疝，噦嘔，面腫，賁豚。

陰交 臍下一寸，當膀胱上口。
主治小腹冷痛，陰囊㿗濕。

氣海 臍下一寸半，宛宛中，男子生氣之海。
主治溫補下元不足，盛精氣，夢遺精滑白濁。

石門 臍下二寸。
主治小腹疝痛，淋閉。

關元 臍下三寸。
主治臍下絞痛，遺精淋濁，月經不調，○張介賓曰，此穴當人身上下四旁之中，故名大中極，乃男子藏精，女子蓄血之處。

中極 關元下一寸。
主治產時惡露不行，胎衣不下。

手足部

合谷　手大指，次指歧骨間陷中，
主治偏正頭痛，面腫目翳，口眼斜，口噤不開。

商陽　手大指次指內側，去爪甲角，如韭葉。
主治手足拘攣。

後谿　手少指外側，本節後陷中。
主治肩臑痛。

少商　大指端內側，去爪甲如韭葉，白肉際，宛宛中。
主治手不仁，手臂身熱，又云，目疣雀目。

神門　掌後銳骨端陷中。
主治手不得上下。

通里　腕後一寸陷中。
主治卒痛煩心，心下悸，悲恐。

列缺　去腕上側二寸五分。
主治小便熱痛，及中風齒痛，（滑氏云，以手交頭食指末筋罅中。）

外關　腕後二寸兩筋間。
主治肩重，臂痛。

濕溜　腕後去五寸間，動脈中。
主治瘧，面赤腫，又云瘰癧咽腫。

曲澤　肘內廉下陷中，屈肘得之。主治腹脹喘，振慄。

曲池　肘外輔骨，屈肘曲骨之中，以手拱胸取之。主治臂膊疼痛，不能提物，屈伸不便，手振不能審物，及中風口喎斜。

內關　掌後去腕二寸，兩筋間。主治手中風熱，臂裏攣急。

湧泉　足心陷中，屈足捲指宛宛中，跪取之。主治衄血不止。

太敦　足大指端去爪甲，如韭栄，及三毛中。主治大腹脹，腹痛，癲症。

隱白　足大指端，內側去爪甲角，如韭葉。主治腹脹逆息，○又云，腹滿喜嘔，（內側爲隱白，外側爲太敦。）

內庭　足大指次指外間，陷中。主治喜頻伸數欠，惡聞人音。

臨泣　足小指，次指本節後，陷中。主治失痛，胸痺不得息。

申脉　外踝下五分，陷中，容爪甲白肉際。主治風眩癲疾，氣痲木。

照海　足內踝下，陰蹻脈所生。主治積聚，肌肉痛。

公孫　足大指本節後一寸，內踝前。
主治諸瘧惡寒，心痛心煩。

三陰交　內踝上三寸骨下陷中。
○主治婦人月水不調，難產死胎，○此穴下三陰經所交會，爲治陰病血症，婦人之要穴也，故俗對婦人謂之下三里也。

業山　兌腨腸下分肉間，陷中。
主治大便秘不通，痔漏脚氣。

陰陵泉　膝下內側，輔骨下，伸足取之，與陽陵泉相對。
主治心下滿寒中，小便不利。

陽陵泉　膝下一寸，胻外廉陷中，蹲坐取之。
主治足膝冷，痺不仁，脚氣，筋攣，○難經曰，筋會陽陵泉，故凡膝肘足，筋縮拘攣等，皆治此。

三里　膝下三寸，胻骨外廉，大筋內，宛宛中，兩筋肉分間，舉足取之。
主治逆氣上衝，頭痛，目眩，眼昏，耳鳴，鼻窒，口無味，痰咳，氣喘，心痛，胸腹支滿，食不化，腹內諸痰諸塊，腹痛，大小便不調，腰脊強痛，○此穴降諸上逆之濁氣，升下陷之清氣，故所治之諸病，皆是濁氣上塞之症也，上膏肓穴，升下陷清陽之氣，而清氣升則濁氣降，此三里穴降上逆之濁氣，而濁氣降則清氣升，陰陽升降，互濟其用，以收同等之效，故今灸膏肓者，後日必灸三里，以宜治之者也。

委中 膕中央約文，動脈陷中。主治腰脊甚痛，不可忍者，刺之出血頓愈，轉筋强直者，亦刺之立處愈。

風市 使病人正立，以兩手自然垂下，當第三指之端。主治腰腿痛，足脛痲頑，脚氣冷痛，令人輕健。

環跳 髀樞下，臥伸下足，屈上足，以右手摸穴，猶搖撼取之。主治胸脇相引半身不遂，腰胯痠痛。

阿是 病人有病痛，即令揑其上，若裏當共處，不問孔穴，即得使快成痛處，即云阿是，凡吳蜀人多行之。（指痛針痛徐氏謂之天應穴。）

請讀現代中醫藥界唯一精粹刊物

國醫砥柱月刊

中州楊醫亞主辦
龍江陳述先主編

本刊按月一日出版，撰稿係全國各地名醫著作家，每篇均是個人之精心傑構，內容豐富，學說新穎，言論公正，新聞翔實，編排醒目，印刷精美，辦理完善，風行中外，定價底廉，出版準期，殊非其他刊物所能比擬，實堪稱現代醫藥界最有價值之刊物，凡醫藥界及民衆們，不可不讀此衆美咸臻之刊物，醫藥界讀之，藉以明瞭現代醫藥情況和趨勢，民衆們讀之，足以增加醫藥常識，並得實用效驗方藥均有俾益，且足為復興民族之一助耳！

醫家必備 **百二十孔穴掛圖** 為研究經穴者不可少之參考品!!

最適合懸掛書齋之用!!!

▲附角票二角或中華郵票二十二分即寄

贈送 **程松崖眼科（秘本）** 附郵五分即寄

總發行所：北京西城北溝沿三十號 國醫砥柱總社發行部

國醫砥柱總社 發行部——代售各種醫書目錄 / 製藥部——精製各種良藥目錄 函索即寄

國醫砥柱月刊是發表中醫學術之眞理！是解說中醫學說之迷茫！是灌輸民衆醫藥之知識！是化中醫學術為世界醫！是人人不可不讀之月刊！確是中醫藥界良好讀物！

鍼灸治療學綱要

日本攝都管周桂氏著

【壹】雜症類

（一）中風

經曰，風之傷人也，或爲熱寒，或爲熱中，或爲寒中，或爲癘風，或爲偏枯，是以古之名醫，皆以外中風邪立方，然河間主火，東垣主氣，丹溪主濕，三先生之論，使後學狐疑不決，故王安道有論三子，主氣主火主濕之不同，而與昔人主風之不合，而立眞中類中爲二途。

針　中脘　鳩尾　三里

灸　百會　大椎　風市　三里

出血　委中　合谷

（二）預防中風

凡手十指麻痺者，中風漸也，速宜療治。

針　風池　百會　翳風　合谷　鳩尾　幽門

灸　肩井　曲池　此二穴，自百壯至三百壯，屢試屢效。

(三) 傷寒　傷寒一日刺太陽，二日刺陽明，陰陽分次第之說不可信。

針　期門　三里　風池

「附」陰症傷寒

灸　關元　神闕

(四) 內傷

內傷者，內傷其脾胃也。

灸　胃俞　脾俞　腎俞

(五) 中寒

寒爲天地殺癘之氣也，寒氣之傷人也，因陽氣虛也，凡傷寒，循六經，漸入中寒，不問冬夏，或坐地受冷，自皮膚卒入臟腑，而似中風

灸　中脘　神闕　氣海　此三穴，灸而手足溫暖則生，如極冷，唇青，厥逆無脈者則死。

(六) 中暑　有夏月四證，傷寒，傷風，中暑，熱病疑似難明，當詳細診斷，以分辨之。

中暑者，熱中心脾二經也。

針　中脘　鳩尾

（七）霍亂　霍亂已死，腹中尚緩而未絕氣者，乃用鹽納臍中令滿，大艾炷灸三五七壯甦。

霍亂有濕霍亂，有乾霍亂二種，心腹卒痛，先吐先瀉，心腹俱痛，吐瀉俱作者，溼霍亂也，凡吐瀉時不可與食，乾霍亂，忽然心腹絞痛，手厥冷，欲吐有聲無物，欲瀉不得瀉，升降不通，而急死。

針　鳩尾　中脘　關元　三里

灸　神闕

出血　委中

（八）轉筋　丹溪云，轉筋多屬血熱。

尋常轉筋，四時皆有，不因霍亂而發者，其發多于睡中或伸欠而作。

出血　隱白

一方　每遇轉筋時，即以鹽揩擦痛處，三五十匝，即雖皮破亦不妨，可以斷根。

（九）溼症　濕症雖有內外之不同，從外感得之者少，從內傷得之頗多。

溼有自外入者，長復鬱熱，山澤蒸氣，冒雨行溼，動作辛苦人，汗透沾衣，多腰脚腫痛，有自內得者，生冷酒麪滯脾，生溼鬱熱，多肚腹腫脹。

針　關元　石門

灸　腎俞

（十）痰飲　痰之病症百端，隨症可治療。

內經曰，諸氣膹鬱，皆屬肺金，蓄肺氣鬱則成熱，熱盛則生痰。

針　幽門　中脘　上脘　阿是

灸　膈俞　膏肓

（十一）瘧

瘧之病，內經說之詳且盡矣，然後世之名醫，或爲瘴瘧　爲鬼瘧，爲痰瘧，食瘧，其因痰食瘴鬼而爲瘧者，固有之，而千百十一耳，然冀廷賢，以瘧期時發爲信。

針　大椎　章門　京門　胃俞

灸　章門　屢試屢效

（十二）泄瀉　泄瀉之症，中脘陰都之兩穴，不可刺，卒爾輕刺，必成脾瘧矣。

泄瀉之症，只因脾胃飢寒，飲食過度，或爲風寒，暑溼所傷，皆令泄瀉。

針　關元　石門　三里

灸　天樞

（十三）咳嗽　欬者無痰而有聲，嗽者無聲而有痰。

內經曰，五臟六腑皆令人欬，非獨肺也，皮毛者，肺之合也，皮毛先受邪氣，邪氣以從其合也，五臟之欬嗽，久乃移於六腑。

針　幽門　上脘　巨闕

灸　肺俞　肩井

出血 曲澤

（十四）痢疾 白痢針合谷，赤痢針小腸兪，赤白針三里，如此之說，毫無根據，吾門所不取也。

原病式曰，痢爲溼熱，甚於傷胃，怫鬱而成其病，皆熱症也赤白相兼，膿血雜痢，皆因脾胃失調，飲食停滯，積於腸之間，多是暑濕傷脾，故作痢疾。

針 章門 天樞 關元 腎兪

灸 京門 腰眼

（十五）嘔吐

嘔吐者，有聲無物，胃氣有所傷也。

針 章門 京門 水分 三陰交

灸 三里 自百壯至二百壯得效。

（十六）痿躄 手足痿軟而無力，百節緩縱而不收，證名曰痿。

五臟因肺熱葉焦，發爲痿躄。

針　三里　大椎　膏肓　腎兪

灸　肺兪　膈兪

出血　太敦

（十七）頭痛　偏頭風，雷頭風，大頭痛，眉稜骨痛，真頭痛，頭重，頭搖，內傷頭痛，時作時止，綿綿不已，氣虛頭痛，耳鳴，九竅不利，濕熱頭痛，頭重如石，風寒頭痛，身重惡寒，真頭痛者，腦盡疼而手足冷至節者不治。

統治一切頭痛症類。

針　百會　風池　阿是　頭維　三里

灸　列缺　關元　瘂門

出血　頭維　百會

（十八）胃脘痛　俗呼爲心疼

虞天民曰，經所謂胃脘當心而痛，今俗呼爲心痛者，未達此義耳．雖曰，運氣之聖復，未有不由清痰食積鬱于中，七情九鬱觸於內之所致焉。

針　中脘　鳩尾　脾俞　內關

出血　膏肓

（十九）腹痛　大凡虛者喜按，實者怕按。

腹痛者，有因虛，有因實，因傷寒，因痰火，因食積，因死血者，宜參考。

針　章門　中脘　天樞　兼山　三陰交　阿是

灸　天樞　京門　三里

出血　太敦

一方　以帛包鹽，熨臍小腹，是又良法也。

（二十）腰痛　腎虛而邪能湊焉，故作痛。

丹溪曰，腎受病，則腰滯而痛

針　腰眼　三里　陰陵泉　阿是

灸　腎俞　陰陵泉

出血　委中

（二一）鬱症

夫人之氣血冲和，萬病不生，一有噎鬱，諸病生焉，故人之諸病，多生於鬱。

針　中脘　上脘

灸　脾兪　膏肓　三里

（二二）諸氣　針以導氣

血則隨氣而行，氣則載乎血者也，有是氣，必有是血，有是血，必乘乎是氣，二者行則俱行，一息有間則病矣。

「附」（1）氣虛　勞役傷氣，中氣不足不可針，

針　脾兪　胃兪

（2）氣實　邪氣也。

針　上脘　梁門　下脘

（3）氣滯　鬱而不伸也。

針　中脘　陰都　梁門

（4）氣寒　身受寒氣也。

灸　脾兪　肝兪

（二三）諸血

血爲榮，氣爲衛，心主血，肝藏血，脾爲總官，血隨氣行，氣逆則血逆，臟得血而能津，腑得血而能潤，目得血而能視，舌得血而能言，手得血而能握，足得血而能踊，榮衛晝夜循環運行而不息，若是榮衛火動，皆令失血焉。

（1）欬血　嗽而血出也。

針　幽門　三里　三陰交

（2）咯血　痰中血疙瘩也（所吐血縣，不臭可治，若臭者不治。）

灸　梁門　幽門　後谿

（3）吐血　嘔全吐也

針　脾兪　上脘　申脈　陰陵泉

（4）衄血　鼻血也

針　肝兪　瘂門　臨泣　內庭

灸　三里　湧泉

（5）便血　大便血

針　隱白　三里　申脈

灸　三陰交　二百壯

（6）溺血　小便血

針　關元　石門　天樞　臨泣

（一二四）呃逆

夫欬著，氣逆也。氣自臍下直衝上出於口，而作聲之名也，古謂之噦，今謂之呃，乃胃寒所生，寒氣自逆而呃上也，有痰，有氣虛，有火，有因飲食太過，塡塞胸中，而氣不得升降者。

針　中脘　陰都

灸　三里　屢試屢效

（一二五）惡心　胃中有寒氣而作惡心者，嘔淸水，胃中有熱而作惡心，嘔酸，內作熱。

惡心者無聲無物，但心中欲吐不吐．欲嘔不嘔，雖心惡心，非心經之病，其病皆在胃口上也。

針　中脘　上脘　梁門

灸　脾兪　胃兪

（二六）翻胃　一名反胃謂食入反出故也。

大抵翻胃之症．未有不由膈噎而起也，其病皆因憂愁憤怒，思慮鬱結，痰飲滯於胸膈之間，使氣道噎塞也。

針　中脘　上脘　下脘　陰部

灸　膈兪　脾兪　膏肓

（二七）傷食　初起一吐卽寬，若久不化，成積食也。

東垣曰，胃中元氣盛，則能食而不傷，過時而不飢，脾胃俱壯，則能食而肥也，脾胃俱虛，則不能食而瘦，或少食而肥，而四肢不舉，蓋實而邪氣盛也，又有善食而瘦者，胃强脾虛，胃強者，邪火殺穀，非眞強也．脾虛則肌肉削，名曰食積。

針（吐瀉並作腹痛甚之時。）中脘　鳩尾　章門
灸（不得吐不得瀉，甚而已欲絕之時。）神闕
出血　百會

（二一八）眩暈　病因有四，外邪，七情，腎虛，血虛。

夫眩者，言其昏黑，暈者，言其施轉，無痰不能作眩，此痰在上，火在下，火炎上，而動其痰。

針　中脘　三里　豐山　內庭
灸　三里　隱白

（二一九）大便閉　一名秘結，（有風燥，有濕燥，有陽結，有陰結，有氣滯結，或因有所脫血，津液暴竭，種種不同，固難一例而推。）

秘結之症，不向氣體實之人，攝養乖理，三焦氣澁，運掉不行，壅結于腸胃之間，皆有秘結之患。

針　豐山　章門　膀胱俞
灸　中脘　腰眼

（三十）喘急

入之五臟，皆有上氣，而肺爲之總，故經曰，諸氣皆屬于肺，肺居五臟之上，而爲華蓋，喜清虛，而不欲窒礙，調攝失宜，或爲風寒暑濕邪氣相干，則肺氣脹滿，發而爲喘，呼吸坐臥，促迫不安也。

針　中府　幽門　中脘

灸　天突

（三一）便濁

因脾胃之濕熱下流滲入膀胱，故使便濁，或白或赤，而渾濁不清也。

針　中脘　石門　陰交

灸　腎俞

（三二）小便閉　天民曰，先哲以滴水之器譬之，上竅閉，則下竅不出，此理甚明，故東垣使灸百會穴，提其氣，是開上竅之法也。

經曰，清陽出上竅，濁陰出下竅，故清陽不升，則濁陰不降，而成淋閉之患矣。

針　石門　關元　章門

灸　百會

（三三）黃疸

黃疸之病皆濕熱所成。

出血　隱白　脾兪　胃兪

（三四）黃腫

人有病黃腫者，不可惡以爲疸，蓋黃者疸，遍身如金，眼目皆黃，而面無腫狀，黃腫之黃，則其色帶白，而眼目如故，雖同出脾胃，而病形不同。

針　中脘　三里　腎兪　脾兪

（三五）呑酸附吐酸　呑酸吐酸雖有呑吐之不同，而治法則一也

內經曰，諸嘔吐酸，皆屬熱，惟李東垣，獨以爲寒。

針　章門　京門　天樞

灸　三里　百壯而效。

（三六）股痛

股居一身之下，衆陰之所歸，而其所以作疼者，三經（三經者，足厥陰脾經，足厥陰肝經，足少陰腎經也，治施之時不必細分。）受病也。

針　三陰交　陰陵泉　三里　阿是

灸　風市

出血　委中

（三七）脊痛（肩背痛不可回顧者，痰氣之所聚也。）

背脊乃督脉所貫，屬太陽經，其所以作疼者，乃房慾過度，不恤勞力，空虛所致。

針　肺俞　脾俞

出血　膏肓

（三八）脇痛

丹經曰，屬肝氣實，有死血，有痰流注。

針　章門　京門　阿是

灸　中府

出血　肝俞

（三九）疝氣

難經曰，任脈之爲病，其內若結，男子者，爲七疝。七疝者，寒，水，筋，血，氣，狐，癩是也。

針　天樞　腰眼　關元

灸　風市　阿是

出血　腎俞

（四十）勞極　勞極之一症，難治也，雖施以針，亦無大效。

勞症者，元是虛損之極，二十四種，或三十六種，名雖不同，證亦少異，大抵不過咳嗽發熱，咯血吐痰，白濁白淫，遺精盜汗，或心神恍惚，夢與鬼交，婦人則月閉不通，日漸尪羸，漸成勞極之候。

灸　膈俞　肝俞　脾俞

（四一）口舌病

口者，脾之竅，舌者，心之苗也。

（1）口舌生瘡 心熱也，

針　合谷　後谿

出血　神門

（2）口舌及咽腫痛 上熱也。

針　通里　神門　合谷

出血　曲澤

（四二）齒痛 牙齒骨之餘，腎之標也，精充則齒堅，腎衰則齒豁，虛熱則齒動。

丹溪曰，牙疼或出血屬熱，胃中有熱，有風寒，有虫，有濕熱，實熱腫痛也。

針　曲池　合谷　三里

出血　合谷

「附」（1）齒齲 虫蝕齒也。

針　翳風

針 （2）齒斷痛

列缺 神門

（四三）眼目 目之失明者，四氣七情之所害多。

陰陽應象論曰，諸脉者，皆屬于目。又曰，目得血而能視。五臟六腑之精氣，皆上注於目，而爲之睛。

（1）風眼腫痛

針 清明 三里 內庭

出血 頭維

（2）肝經上壅目赤澀痛

針 合谷 睛明

灸 肝兪

（3）雀目 肝虛之候也。

針 百會 少商

出血 肝兪

（4）眼眶脹痛

出血　合谷　少商

（5）統治一切眼疾

針　睛明　合谷　三里·內庭　百會　少商

灸　肝俞　三里

出血　肝俞　少商　頭維　百會

（四四）咽喉

咽喉腫痛者，或喉痛生瘡者，或喉痛閉塞不能言語者，俱是風熱痰火所致也。

針　合谷　曲池　天突

出血　少商

「附」喉痺　喉痺卒然腫痛，水漿不入，言語不通，死在須臾。

出血　放其腫處出毒血。

（四五）鼻病　內經曰，西方白色，入通氣于肺，開竅于鼻。

鼻者，肺之外候，丹溪曰，肺之爲臟，其位高，其體脆，性惡寒，又惡熱，是故好飲熱酒者，始則傷于肺臟。

「附」（1）酒齇鼻 熱血入肺。

出血 列缺 合谷

（2）淸涕 風熱也。

針 肺兪 迎香

（四六）痔漏

經曰，因而飽食，筋脉橫解，腸澼爲痔。

灸 可于痔上灸五壯，或至一百壯。

（四七）耳病

耳者，腎之竅，腎虛，則耳聾鳴也。

「附」（1）聤耳 多是上焦火炎也，小兒多有之。

針 翳風 外關

（2）膿耳 風熱上壅流膿，耳聾新發者，多熱也。久聾者，多腎不足。

針　耳門　迎香　臨泣

左耳鳴聾者　相火也

右耳鳴聾者　胆火也

左右耳俱耳腫痛者　胃火也。

（3）統治一切耳病

針　外關　合谷　耳門　翳風　後谿　迎香　三里　臨泣

（四八）𡁷雜

𡁷雜者俗謂之心𡁷也，有胃中因痰火動而𡁷者，又有因食鬱而𡁷者。

針　中脘　幽門　胃俞

（四九）噯氣　胸膈之氣上升也，噯氣者多在食積。

針　中脘　下脘　天樞　神門　通里

（五十）水腫

水腫者，因脾虛不能運化水穀，停于三焦，注于肌肉，滲于皮膚，而發腫也。

針　關元　天樞　章門　三陰交

（五一）鼓脹 鼓脹之一症，針灸難得效，須服藥。

夫脹者，飲食失節，不能調養，則淸氣下降，濁氣塡滿胸腹，濕熱相蒸，遂成脹滿。

針　中脘　石門　氣海

灸　水分、三陰交五百壯

（五二）積聚

氣之所積名曰積，氣之所聚名曰聚，故積者，五臟所生，聚者六腑所成也。

（1）肝積 名曰肥氣，在右脇下如覆杯。

針　梁門　天樞　章門

灸　肝兪　章門

（2）心積 名曰伏梁，起臍上，大如臂。

針　中脘　鳩尾

灸　膏肓

（3）脾積　名曰肥氣，在胃脘右側，覆大如盤。

針　中脘　梁門　陰都

灸　脾兪　腰眼

（4）肺積　名曰息奔，在右脇下，大如覆杯。

灸　三里　肺兪

（5）腎積　名曰奔豚，在小腹上至心下，若豚狀。

灸　腎兪　京門

（6）統治一切積聚

灸　陽陵泉　中脘　天樞　梁門　章門　京門　脾兪　腰眼

（五三）痞滿　大抵大便易者爲虛，大便難者爲實。

有氣虛痞，血虛痞，食積痞，脾泄痞，痰膈痞。

針　梁門　天樞　幽門

灸　上脘

（五四）健忘 附驚悸怔忡 精神短少者，多主于痰。

有因思慮過度，勞傷心脾忘事者。

灸　關元　天樞

『附』（1）驚悸 屬血虛火動。

灸　神門　中脘

（2）怔忡 心胸燥動，謂之怔忡驚悸，久則成怔忡，怔忡久則成健忘，三症雖有深淺，然皆因心脾血少，神耗，精氣不足，痰火濁氣上攻。

灸　神門　三里

（五五）淋病 氣，血，膏，勞，石，謂之五淋。

凡淋屬熱，間亦有冷淋，多忿怒，房勞，忍小便，或酒肉濕熱，下流腎膀胱，鬱結爲淋。

針　天樞、關元　中脘　太敦

灸　三陰交　膀胱俞

出血　三陰交　委中

（五六）脚氣　脚氣者，其初病之時，不知不覺，因他病誘發，其症寒熱全類傷寒。

有從外感而得者，有從內傷而致者，所感雖有內外之殊，其爲濕病之患則一也。

針　風市　公孫　陰陵泉　環跳

灸　隔蒜灸痛處，每二壯去蒜再換，灸自三十壯五十壯，可以患人之輕重也。

出血　承山

（五七）痛風　古之痛痺者，卽今之痛風也，諸方書又謂之白虎節風。

丹溪曰，因濕痰濁血流注爲病。

針　百會　環跳　風池

出血　三陰交　膏肓

（五八）關格

關格者，升降不通，飲食不下，此因氣之横格也，乃是痰格中焦。

針　中脘　鳩尾

出血　少商　太敦

（五九）臂痛

臂痛者因濕痰横行經絡也。

針　合谷　肩髃　曲池

灸　阿是

（六十）肩痛　痰濕爲主。

針　肩井　風池　肩髃

灸　膏肓

出血　肺俞

（六一）足痛

有痰，有濕，有血虚，有脚。

針　公孫　三里　陽陵泉

灸　阿是

（六二）手痛

有濕熱，有血虛。

針　曲池　合谷　神門　通里

灸　阿是　商陽

（六三）痲木　痲是氣虛，木是濕痰，分為二，雖然，亦有氣血俱虛，但痲而不木者，亦有虛而盛濕，痲木兼作者。

丹溪曰，十指麻木，是胃中有濕痰，死血。

「附」（1）渾身痲木

針　環跳　陽陵泉　肩髃　三里　百會　曲池　合谷　肩井

出血　合谷　百會

（2）手痲木

針　外關　曲池

出血　曲澤

（3）足痲木

針　三里　環跳　風市

出血　隱白

（六四）自汗　原病式曰，心熱則出汗。

丹溪曰，自汗者屬氣虛，亦屬濕與熱。

針　列缺　少商　太敦　湧泉

（六五）盜汗

丹溪曰．盜汁屬血與陰虛。

灸　腎兪　氣海

（六六）癇証

丹溪曰．癇證者，大率屬痰與熱。

針　中脘　鳩尾　公孫

灸　太敦

（六七）癲狂

癲狂者，大率多因痰結于心胸間所致。

針　風池　中脘　鳩尾　膏肓　肺兪
灸　百會　神門　上脘　曲池

（六八）邪祟

天民曰，病有心虛驚惕，如醉如癡，如爲邪鬼所附，或陽明內實，以致登高而歌，棄衣而走，皆痰火之所爲，實非妖迷邪祟之所致。

灸　太敦　三里
出血　委中　少商

（六九）脫肛

脫肛者，肛門翻出，虛寒脫出也。

灸　腰眼　督兪　脾兪　自二百壯，至五百壯。

（七十）諸虫　勞瘵虫有十八種，其形狀各有異，詳見十藥神書。

諸虫者，腸胃中濕熱所生也。

針　京門　章門　天樞
灸　肝兪　脾兪

（七一）遺溺或遺尿，老人溺多，有虛寒，壯人溺多者虛熱。

小便失禁者，屬氣虛。

灸　石門　腎俞　五百壯。

（七二）腋氣　一名狐臭屬濕熱。

灸　腋下有細小孔，每穴三壯。

（七三）消渴大抵消渴俱屬內虛，而有熱也。

因食甘美而多肥，故其氣上溢，轉爲消渴。

針　肺俞　迎香

灸　三里

（七四）癰疽　癰者大而高起，屬乎陽，六腑之氣所生也。疽者平而內發，屬乎陰，五臟之氣所成也。

凡癰疽，皆飲食，七情，房勞，損傷腎肝所致也。癰疽有外邪相搏，小瘡瘍侍，染亦皆因內有毒召者也。

灸　隔蒜灸發處，去蒜再換灸。

（七五）折傷

折傷者，多有瘀血凝滯血也。

出血　翳風　外關

【弍】婦人科　婦人諸病，多是氣盛而血虛也。

婦人一切病皆與男子同，惟經水，帶下，血崩，胎產等病爲異而已。

（一）經閉　血枯也。

針　中脘　氣海　中極

灸　關元　天樞

（二）月經常過期者血少也

針　石門　關元　三陰交

（三）經水過期，紫黑有塊作痛血熱也

針　三陰交　中脘　氣海

（四）經水未行，臨經將來作痛　血實鬱滯也。

針　天樞　陰交　關元

（五）經水行後而作痛俱血虛也。

針　三陰交　關元

（六）經水欲行，臍腹絞痛　血滯也。

針　氣海　陰交　太敦

（七）統治一切經水，諸病生穴

三陰交　關元　石門　陰交

中極　氣海　中脘　太敦

天樞　三里　神闕　合谷

【叁】難產　刺合谷三陰交，而墮胎之說，不可信。

難產之婦，皆是產前恣欲所致，非獨難產，且產後諸疾皆由是而生。

針　三陰交　合谷　石門　關元

（一）產後血暈不識人

針　三陰交　關元　中極
灸　三里　太敦

（二）產後手足厥逆

灸　肩井　七壯有極效。

（三）胞衣不下　肩井穴不可深刺，刺之亦須刺足三里。

針　氣海　石門　陰交　肩井
灸　肩井　中極

（四）橫產

針　三陰交　腎俞　合谷
　　橫產手先出，產門手出，以細針可刺掌中。

（五）逆產　足先出。

針　關元　石門　三陰交
灸　右足小指尖三壯，立產，炷如小麥大。

（六）懷妊

灸　胃俞　腰眼　至出產則安。

（七）產後腹痛瘀血也。

灸　石門　關元

（八）血崩血行淋漓不止，名曰山崩。

針　天樞　三陰交　太敦　氣海

（九）乳腫痛

灸　臨泣

出血　膏盲

（十）血塊

針　氣海　三陰交　三里　丹田　阿是

出血　委中

（一一）帶下肥人帶下多是濕痰，瘦人少有此病，有者足熱也。

丹溪曰，胃中痰積流下，滲入膀胱，當升之，無人知此。

針　肝俞　三陰交　氣海

灸　天樞　關元

【肆】小兒科

凡小兒諸病，亦與大人無異，惟驚風，痘疹，疳積，爲異。

（一）急驚　急驚屬肝，風邪痰熱，有餘之症也。錢仲陽曰，急者濕熱，慢者虛熱。

針　中脘　鳩尾　百會　湧泉

灸　章門

（二）慢驚屬脾，中氣虛損，不足之病也。

灸　章門　神闕

（三）疳疾　疳疾癖疾二症，肝兪，膈兪，脾兪，胃兪，及至身柱，腰眼，而出血治之，無有不效也。攝州中野村之一醫，行此法，最有經驗矣，俗稱中野之一本焉。

虞搏曰，內經云，數食肥，令內熱，數食甘，令人中滿，盖其病因肥甘所致。故命名之曰甘。

針　中脘　鳩尾

灸　肝兪　脾兪　章門

出血　膓兪　胃兪　腎兪

（四）癖疾

錢仲陽云，癖塊者，僻於兩脇，痞結者，痞于中脘此因乳哺失調，飲食停滯，邪氣相損而成，或乳母六淫七情所致也。

出血　肝兪　脾兪　腎兪

（五）丹毒丹毒者，火行於外也。

出血　委中　膈兪

（六）吐瀉

小兒之吐瀉，皆乳食過度，傳化失常，盆食鬱則成熱，熱鬱則成酸，而成吐成瀉，此必然之理也。

針　關元　天樞　鳩尾

（七）腹脹須察其虛實。

灸　章門

（八）腹痛多是飲食所傷也。

針　中脘　章門　關元

（九）夜啼錢氏曰，小兒夜啼者，脾臟冷而痛也，有欲飲乳，到口便啼，身額皆熱者，看其口，若無瘡，必喉舌腫痛而啼也。

灸　脾兪

出血　有舌下紫脉，刺之出惡血。

（十）痘瘡　痘瘡者，往昔未有，魏以來發生之，本朝聖武天朝之世始流行，或曰痘瘡者，人生不再危病也。

初生時，食胎血，咽下至腎經，發痘也，或曰父母肆慾火毒，遺於精血之間生兒發痘。

痘瘡黑頭研已欲絕。

出血　委中　曲澤

一九三八、十　　初版

1——1000

針灸治療學綱要

原著者　日本攝都周管圭

印行者　北京國醫砥柱總社

發行所　國醫砥柱總社發行部

社址：北京西城北溝沿三十號

實價大洋二角

针灸讲义（蒋云华）

提　要

一、作者小传

蒋云华，生平不详。

二、版本说明

1952年6月由零陵县医药联合会针灸讲习班出版。

三、内容与特色

该书为《针灸薪传集》的正文部分。

全书分为四编。第一编论述经穴考正，载人身度量标准及十四经经穴之部位，其中每一穴只录部位而无主治与针灸法；第二编分为简便取穴法、十四经要穴之功用、误针补救法3节，其中“简便取穴法”一节录自日本文部省经穴调查会制定的“审定孔穴学”，“误针补救法”一节译自东京针灸学院，“十四经要穴之功用”一节则仿中药功效之例总结十四经要穴之功效及应用，如以“利气清风热”总结迎香穴功效；第三编为多种针灸歌诀及歌诀浅注，包括《禁针歌》浅注，《禁灸歌》浅注，《井荥俞原经合歌》《井荥俞原经合治法总诀》《十二经原穴歌》《十五络穴歌》《四总穴歌》《行针指要歌》《八脉西江月》《十二经治症主客原络诀》《马丹阳天星十二诀》《十三鬼穴歌》《杂病穴法歌》浅注，《百症赋》浅注等，另附“五脏热论”及“五脏咳论”；第四编为针灸治疗各论，载伤寒门、温热门、神志门等19 门以及头面部、胸腹部、腰背部、四肢部疾病的针灸治疗方法。

现将该书特色介绍如下。

（一）重穴轻脉，贯通中西

该书将经穴考正列为全书第一编，突显出穴位在针灸中的重要作用。与其他书籍不同，该书未详述经络组成、经脉循行等，而是按照十四经的顺序，首论361个腧穴的位置。另在第二编中将身体中不太重要的穴位除去，详述120个重点穴位的简便取穴法，同时仿照中药药性功能总结腧穴的性质、功用，或以歌赋来反映某个腧穴的特性与功用，强调了单穴的重要性。如百会穴：其位于前顶之后一寸五分，后顶之前一寸五分，两耳尖直上之正中；简便取穴法为旋毛之陷中，自头盖正中线与左右颅顶结节，引横线而相当于十字纹之部；功用为统治头部风寒湿热，又为救晕针之穴；可在该穴施以五花针手术，该穴为治花柳主穴。

在腧穴定位中，该书既介绍了传统的以穴定穴的方法，也从西医解剖学的角度论述腧穴的定位，如在介绍阳溪的定位时说其位于合谷之直上，腕之横纹上侧，两筋间陷中，拇指交叉尽处，即第一掌骨之下，舟状骨与桡骨关节间。由此可以看出，在腧穴定位方面，该书已具有利用现代解剖学定位的雏形。

（二）分部论述，别具匠心

该书在介绍简便取穴法及针灸治疗各论时，皆以部位划分章节。在简便取穴法中，该书将穴位按头部、额部、颅顶部、颜面部、颈部、胸部等分类，在头部又分头部正中线、头部第一侧线、头部第二侧线等，便于学习者按人体部位、区域记忆掌握穴位位置。在治疗各论中，该书专列四章，分头面部、胸腹部、腰背部、四肢部来详述各部出现异常情况的针灸处方，便于临床施治及加减运用。

（三）歌赋众多，注解精妙

该书第三编列有针灸歌赋15篇，详述针灸禁忌穴位、特定穴以及常见症状选穴，实用性极强，每篇歌赋后必有按语，按语体现了作者对此篇歌赋的注解及发挥。作者对部分内容引经据典进行注解，如在介绍井荥俞原经合歌及表时，作者引用《灵枢·九针十二原》对其进行注解，言“井者，如水之出也”。另外，作者强调要用辩证的眼光来看待中医经典理论，对于《黄帝内经》记载的春刺井、夏刺荥、季夏刺俞、秋刺经、冬刺合的理念，作者认为“此为前贤惑于阴阳五行之说，有此附会，在治疗上未尽然也”。

（四）注重临床，融会各家

该书内容简明易懂，且除第一编经穴考正外，其余各编均涉及临床，如第二编论述了临床中误针后患者发生不良反应后如何进行补救，第三编以歌诀形式论述针灸禁忌穴位及疾病治疗方法，第四编详述各科疾病的基本针灸处方，并依据不同的伴随症状详列加减配穴，以供临床选用，实用性极强。除此之外，该书的论述还融会了中外各医家之长，如在介绍中风一病时，作者介绍完中经络、中血脉的基本针灸处方及随证加减配穴后，还介绍了日本金刚派中风预防名灸法、脑卒中症急救命术。

王家振

鍼灸講義目錄

鍼灸講義 目次

鍼灸[illegible]

鍼灸講義 目次

第一編

一、人身度量標準

人身長七尺五寸（古寸法）

蓋頭之周圍二尺六寸「前并眉　後并後頭突起」「頭橫寸之標準」

前髮際至後髮際一尺二寸「直寸之標準」

眉中心（即印堂）至大椎一尺八寸

眉中心至後髮際一尺五寸

眉中心至前髮際三寸

大椎至後髮際三寸

大椎至前髮際一尺五寸

耳前左右門穴間一尺三寸

兩顴骨間廣七寸

兩耳後乳嘴突起「完骨」間九寸
兩頭維之間廣九寸「頭之横寸」
胸部之周圍四尺五寸「胸之横寸」
腰部之周圍四尺二寸並臍量「腰部横寸之標準」
兩乳之間廣八寸「胸之横寸」
結喉至天突四寸
天突至劍骨（即鳩骨）九寸「胸之直寸」
鳩尾骨至臍八寸「上腹之直寸」

臍心至恥骨縫合部只作五寸「下腹之直寸」
腋窩横紋至章門一尺二寸（按章門穴在十一肋骨之末曲肘尖盡處是也）
章門至環跳九寸
第一胸椎棘狀突起至尾閭骨端三尺
上七節各長一寸四分
中七節各長一寸六分第十四節與臍平
下七節各長一寸二分
肩峯突起至肘尖鶯嘴突起折作一尺即肩髃至曲池

肘尖至腕中央横紋折作一尺即曲池至陽谿

腕窩紋至尺澤作九寸

尺澤至大陵作一尺

腕之横紋至中指本節長四寸

中指第一節至端四寸五分

大轉子至大腿骨外上踝長一尺九寸

大腿骨外上踝至腓骨頭長三寸五分

腓骨頭至外踝長一尺六寸

（穴法膝眼至外踝長一尺九寸）

内踝至地機三寸五分

恥骨軟骨上際至大腿骨内上踝一尺八寸

大腿骨内上踝至脛骨内關節踝三寸五分

脛骨内關節踝至内踝上際一尺三尺（下肢内側長度之標準）

内踝上際至下際長一寸五分

内踝下際至地機三寸

膝膕窩委中穴至跟骨下際一尺六寸（穴法委中至崐崙作十四寸）

足蹠之長一尺二寸（足部直寸標準）

足蹠之濶四寸五分（足横寸標準）

二、手太陰肺經 十一穴計二十二穴

中府　乳上肋骨三枚之上　即第一肋骨之下　距中行華蓋六寸

雲門　巨骨之下　即鎖骨外端之下部凹陷中　中府之直上一寸　中行璇璣穴旁六寸

天府　腋窩横紋頭直下三寸　垂直尺澤穴　又以手下垂靠至側胸與乳頭成水平之處

俠白　天府下一寸　尺澤之上五寸

尺澤　前肘部二頭膊筋腱之外側　即肘中横紋之中央　稍偏大指側　肘中二筋間

孔最　尺澤下三寸　直對魚際穴

列缺　腕外側上一寸五分　手交叉食指盡處　筋與骨之間　即橈骨莖狀突起之上方

經渠　橈骨莖狀突起之內側　適當診脈部之寸口　去腕骨約五分

（太淵）腕掌側橫紋端　適當腕撓關節部　即第一掌骨之後上

（魚際）大指本節後第三節內側散脈中

方　與舟狀骨關節之內前方

（少商）大指內側爪甲端　去如韮葉　即拇指撓骨之甲部

去爪甲角約一分

三、手陽明大腸經　二十穴　計四十穴

（商陽）次指內側　去爪甲如韮葉　即去次指爪甲側約一分

（二間）次指本節前內側陷中　即第二指側　第一關節前方

（三間）次指本節後內側陷中　即第二掌骨與次指第一關節

之下方

（合谷）大指次指岐骨間陷中　即第一掌骨第二掌骨之接斛

部之微前三分

（陽谿）合谷之直上　腕之橫紋上側　兩筋間陷中　拇指支

叉盡處　即第一掌骨之下　舟狀骨與撓骨關節間

（偏歷）陽谿直上三寸　直對曲池　即橈骨側之腕横紋之上三寸　即兩手交叉中指端　稍偏外側

（溫溜）腕後五寸　即偏歷上二寸　陽谿與曲池之中央

（下廉）腕後六寸　即溫溜上一寸　曲池前四寸

（上廉）下廉上一寸　去曲池三寸

（手三里）腕後八寸　曲池下二寸　此處所在周圍之肉隆起

（曲池）外肘部之中央　肘窩横紋頭　即上膊骨外　與上髁之內側　曲臂取之『曲臂後　肘紋之中央』肘之大骨外廉　大筋之邊　曲臂取之　即曲池之後

（肘髎）上方　尺骨鷹嘴突起之外上髁　直上陷中　按之奇痛之處　『此穴離曲池約五六分』

（五里）曲池直上三寸　即肘尖向內上三寸

（臂臑）曲池之上七寸　肩髃之下三寸　『肘尖上三寸』

（肩髃）肩端之肩膊　兩骨罅間　舉臂有空　即肩尖之中央

鍼灸大成　手陽明

[illegible]

（巨骨）肩胛上部　鎖骨外端　與肩胛棘之間　舉臂有空
即肩髃向上斜一寸餘

（天鼎）缺盆之上方　直扶突之下一寸

（扶突）人迎旁一寸五分　適當結喉之旁三寸

（禾髎）鼻孔之直下　水溝（人中）旁五分

（迎香）鼻孔旁五分　禾髎斜上一寸

四、足陽明胃經　四十五穴　計九十穴

（承泣）瞳子直下七分　適當眼窠下緣骨之上際

（四白）承泣下三分

（巨髎）鼻孔旁八分　直對瞳子

（地倉）口角之旁　去赤肉四分

（人迎）下頷隅之前一寸三分鼓頷視之　下頷邊隅　有凹陷
之處

（頰車）耳下部約八分　微向前　曲頰之端陷中　開口有孔
即下顎隅角微前方　口嘬亦開者沿皮鍼　牙齒痛
可直鍼　須令病者口中含枚　以防口閉致鍼灣」

（下關）上關之直下　耳珠之前部　適當顴骨弓之下　開口
無孔　閉口有孔「下關對耳垂尖　外開約一寸陷中」

（頭維）上關之直上　神庭旁四寸五分　（當曲周之後側
前頭髮際之下方）

（人迎）結喉旁一寸五分　頸大動脈之部

（水突）人迎與氣舍之中間

（氣舍）天突穴之外側一寸五分　微上些　適當鎖骨內端之上方

（缺盆）鎖骨上窩之中央陷中（乳頭之直上）

（氣戶）鎖骨之下凹陷中　去中行璇璣穴四寸　適當乳頭之
直上

（庫房）鎖骨之直第一肋間　去氣戶一寸六分　（微弱些）

鍼灸講義　足陽明胃經

(屋翳)第二肋與第三肋間　庫房直下一寸六分
(膺窗)第三肋與第四肋間　屋翳直下一寸六分
(乳中)第四肋與第五肋間　乳頭之正中
(乳根)第五肋與第六肋間　乳頭之直下一寸六分
(不容)巨闕之旁二寸　天樞之上六寸　第八肋軟骨之下際
(承滿)不容之下一寸　天樞之上五寸　上脘之旁二寸
(梁門)中脘之旁二寸　承滿之下一寸　天樞之上四寸
(關門)天樞之上三寸　建里之旁二寸　梁門之下一寸
(太乙)關門之下一寸　下脘之旁二寸　天樞之上二寸
(滑肉門)天樞之上一寸　太乙之下一寸　水分之旁二寸
(天樞)臍旁二寸　(臍之中央爲標準)
(外陵)天樞之下一寸　即陰交之旁二寸
(大巨)天樞之下二寸　即石門之旁二寸
(水道)天樞之下三寸　氣衝之上二寸　關元之旁二寸

（歸來）氣衝之上一寸　天樞之下四寸　中極之旁二寸

（氣衝）歸來之下一寸　天樞之下五寸　曲骨之旁二寸（適當陰莖根與冲門之間）

（髀關）前大腿部上端　腸骨前上棘之下端　適當氣衝與伏兎之斜直綫上　在伏兎上六寸『手掌橫紋按膝尖後中指點定　手掌再移向前一次　中指伸直盡處是穴乚

膝上一尺二寸　微斜向裡（離大筋約五分）

（伏兎）膝蓋骨之直上六寸起肉中　正跪坐而取之『手掌橫紋按膝尖中指盡處乚

（陰市）膝蓋骨上三寸　微偏外側

（梁丘）膝蓋骨外側之上二寸

（犢鼻）膝眼之外下方　約五分　適當膝眼與三里穴之中央而稍上些　緊靠膝蓋骨之外側　下膝眼上犢鼻

（足三里）外膝眼下三寸　脛骨正中之外緣約一寸

成穴講義　足陽明胃經

(上巨虛)三里直下三寸　外膝眼下六寸
(條口)上巨虛之下一寸　外膝眼下七寸
(下廉)條口之下一寸　適當膝眼至解谿之中間
(豐隆)下廉之外側一寸　微上五分　適當條口與下廉之中央　成三角形　又此穴由外膝眼至解谿之中間　外踝一寸
(解谿)衝陽之後上方　足關節前面之中央　與第二趾直之橫紋中　兩筋之間陷中
(衝陽)足背第二蹠骨與第三蹠骨接際部之微前　陷谷之上約三分　在足面部高核陷中
(陷谷)第二蹠骨外側　本節之後陷中　去內庭二寸(有動脈應手處即是)
(內庭)次趾外側　本節之前陷中
(厲兌)第二趾外側　爪甲跟部　去爪甲角約一分

五、足太陰脾經 二十一穴 計四十二穴

（隱白）拇趾內側爪根部 去爪甲約一分
（大都）拇趾內側第一節之後 本節之前陷中
（太白）大都之後一寸 拇指核骨之下陷中 為第一蹠骨內側之下部
（公孫）足大指本節後一寸五分 適當高骨之下 為第一蹠骨與第二楔狀骨關接部之內側
（商丘）足內踝之下 微前陷中 「足腕之橫紋頭」即內踝之前下方五分 中封與內踝之間
（三陰交）內踝之上三寸 脛骨之後緣 （去踝量）
（漏谷）內踝之上六寸 脛骨之後緣
（地機）漏谷上二寸 即內踝上八寸 膝下五寸
（陰陵泉）膝下內側輔骨之下廉陷中 即脛骨頭之下部內緣

陷中　與陽陵相對（去膝閒一寸餘）
（血海）膝臏之上二寸　為大腿內側之前下部　膝蓋骨內緣
之上二寸（屈膝　掌心合膝當大指盡處）
（箕門）血海上六寸　膝蓋骨內緣之上八寸　即大腿之內側
（衝門）大橫之下五寸　曲骨旁四寸（有作三寸五分）即鼠
谿部恥骨端之微上部　「內緣之上　大腿之內側」
（府舍）衝門上七分　大橫下四寸三分　去中行四寸
（腹結）大橫下一寸三分　府舍之上三寸
（大橫）去臍中四寸（有作三寸五分）
（腹哀）去中脘旁四寸　即第九肋骨附著部之下際
天膝下一寸六分微內些　舉臂取之　即第五肋與
（食竇）第六肋之間　中庭旁五寸（有作六寸計算）
胸鄉穴下一六分　為第四肋骨與第五肋骨之間
（天谿）去膻中六寸　仰取之（適當乳中旁）

（胸鄉）周榮下一寸六分　仰取之　即第三肋骨與第四肋骨之間　去玉堂六寸

（周榮）肺經中府之下一寸六分　仰取之　即二三肋骨之間　紫宮旁六分

（大包）淵腋下三寸　為第六肋骨與第七肋骨　去中行約八寸

六、手少陰心經　九穴　計十八穴

（極泉）腋窩橫紋頭　入腋窩約五分　動脈應手處　橫直天府三寸　微高於天府八分

（青靈）肘上三寸　舉臂取之　即伸肘舉臂　自少海直上三寸　與極泉成直線

（少海）屈肘內側橫紋頭　即上膊骨內踝之前內側取穴

（靈道）掌後一寸五分　即掌後尺骨側橫紋端　神門穴上一

寸五分　内尺骨筋部

(通里)腕後一寸　即陰郄後五分

(陰郄)在通里下半寸　去腕五分

(神門)掌後鋭骨端陷中　陰郄下五分

(少府)手小指本節之後陷中　小指與無名指屈向中　二指頭之間

(少衝)手小指内側端，去爪甲角如韮葉　即小指内側之爪甲根部約一分

七、手太陽小腸經　一十九穴　計三十八穴

(少澤)手小指外側　去爪甲角如韮葉許　即去爪甲根部約一分

(前谷)手小指外側本節之前　即第五指骨第一節之前　握拳取之

（後谿）手小指外側本節後陷中　第五掌骨端之下部握拳　本節後横紋端取之
（腕骨）手外側　腕前起骨之下陷中　即第五掌骨内側部前下方　為第五掌骨
内側舟状骨之間
（陽谷）手外側腕横紋中　腕骨之後　踝骨之下陷中　即腕關節之外側　尺骨
莖状突起之前下際
（養老）手踝骨之上突外　即尺骨莖状突起之正中　手掌向面而取之
（支正）腕後五寸　即陽谷之直上五寸　與小海成直線　當陽谷與小海之中間
（小海）肘之大骨外面　去肘端五分　即鷹嘴突起之尖端　在少海天井之中
（肩貞）脊椎外開八寸　腋縫直上
（臑俞）肩胛之上廉陷中　即肩胛棘之下際　肩髎之後下方
（天宗）肩胛棘之中央下際　臑俞之内下方
（秉風）天宗之上　肩胛棘中央之上方
（曲垣）肩胛上部　為肩胛棘起始部之上　即秉風與外俞之中
（肩外俞）　肩胛骨内上隅　第一第二胸椎棘状突起間之外端　即陶道穴旁開

三寸陷中

（肩中俞）肩胛骨之內廉　即第七頸椎及第一胸椎棘狀突起之外方　適當大椎穴旁開二寸

（天窗）頸之大筋之前　曲頰之下　扶突之後　天容之下一寸

（天容）耳下曲頰後　即下顎隅之直後約五分

（顴髎）面鳩骨下廉　即顴骨下陷凹處（與目外眥直下陷中）

（听宮）耳子珠子前陷中　即耳前小瓣之前陷中

八、足太陽膀胱經　六十七穴　計一百三十四穴

（睛明）鼻與目內眥之間　去目內眥約一分

（攢竹）眉頭之毛中　約入一分　骨陷中

（眉冲）在攢竹直上　入髮際五分　去神庭旁五分　適當曲差與神庭之間

（曲差）神庭穴旁一寸五分　即眉頭之直上　入前髮際五分

（五處）上星旁一寸五分　即眉頭之直上　入髮際一寸

（承光）五處之後一寸五分　即眉頭直上　入髮際二寸五分

（通天）承光之後一寸五分　即眉頭直上　入髮際四分

（絡却）通天後一寸五分　即眉頭直上　入髮際五寸五分

（玉枕）絡却後三寸五分　腦戶穴旁一寸三分

（天柱）頸之筋外廉　髮際中　瘂門之旁一寸三分　項後入髮際五分

（大杼）項後第一椎之下　左右各開寸半　即第一第二胸椎橫突起之間　陶道旁一寸五分（去脊之正中五分計　以下同）

（風門）第二椎之下　旁開寸半　即第二第三胸椎間之旁寸半

（肺俞）第三椎之下　身柱穴旁開一寸五分　即第三四胸椎橫突起之外側

（厥陰俞）第四椎之下　去脊柱一寸五分　即第四五胸椎橫突起之外側

（心俞）第五椎之下　神道旁一寸五分　即第五六胸椎橫突起之外側

（督俞）第六椎之下　灵台旁一寸五分　即第六七胸椎橫突起之外側

（膈俞）第七椎之下　至陽旁一寸五分　即第七八胸椎橫突起之外側

（肝俞）第九椎之下　筋縮旁一寸五分　即第九十胸椎橫突起之外側

藏之大會穴　足太陽膀胱經

(膽俞)第十椎之下　旁開一寸五分　即第十十一胸椎横突起之外側

(脾俞)第十一椎之下　脊中旁一寸五分　即第十一十二胸椎横突起之外側

(胃俞)第十二椎之下　旁開一寸五分　即十二胸椎第一腰椎横突起之外側

(三焦俞)第十三椎下　懸樞之旁一寸五分　即第一腰椎與第二腰椎横突起外側

(腎俞)第十四椎下　命門旁一寸五分　即二三腰椎横突起之向外側　適與臍平線

(氣海俞)第十五椎下旁開一寸五分　即第三四腰椎横突起之向外側

(大腸俞)第十六椎下陽關穴旁開一寸五分　即第四五腰椎横突起之外側　伏下取之

(關元俞)第十七椎之下　旁開一寸五分　即第五腰椎與薦骨間之外側　伏下取之

(小腸俞)第十八椎之下　旁開一寸五分　即第一二薦骨假棘状突起外側　伏取之

(膀胱俞)第十九椎之下　旁開一寸五分　即第二三薦骨假棘状突起之外側　伏取之

（中膂俞）第二十椎之下 旁開一寸五分 即第三四薦骨假棘狀突起外側伏取之

（白環俞）第二十一椎之下 旁開一寸五分 即第四薦骨椎之下 旁開寸半

（上髎）第一後薦骨孔部 與小腸俞平行（第十八椎）

（次髎）第二後薦骨孔部 與膀胱俞平行（第十九椎）

（中髎）第三後薦骨孔部 與中膂俞平行（第二十椎）

（下髎）第四後薦骨孔部 與白環俞平行（第廿一椎）

（會陽）龟尾两旁 各開五分 即尾閭骨下部之旁側陷中

（附分）第二椎下 旁開三寸 即風門旁一寸五分（去脊之正中五分計 以下同）

（魄户）第三椎下 身柱旁開三寸 即肺俞旁一寸五分

（膏肓）第四椎下 旁開三寸 即厥陰俞旁一寸五分

（神堂）第五椎下 神道旁開三寸 即心俞旁寸半

（譩譆）第六椎下 灵台旁開三寸 即督俞旁寸半

（膈關）第七椎下 至陽旁開三寸 即膈俞旁一寸五分

(魂門) 第九椎下 筋縮旁開三寸 即肝俞旁一寸五分

(陽綱) 第十椎下 旁開三寸 即胆俞旁一寸五分

(意舍) 第十一椎下 脊中旁開三寸 脾俞旁一寸五分

胃倉 第十二椎下 旁開三寸 胃俞旁一寸五分

(肓門) 第十三椎下 旁開三寸 即三焦俞旁一寸五分

(志室) 第十四椎下 旁開三寸 即腎俞旁開一寸五分

(胞肓) 第十九椎下 旁開三寸 即膀胱俞旁開一寸五分

秩(秩邊) 第二十椎下 旁開三寸 即中膂俞旁開一寸五分

(承扶) 尻臀之下 直立時 臀肉下垂之橫紋中央

(殷門) 承扶之下六寸 即大腿後面之中央部

(浮郄) 委陽之上一寸 即膝膕窩之外上方

(委陽) 膝膕窩之外方两筋間 即委中穴之外側一寸

委中 膝膕窩之中央 橫紋之正中

(合陽) 膝膕窩委中之直下二寸

（承筋）腨腸之中央陷中間，合陽與承山之正中　腓腸筋之外緣
（承山）腨腸之下　分肉之間　委中直下與崑崙穴之中間
（飛陽）外踝崑崙穴之上七寸，承山回外開一寸
（跗陽）外踝後上三寸　腓骨崑崙之外緣
（崑崙）外踝之後側　跟骨上之陷中
（僕參）跟骨直下之陷中　約外踝下四分之部陷中（崑崙之直下一寸五分　拱足心向內取之）
（申脈）外踝之直下陷中　約外踝下四五分之部陷中（外踝正中起微向前一寸緣陷中）
（金門）外踝之前方　即申脈穴之前下方五分　灣形陷中（骰狀骨之前下元）
（京骨）足之外側　大骨之下　第五蹠骨棱　外側膨之大部　距束骨約一寸
（束骨）足小趾之外側、本節之後陷中
（通谷）足小趾之外側　本節之前陷中
（至陰）足小趾外側　去爪甲角約一分

九、足少陰腎經　二十七穴　計五十四穴

[illegible]

鍼灸[illegible] 十三

（湧泉）足心之中央陷中（除足趾及足之後部）中央陷中（將五趾屈 觀凹陷中 便是穴）

（然谷）足內踝之前下方 高骨之下 舟狀骨之下緣陷中

（太谿）內踝之後 跟骨之上方陷中 去內踝約五分

（大鐘）太谿之下後方一寸 跟骨內側之緣

（水泉）太谿之下前方一寸 跟骨內側陷中（太谿大鐘水泉成三角形）

（照海）內踝下四分 斜對然谷一寸 陷凹中（內踝直下四分微前二分陷中）

（交信）內踝之上二寸 少陰之前 太陰之後 即太谿穴直上二寸

（復溜）內踝之後 直上二寸 即交信之後 相距五分

（築賓）復溜穴直上三寸 與陰谷垂直

（陰谷）膝之內輔骨之後 大筋之下 小筋之上 即脛骨端內緣之後部 膝膕窩橫紋之內側 兩筋之間陷中

（橫骨）肓俞之直下五寸 曲骨穴旁開五分

（大赫）橫骨之上一寸 中極穴旁開五分

（氣穴）肓俞直下三寸 關元穴旁開五分

（四满）肓俞直下二寸　石门穴旁五分
（中注）肓俞下一寸　阴交旁五分
（肓俞）脐旁五分
（商曲）肓俞上二寸　下脘旁五分
（石关）肓俞上三寸　建里旁五分
（阴都）肓俞上四寸　中脘旁五分
（通谷）阴都上一寸　肓俞上五分　上脘旁五分
（幽门）巨阙旁五分　肓俞上六寸　第七肋软骨附着部之下际
（步廊）神封之下一寸六分陷中　即中庭穴旁二寸　第五六肋之间
（神封）灵墟之下一寸六分陷中　即膻中穴旁二寸　第四五肋之间
（灵墟）神藏之下一寸六分陷中　即玉堂穴旁二寸　第三四肋之间
（神藏）彧中之下一寸六分陷中　即紫宫穴旁二寸　第二三肋之间
（彧中）俞府之下一寸六分陷中　即华盖穴旁二寸　第一二肋之间
（俞府）璇玑旁二寸　即锁骨与第一肋软骨之间
[illegible]

七、手厥陰心包絡經 九穴 計十八穴

（天池）腋下横紋頭之下三寸 乳旁一寸之處 即第四五肋之間 乳中穴與天谿穴之間

（天泉）曲腋之横紋頭 向肘方下二寸 與曲澤成直線 即内上膊之前上部 腋下横紋之前端 直對曲澤而上 舉臂取之

（曲澤）肘之横紋中之内廉中 尺澤少海之中間 即肘中二頭膊筋腱之内側

（郄門）掌後去腕五寸 即曲澤穴下五寸 大陵穴上五寸（適當二穴之中間）

（間使）掌後去腕三寸 兩筋之間陷中 即大陵上三寸

（内關）掌後去腕二寸 兩筋中 間使下一寸 大陵上二寸

（大陵）掌後横紋之中央 即腕關節部撓骨尺骨之間

（勞宮）掌之中央 中指本節後 中指無名指捲屈向掌中 適當二指頭之中央 即第三四掌骨之間

（中衝）中指之末端 有作中指內側去爪甲如韭葉 暈鍼時與人中穴鍼之神效

十八、手少陽三焦經 二十三穴 計四十六穴

（關衝）無名指外側端 去爪甲根約一分

（液門）小指次指之間 合縫處陷中 握拳屈之 即無名指與小指本節之間

（中渚）小指與次指之間 本節後陷中 握拳取之 即第四五掌骨之間前下方

（陽池）手表腕上橫紋之陷中 即第四掌骨上端 手腕橫紋中 稍偏外些

（外關）腕後二寸 兩筋間陷中 陽池直上二寸 橈骨與尺骨之間

（支溝）腕後三寸 即外關之上一寸 橈尺二骨之間

（會宗）腕後三寸 向外開一寸 即支溝向小指側開一寸

（三陽絡）支溝之上一寸 即橈骨與尺骨之間 與會宗支溝構成三角形 如

下△各開一寸

（四瀆）肘前五寸 外廉陷中 即陽池上五寸 橈骨之間（與肘尖之肘尖與陽池之中間）

（天井）肘外之大骨後一寸（與小海並列 距少海五六分 而微上）

（清冷淵）肘上二寸 即天井之上一寸 兩筋之間陷中

消濼 手少陽三焦經

（消濼）肘尖之上四寸五分　清冷淵與臑會之間

（臑會）肩髎之下三寸　垂直天井　適當上膊三分之一

（肩髎）肩髃與肩貞之中央　即上膊骨與肩峯突起之關節部

（天髎）肩之缺盆上惡骨之際陷中　即胛骨之上部　曲垣之前一寸

（天牖）缺盆之上　天突之後約一寸　適當天柱之前　完骨之下　即天柱與天容之中間　乳嘴突起之下部

（翳風）耳後之尖角「乳嘴突起」陷中　即耳翼根部之後下部凹陷中

（瘈脈）翳風之上一寸　乳嘴突起之中央骨陷中

（顱息）耳後之青脈上即耳翼根之後上部　角孫穴之後下部　骨陷中

（角孫）耳廓前隅之上　開口有空　即當耳角微前之處

（耳門）耳前起肉之耳缺中　即耳前小瓣之上陷中

（和髎）耳前銳髮之後　即耳門之前上方　銳髮之內側「上關在銳髮外側與禾髎並行

（絲竹空）眉毛端　即眉尾稍外端陷中

十二、足少陽胆經　四十四穴　計八十八穴

（瞳子髎）外眥後五分　令病者閉目　用其外眥合縫之終端　即目外眥角後五分

（听會）耳珠之前約一寸　下關之上　上關之下　開口有孔

（上關）耳前起骨之上廉　開口有空　即顴骨弓之上端（此穴又名客主人）

（頷厭）額角髮際之後上部　距頭維下一寸　曲角髮際三分

（懸顱）頷厭之下六分許　距曲角髮際二分

（懸厘）距懸顱下半寸　與耳根平行

（曲鬢）耳上入髮際一寸　微後些

（率谷）耳上入髮際寸半

（天衝）耳上入髮際二寸　微後六分　即上耳翼根之後上部　乳嘴突起之直上

（浮白）天衝之下一寸

（竅陰）浮白之下一寸　完骨之上七分　乳嘴突起之直上陷中

（完骨）竅陰之下七分　入髮際四分　即耳後完骨之陷中

（本神）絲竹空直上　入髮際五分　神庭旁三寸

（陽白）眉上一寸　直對瞳子取之

（臨泣）在目上　直入髮際五分　直對瞳子　即陽白穴直上　曲差與本神之中間

（目窗）臨泣之直後一寸

（正營）目窗之直後一寸

（承灵）正營之直後一寸五分　即通天之旁一寸五分　與瞳子直

（腦空）承灵後五寸後髮際三寸　即腦户之旁二寸強

（風池）腦空之直下　髮際陷中　即乳腦突起（完骨）之後陷中

（肩井）缺盆之上　大骨之前一寸五分　即鎖骨與肩胛棘之中間

（淵腋）腋下三寸　即極泉之下三寸　即側胸部第四肋間　舉臂取之

（輒筋）淵腋前行一寸　與淵腋同一肋間

（日月）乳下第二肋間　即第八肋軟骨之端　即期門之下五分

（京門）季肋之端　即臍上五分　旁外開九寸五分（即第十二肋之端）

（帶脈）京門之直下一寸八分　適當臍旁八寸　側卧取之

（五樞）帶脈稍斜入內側三寸　前上棘之外側際
（維道）章門下五寸三分　即五樞之前下五分
（居髎）章門下八寸三分　即維道下三寸　外開五分　横直環跳三寸　稍高
此即腸骨前下棘之外側際
（環跳）章門之下九寸　適當髀樞之中　即大腿關節　側臥伸下足　屈上足取之
（風市）大腿外側之正中線　膝上之中部　約中瀆之上二寸　身軀直上　兩
手垂下　中指盡處取之
（中瀆）髀骨之外　膝上五寸肉間　即屈膝横紋外角　直上五寸　與環跳成
一直線　適當風市下約二寸
（陽關）陽陵直上三寸　即膝關之旁
（陽陵泉）膝下外廉一寸陷中　即膝關節外側　腓骨之小頭前下部
（陽交）足之外踝上七寸　由崑崙直上「沿太陽經一面」
（外邱）足之外踝上七寸　陽交穴前行五分、與陽交相並　陽交在後　外邱
在前　相隔一筋

鍼灸講義　足少陽膽經

（光明）足外踝上五寸 陽交穴直下二寸（腓骨之前緣）

（陽輔）外踝上四寸 微前三分（適當光明懸鐘二穴之中 微向前些）

（懸鐘）光明之下二寸 外踝上三寸（即腓骨緣突起之前緣）

（丘墟）外踝之前下陷中 脛腓關節之下端 第四跖之直上横紋中

（臨泣）小趾次趾本節後陷中 即第四五分骨之接際部 歧骨間陷中

（地五會）臨泣下五分 第四趾外側 本節後陷中

（俠谿）第四跖外側 本節前陷中

（竅陰）第四跖外側 去爪甲角約一分

十三、足厥陰肝經（十四穴 計二十八穴）

（大敦）足大趾外側端 毛際中 即拇趾外側 爪甲根部 去爪甲角一分許 微内再上些 關節之前陷中（把爪甲之後畫成四分之一而取 爪甲外上部是穴）

（行間）足大趾之外側 本節之後 動脈陷中 大趾次趾合縫後五分

（太衝）足大趾之外側 歧骨之間 即第一二蹠骨之接際部微前 行間後一寸五分

(中封)足内踝之前　大筋之内　然谷之上　即内踝之前陷中
(蠡溝)内踝之上五寸　即脛骨前内側面之中央陷中
(中都)内踝之上七寸　脛骨内面之陷中　約當脛骨前内側三分之一之部
(膝關)犢鼻之下二寸　又向内斜一寸五分陷中　即膝關節之内側　曲泉之下二寸陷中　此穴與曲泉相對　曲泉在横紋之上　此穴在下
(曲泉)膝之内輔骨之下　即膝部内緣之中央部
(陰包)膝上四寸　即大腿内側三分之一部　在大腿骨内踝上四寸
(五里)氣衝之下三寸　恥骨突起之下陷中　陰廉斜下一寸
(陰廉)氣衝之下二寸　鼠蹊線之下部
(急脈)曲骨之旁二寸五分
(章門)十一胸肋之端　側卧　伸下足　屈上足取之
(期門)不容旁一寸五分　當第八肋端之外側　去中行(巨闕)三寸五分

十四、任脈經穴　二十四穴

[illegible]

（會陰）兩陰之間縫中　即前後陰之中間

（曲骨）橫骨之上　毛際陷中　即臍直下五寸之處（即恥骨與軟骨接合之上際

（中極）臍下四寸　曲骨穴上一寸

（關元）臍下三寸　曲骨穴上二寸

（石門）臍下二寸　曲骨穴上三寸

（氣海）臍下一寸五分　曲骨穴上三寸五分

（陰交）臍下一寸　曲骨穴上四寸

（神闕）當臍之中心

（水分）臍上一寸　下脘之下一寸

（下脘）臍上二寸　建里之下一寸

（建里）臍上三寸　中脘之下一寸

（中脘）臍上四寸　上脘之下一寸

（上脘）臍上五寸　巨闕之下一寸

（巨闕）臍上六寸　歧骨之下二寸

（鳩尾）臍上七寸　歧骨之下一寸

（中庭）膻中之下一寸六分　正坐取之　適當左右第六肋之間陷中

（膻中）胸骨之下五分之一部　即兩乳之中間

（玉堂）膻中之上一寸六分

（紫宮）膻中之上三寸二分

（華蓋）膻中之上四寸八分　天突之下二寸

（璇璣）膻中之上五寸八分　天突之下一寸

（天突）結喉之下宛宛中　即胸骨之上端　頸窩正中央

（廉泉）頷下結喉之間　即喉隆起之上方　頸橫紋微斜上

（承漿）下唇之下　頤唇溝之中央陷中

（齦交）下唇之內　齒下齦縫之中

十五、督脈經穴　二十八穴

（長強）脊骶之端　即肛門之後陷中　伏而取之

(腰俞)二十一椎之下 即第四薦假椎之下陷中

(陽關)十六椎之下 即第四五腰椎棘狀突起之間

(命門)十四椎之下 即第二三腰椎棘狀突起之間(與臍平)

(懸樞)十三椎之下 即第一二腰椎棘狀突起之間

(脊中)十一椎之下 即第十一十二胸椎之間

(中樞)十椎之下 即第十十一胸椎之間

(筋縮)九椎之下 即第九十胸椎之間

(至陽)七椎之下 即第七八胸椎之間

(靈台)六椎之下 即第六七胸椎之間

(神道)五椎之下 即第五六胸椎之間

(身柱)三椎之下 即第三四胸椎之間

(陶道)一椎之下 即第一二胸椎之間

(大椎)一椎之上 第七頸椎與第一胸椎之間 與肩兩平

(瘂門)風府之後一寸 即入後髮際五分 即第一二頸椎之間

（風府）項後髮際　直入一寸　即後頭結骨與第一頸椎之間

（腦户）枕骨之下面　強間之後一寸五分　即風府直上一寸五分

（強間）後頂之後一寸五分　腦户之上一寸五分

（後頂）百會之後一寸五分　強間前一寸五分

（百會）前頂之後一寸五分　後頂之前一寸五分　兩耳尖直上之正中

（前頂）顖會之後一寸五分　百會之前一寸五分　（去前髮際正中三寸五分

（顖會）正中入髮二寸　百會前三寸　後髮際直上一尺

（上星）正中前髮際入一寸

（神庭）正中直入髮際五分

（素髎）鼻柱之上端　當鼻骨之尖端

（水溝）鼻柱之下　人中之中　微斜上些

（兑端）唇之上端　即外皮與粘膜之間

（齦交）上唇之内　上齒之上齦縫之中央

第十二篇

簡便取穴法

日本文部省經穴調查會　審定孔穴學　閱時六載　始克完成　其審查之結果　於六百六十穴中　刪除身体上之無關重要之穴外　得一百二十穴　凡所取之穴　在大人以術者之指為標準　在小兒以病者之指為標準　蓋經結田富岡二氏　鍼灸尸體　指示其部位　而加確定　以為標準　爰摘數節以資稽攷

（一）頭部正中線

自眉間中央後方起點　向後方走正中　至項部之線凡六穴

（神庭）眉間正中　直上四指橫徑　相當於髮際部

（顖會）神庭直上　一指半橫徑　即大顖門部

（百會）顖毛之陷中　自頭蓋正中線　與左右顱頂結節　引橫線而相當於十字紋之部

（後頂）自百會後約一指半橫徑　自外後頭結節　約三指橫徑部

（腦戶）外後頭結節之直上部　百會後四指半橫徑部

(瘂門)耳外後頭結節下方　二指横徑部

(二)

自上眼窠孔起點　離正中線之外方二指横徑　於正中線平行至後方之一線凡

四穴

(曲差)神庭外方　二指横徑　相當於髮際部

(承光)曲差之後方　二指横徑　相當於顖會之外側部

(通天)承光之後方　一指半横徑部

(天柱)當風府之外方　一指横徑部

(三)頭部第二側線

自顳顬之起始部起點　離正中線之　外方四指横徑　與第一側線平行　至

後方　凡五穴

(臨泣)神庭外方　四指横徑部

(正營)臨泣後方　二指横徑部

(承靈)正營後方　一指半横徑部

[illegible]導氣　簡便取穴法

(四)額部

額部凡二穴

(攢竹)眉毛內端之下方　正中線之外方　一指橫徑部

(陽白)眉毛中央之上方　一指橫徑部

(五)顳顬部　(顳顬部凡三穴)

(頭維)神庭之外方　約四指半橫徑　相當於髮際部

(曲鬢)顴骨弓上方　約一指橫徑之凹陷部

(絲竹空)眉毛外端凹陷部

(六)顱頂部　顱頂部凡二穴

(率谷)顱頂結節下方　一指橫徑部

(竅陰)乳嘴突起基底之後方部

(七)耳前部　耳前部凡二穴

(上關)顴骨弓之上際部

(聽會)耳珠下少前方之凹陷部

（八）耳下部 凡一穴
（翳風）耳垂與乳嘴突起間之凹陷部
（九）頰部 凡九穴
（迎香）鼻翼之旁凹陷部 鼻唇溝之上部
（四白）下眼窠緣之下方 一指橫徑部
（巨髎）鼻孔之外方 約一指橫徑 當第一小臼齒齦部
（地倉）口角之外方 半指橫徑部
（下關）顴骨弓之下方 下顎關節前方之凹陷部
（頰車）下顎骨隅之後端部
（大迎）下顎骨隅之前方 約一指半橫徑部

（顴髎）顴骨之下緣部
（禾髎）鼻柱之下部人中
（十）頸部 凡二穴
（天鼎）前頸部喉結節外方 相當於胸鎖乳嘴筋前緣之中部
（天突）胸骨頸狀截痕直上部 相當於胸骨上窩中央部
（一）胸部副胸骨線
離胸部正中線 當副骨線凡六穴
（俞府）巨骨與第一肋間 胸骨外方部
（彧中）第一第二肋間 胸骨外方部
（神藏）第二第三肋間 胸骨外方部
（靈墟）第三第四肋間 胸骨外方部
（神封）第四第五肋間 胸骨外方部

(步廊)第五第六肋間 胸骨外方部

(二)胸部乳線 凡五穴

(氣户)第一肋間

(庫房)第二肋間

(屋翳)第三肋間

(膺窗)第四肋間

(乳根)第六肋間

(三)胸部前腋窩線

(中府)庫房之外方 二指横徑部

(四)腹部正中線

自鳩尾起點 下行正中至恥骨縫際部之線 凡七穴

(鳩尾)胸骨下端下方 一指横徑部

(巨闕)鳩尾之下方 約一指横徑部

(上脘)巨闕之下方 約一指横徑部

(中脘)上脘之下方 約一指横徑部

(建里)中脘之下方 約一指横徑部

(下脘)建里之下方 約一指横徑部

(關元)臍之下方 約三指横徑部

(五)腹部下第一側線

離鳩尾之外方半指横徑 於正中線平行 至下方之線 凡八穴

(幽門)巨闕下方 半指横徑部

(通谷)幽門下方 一指横徑部

(陰都)通谷下方 一指横徑部

(石關)陰都下方 一指横徑部

(商曲)石關下方 一指横徑部

(肓俞)商曲下方 二指横徑部

（四滿）盲俞下方　二指橫徑部
（大赫）四滿下方　二指橫徑部

（六）腹部第二側線

離第一側線之外方　一指橫徑起點
於第一側線平行下方之線　凡六穴

（不容）幽門外方　一指半橫徑部
（承滿）不容下方　一指橫徑部
（梁門）承滿下方　一指橫徑部
（關門）梁門下方　一指橫徑部
（太乙）關門下方　一指橫徑部
（天樞）太乙下方　二指橫徑部　與臍平行
（外陵）天樞下方　一指橫徑部
（水道）外陵下方　二指橫徑部

鍼灸講義　簡便取穴法

（一）側腹部　凡六穴

（腹哀）季肋部　相當乳線部　中脘之旁四指橫徑部
（大橫）腹哀下方　四指橫徑　臍之外方部
（腹結）大橫下方　約一指半橫徑部
（衝門）腹結下方　約四指橫徑部
（腸髎）第一肋骨端之下方部　即章門
（五樞）腸髎下方　五指橫徑部

（一）背部正中線

自第七頸椎突起點　下行至尾閭骨尖端之線　凡四穴

（大椎）第七頸椎棘狀突起　與第一

胸椎棘状突起之間

(身柱)第三胸椎棘状突起 與第四胸椎棘状突起之間

(命門)第二與第三腰椎棘状突起之間

(長強)尾閭骨尖端部

(二)背部側線

離正中線之外方二指 與正中線平行 至下方之線 凡十三穴

(大杼)第一胸椎與第二胸椎 突起間之外方 約二指横徑部

(肺俞)第三胸椎與第四胸椎 突起間之外方 約二指横徑部

(心俞)第五第六胸椎突起間之外方 約二指横徑部

(膈俞)第七第八胸椎突起間之外方 約二指横徑部

(肝俞)第九第十胸椎突起間之外方 約二指横徑部

(胃俞)第十二胸椎與第一腰椎突起間之外方 約二指横徑部

(腎俞)第二第三腰椎棘状突起間之外方 約二指横徑部

(大腸俞)第四第五腰椎棘状突起間之外方 約二指横徑部

(白環)尾閭骨之側方部

(上髎)腸骨後上棘之下方部 相當於第一後薦骨孔

(次髎)上髎之下方 約一指横徑部

相當於第二後薦骨孔
（中髎）次髎下方　約一指橫徑部
相當於第三後薦骨孔
（下髎）中髎下方　粗一指橫徑部
相當於第四後薦骨孔
（一）肩胛部　凡二穴
（曲垣）肩胛骨棘狀突起根之上部中
央
（肩外俞）肩胛骨內側第一胸椎與第
二胸椎間之外方　約三指
橫徑部
（二）上肢部　凡十三穴
（消濼）在上膊外面之中央　三角筋
停止部　少後下方
[illegible]

（清冷淵）肘之上方　二指橫徑部
（四瀆）肘之下方　五指橫徑　尺骨
外側部
（天井）尺骨上端　鷹嘴突起之上方
一指橫徑部
（俠白）上膊內面尺澤之上方　五指
橫徑部
（尺澤）肘關節前面　肘窩內側部
（曲池）相當於肘窩橫皺之外端
（三里）曲池之下方　二指橫徑部
（肩髃）肩峯起之肘外方部　上膊上
凹陷之所
（肩貞）肩峯突起之後外下方部　相
當於肩峯突起之後外方　二

指横徑部
腕關節之背側上方　三指横
(支溝)　徑部
(合谷)第一掌骨與第二掌骨間之部
(陽池)腕關節背面之中央部
(三)下肢部　凡十八穴
(陰廉)鼠蹊溝之中央部
(環跳)大轉子之前方
(承扶)臀部下溝之中央部
大腿骨外上髁上方　五指横
(中瀆)　徑部
(陽陵泉)膝之下方　一指横徑部
(三里)膝之下方　三指横徑部
陰陵泉　脛骨關節踝後緣之直下部
與陽陵相對
(飛揚)足之外踝上方　七指横徑部
(三陰交)足之內踝上方　三指横徑
部
(懸鐘)足之外踝上方　三指横徑部
(水泉)足之內踝後下方　一指横徑
部

十四、經要穴之効用

手太陰肺經

(中府)理肺利氣　泄胸膈諸熱　無
可驗肺病輕重(用指在穴上
一點　不痛為肺傷　如痛而
發驚為肺破　痛尚可治　驚

跳則不治）

（尺澤）止血舒筋

（列缺）痛在頭部　如頭風等有特效

行氣治頭痛

（太淵）調脈不勻（治一切危症　喉

症三稜鍼刺出血）

（少商）危急喉痛　及一切危急症

三稜鍼刺出血

手陽明大腸經

（商陽）主治喉症　（放血）

（合谷）行氣血　止牙痛　為頭面舌

部總穴

（曲池）行氣血

（肩髃）舒筋　與合谷曲池合鍼　治

鍼[illegible]

手肘鍼學　及風癱等神效

（迎香）利氣清風熱　治目疾要穴

治鼻塞亦神效　與上星素髎

合鍼　治鼻淵亦灵　殺腹內

虫疾

足陽明胃經

（頭維）散風熱　治頭痛特效　目痛

（治皮下鍼）

（頰車）驅風　治牙痛　配听會治下

頷脫落神效

（地倉）配頰車　治口眼喎斜　配不

容治腹內虫痛　主舒頭面之筋

（人迎）治喉症　驅風邪　治皮下筋

（天樞）腹痛　腸鳴　泄瀉神效

(歸來)陰症傷寒 配長強治陰縮及一切生殖器病(治陰症傷寒加灸神闕

(足三里)腸胃病特效穴 兼能降氣 兼鍼天突

(豐隆)化痰瀉肺熱 治哮喘神效

(內庭)四肢厥冷 足冷加陽陵 手冷加曲池

(厲兌)四肢厥冷 及胃氣痛

足太陰脾經

(隱白)治月經不止 用灸法 治血崩神效 (月經不調亦效)

(公孫)治腹痛神效 配三里止腹痛 配中脘止氣痛

(三陰交)婦科主穴 配子戶胞門中極 治婦人不孕 各鍼五分 灸五壯(註中極旁開各一寸 左為色門 右為子戶)

(陰陵泉)治淋濁小便不通 及胸肋脹滿而痛 有神效(利小便特效 治淋病加配五里 小腸俞)

(血海)治惡毒瘡 及止崩漏 有特效 止崩配地機 止漏配隱白

手少陰心經

(通里)鎮心神效 配神門治心驚

(神門)寧心 配內關間使 鍼灸少
商出血 心俞膻中灸 太冲
湧泉鍼 能治神經病
(陰郄)治盜汗 配後谿乃效
(少衝)急救可刺出血
手太陽小腸經
(少澤)急救刺出血
(後谿)用瀉法可止汗 用補法可發
汗 又治肩髀骨痛 配陰郄
止盜汗
(腕骨)舒筋
(听會)治耳疾配翳風
足少陰腎經
(湧泉)能降上部一切熱氣 治腦充
[illegible]

血尤特效 腦膜炎亦效
(然谷)用補法補腎 用瀉法瀉腎
(太谿)驚癇風痺 有特效 祛風 (六
脈沉微 此脈應手者可治)
(復溜)治腫要穴 足腫
(肓俞)治天花痘不上漿可灸
(照海)治胞衣不下有神效
足太陽膀胱經
(攢竹)治頭目疾
(大杼)散瘀 行血 清熱
(風門)解表寒
(肺俞)治一切肺部病 肺癆要穴
(膏肓)治五勞七傷 又為肺病第二
期主穴

鍼灸說畧

(委中)腰背腿諸痛疾　特效(禁灸)　(崐崘)足轉筋　步履艱難

(承山)腰背諸疾　或痔漏　或轉筋　(至陰)灸治難產神效　配獨陰(在小指次指底橫紋中　难產神效)

(飛揚)健步　治足膝痛

(心俞)(肝俞)(脾俞)(胃俞)(腎俞)(大腸俞)(小腸俞)皆血症要穴　與膈俞膽俞曲池三陰交血海等穴效同

此穴配天樞足三里中脘下脘　治小兒食多　不生肌肉

手厥陰心包絡經

(間使)行血降氣　治瘧有特效　又治神昏譫語

(内關)瀉熱治胸腹諸疾

(勞宮)退四肢熱　驅手臂風邪　又治鵝掌風　有特效

(中衝)降熱理氣 救急 又救驚風主穴

手少陽三焦經

(關衝)口苦咽乾 救急

(外關)驅四肢風

(翳風)耳鳴牙關脫臼 有特效(耳聾)

(耳門)療耳疾 治上牙痛 有特效

(上牙痛配合谷 下牙痛配頰車)

(絲竹空)清頭目諸熱

足少陽膽經

(听會)耳疾主穴

(頭臨泣)清目中邪熱

(風池)驅風 諸疾初起主穴

(環跳)舒筋 行足部血

(陽陵)舒筋 兼行氣血

(絕骨)療脚氣 為骨髓之會 配陽陵環跳 治一切足氣病

(足竅陰)救急

足厥陰肝經

(大敦)諸疝有特效

(行間)去濕

(太冲)活血行氣 驚癇症常用之

(曲泉)行血

(章門)總理臟腑諸疾

(期門)傷寒主穴 又治難產

任脈經

(中極)婦科要穴 赤白帶下崩漏

（關元）補諸虛積症
（氣海）補氣　治一切氣疾　配血海
足三里三陰交關元腸俞　婦
人產後　瘀血作痛　可用
（下脘）止心腹痛　神效（痛症多用
瀉法）配天樞足三里　治腹
内絞痛
（中脘）心胃氣痛　開胃消食
（上脘）心胃氣痛　與中脘配用
（天突）降氣　止嘔吐　反胃
（承漿）宣氣　通血脈

督脈經

（長強）痔漏主穴　又治加陰傷寒
脫陽　現青黑色向上圍者不
治
（命門）腎病主穴（三十歲以下者少
用）治陽痿灸
（靈台）疔瘡要穴
（大椎）治血散瘀　又治跌打腰部
以上痛者可用
（風府）驅風
（百會）統治頭部風寒濕熱　又為救
暈鍼之穴　施以五花鍼手術
治花柳主穴
（上星）清頭目熱
（人中）救急　又救暈鍼主穴
（顖會）灸初生小孩臍風特效　餘症
不可輕用

注意

凡普通痛在上部者　肩髃曲池合谷皆可用

凡普通痛在下部者　環跳陽陵太衝皆可用

三、誤針補救法　（譯自東京鍼灸學説）

（神闕）有時發生睾丸擡痛　須鍼命門　以挽救之　下鍼時　鍼尖微向上方至不可入為止　留二十呼吸　然後搖動鍼柄　約二三息　方提至皮部　約左右各斜刺寸五分　微撚動之

（横骨）有時尿閉　鍼湧泉以救之　鍼入五分　留十呼　然後撚三四十呼再出鍼

（水分）有時發生水腫脹滿　鍼天樞肓俞以救之　乘呼氣下鍼　入一寸五分撚七八息　停二三息　提出六分　再撚十息　乃出鍼

（氣衝）或發疝氣　鍼豐隆入一寸　栂指內轉　撚動提出五分　外轉撚動再入五分　（入一出　行十五六呼吸　而急出鍼

（血海）鍼入過深　則劇傷悶　鍼足三里則止　鍼法入鍼後　左撚九息　右

撚三息　又停一二息　乃用指彈鍼柄數回　而出鍼

（箕門）鍼箕門　有時發生足部不能運動自由　或起便秘　當鍼腹哀以救之

刺入一寸五分　停十息　然後左撚九　右撚六　而出鍼

（灵台）刺灵台　有時發生手足不調　不能爲複雜運動　可鍼委中以治之

鍼入一寸　以指外轉　上下提插七次　而出鍼

（神道）誤鍼神道　如發生猝死　可鍼長強以救之　鍼入一寸五分　而行玄

龜之法　進鍼時押手向左轉　鍼則向右轉以應之（此即玄龜法也）

（承灵）如發生人事不醒　刺腎俞以救之　鍼入一寸五分　急速退至皮部

復進如前　又急退之　約七八次　進鍼時須左轉　退鍼時須右轉

（顱息）誤刺則耳鳴耳痛　補鍼陽池入三分　拇指内轉　約三息　急去之

（角孫）誤刺則血痺　補鍼三陽絡　鍼尖斜向下方　搖動而去之

（承泣）誤刺則失明　目是者灸听宮　補鍼内庭　指彈鍼柄　廻撚而速去之

（啞門）誤刺則音啞　或立死　補鍼人中　上下撚動　復搖其鍼柄　鍼後切

不可以何物重敲鍼點　否則立死

（腦户）誤刺則發頭痛　補鍼百會　以鍼依次向四面刺　并微扣鍼柄
（顖會）誤刺則立倒　補鍼風門　鍼不停捻入八分　拇指內轉捻動　提插約
五分鐘　左右鍼十息之久　而速去之
（神庭）誤刺則狂亂　補鍼脊中　十一椎下　捻動不停　行十字形之瀉法
鍼法先直刺　食指不動　拇指向後捻動　約二三息　則拇指不動
食指退後捻動　手術畢　則提起至皮部　再向下刺　用瀉法去之
（即十字形瀉法）
（絡却）誤鍼則啞　補鍼至陰　入一分　不停捻動　約十息之久　稍停而去之
（玉枕）誤鍼則生黃水瘡　天池鍼　補委中　入一寸五分　不停捻動　拇指
外轉　上下提插約五分鐘　則去之
（膻中）誤鍼而失神智者　補天突　不停鍼　入一寸五分　補三度　引出三
次至鍼尖部　如是二三息而去之　（以九捻爲一度）
（鳩尾）深刺　則呃逆氣短心悸　鍼中脘　停鍼進鍼　用玄龜術　入一寸五
分　二三息　退出六分　再捻進六分　往返行之　並搖動鍼柄　（

鍼灸講義　二十九

白虎術）久停而後去之

（手三里）誤刺則出血津真液枯　鍼陽絡不停　鍼入三分　押手重插　且以爪甲切散其氣血　然後拇指内轉　二三息而去之

（承筋）誤刺則腓腸痛　不能步　鍼崑崙不停鍼　捻轉七八息　停止七八息而去之

（膏肓）誤刺則心痛煩悶　鍼神門不停鍼　刺入四分　速捻轉　速押鍼柄微動七八息而去之

（三陽絡）誤刺則嘔吐泄瀉　脈亂　陰陽混淆　鍼足三里、或三陰交　進鍼行玄龜術　然後行白虎術　停五六息而去之

第三編　禁鍼穴歌

腦戶顖會及神庭。玉枕絡卻到承靈。顱息角孫承泣穴。神道靈台膻中明。

水分神闕會陰上。橫骨氣衝鍼莫行。箕門承筋手五里。三陽絡穴到青靈。

孕婦不宜鍼合谷。三陰交内亦通論。石門鍼灸應須忌。女子終身孕不成。

外有雲門並鳩尾。缺盆主客深暈生。肩井深時亦暈倒。急補三里人還平。
刺中五臟膽皆死。衝陽血出投幽明。海泉顴髎乳頭上。脊間中髓傴僂形。
手魚腹陷陰股內。膝臏筋會及腎經。腋股之下各三寸。目眶關節皆通評。

次按。前人所用之鍼。與今之毫鍼較。其粗數倍。故對於內部有重要神經或血管。腦髓。脊髓。易於刺傷。發生其他疾患。乃有禁鍼之避忌。以今所用之毫鍼刺之。固無妨礙也。雖然。亦當知有所避忌。以慎為要。如腦戶。顖會。玉枕。絡卻。承靈。中為腦髓。亦為面部器官重要神經發佈之處。顱息。角孫。適當絡脈之上。神庭一穴。前賢云刺之則發狂。乃偶然之事。中與重要神經。有目疾者。非刺不可。神道。靈臺。脊門（即脊中穴）。中為脊髓。適為心肺肝脈附著之處。承泣為三叉神經之通於眼系者。水分。神闕。今人亦有鍼者。中為大動脈管。不可過深刺及耳。會陰乳中之禁鍼。稍避嫌也。橫骨為生殖器之精囊卵巢所及之處。鍼勿宜深。氣衝為淋巴結節之處。故鍼則傷。膻中避直刺。啞門。承筋。手五里。三陽絡。青靈。衝陽。顴髎。中非靜脈。即為動脈。前人恐出血不止。故列入禁穴。在今日毋須避忌。鳩尾恐傷破膈膜。非至不得已時始鍼之。必須患者兩手直舉。方可下鍼。肩井。缺盆。過深則傷及

鍼灸毒氣　禁鍼穴歌

迷走神經之末於胃者。引起胃之反射性也。海泉在舌下之正中條上。其治消渴刺出血。至膝及腿股下。中有靜脈。可無忌。膝眼出液則跛。髖之在鉄踝上。顱之上後部。為大小腦延髓之處。不宜深鍼。背部有腰以上。胸部有臍以上。肋骨所蔽之部。恐有過深。不備及內臟為要。手足諸部。雖無須避忌。但鍼宜清潔。若有鏽污等物。遺入血管之中。即發生危險。有不堪設想者。當三注意焉。

禁灸穴歌

啞門風府天柱擎。承光臨泣頭維平。絲竹攢竹睛明穴。素髎禾髎迎香程。
顴髎下關人迎去。天牖天府到周榮。淵液乳中鳩尾下。腹哀臂後尋肩貞。
陽池中冲少商穴。魚際經渠一順行。地五陽關脊中主。隱白漏谷通陰陵。
條口犢鼻上陰市。伏兔髀關申脈迎。委中殷門承扶上。白環心俞同一經。
灸而勿鍼鍼勿灸。鍼經為此嘗叮嚀。庸醫鍼灸一齊用。徒使患者炮烙刑。

淡按鍼灸各穴。悉屬神經散佈深淺之處。或直接動脈之所。所謂灸則傷神經者。即灸傷血管與神經也。至於灸不再鍼。鍼不再灸之說。良以灸後。肌膚表皮破潰。復以粗劣之鍼刺入。污物易於傳入。致發膿潰瘍。若鍼而再灸。則鍼孔未閉。火氣闖

法搯及於直入。故鍼灸不能並施。余以鍼留孔穴。以艾燃鍼柄。使溫熱由鍼傳入。頗奇驗法。惟效不如直接灸之為愈耳。

注意。

井滎俞原經合歌

少商魚際與太淵　經渠尺澤肺相連　手太陰肺經
商陽二三間合谷　陽谿曲池大腸牽　手陽明大腸經
隱白大都太白脾　商丘陰陵泉要知　足太陰脾經
厲兌內庭陷谷胃　衝陽解谿三里隨　足陽明胃經
少衝少府屬於心　神門靈道少海尋　手少陰心經
少澤前谷後谿腕　陽谷小海小腸經　手太陽小腸經
湧泉然谷與太谿　復溜陰谷腎所宜　足少陰腎經
至陰通谷束京骨　崑崙委中膀胱知　足太陽膀胱經
中衝勞宮心包絡　大陵間使傳曲澤　手厥陰心包絡經
關冲液門中渚焦　陽池支溝天井索　手少陽三焦經
大敦行間太衝看　中封曲泉屬於肝　足厥陰肝經
[illegible]

手三陰從臟行於
手
從手行天頭
足三陽從頭走足
足三陰從腹
詳

針灸講義

竅陰俠谿臨泣膽 丘墟陽輔陽陵泉 足少陽膽經

井滎俞原經合表

甲乙屬木 膽|肝|

丙丁屬火 心|小腸|

戊己屬土 脾|胃|

庚辛屬金 肺|大腸

壬癸屬水 腎|膀胱

包絡、三焦、屬火

又

井穴多在四肢末

稍部

滎穴多在附節兩旁

俞穴多在背

經穴多在四肢外側

寅 巳 午 酉 戌 丑

六陰經＼五行	井木	滎火	俞土	經金	合水	絡
肺 手太陰	少商	魚際	太淵	經渠	尺澤	列缺
脾 足太陰	隱白	大都	太白	商丘	陰陵泉	公孫
心 手少陰	少衝	少府	神門	靈道	少海	通里
腎 足少陰	湧泉	然谷	大谿	復溜	陰谷	大鐘
包絡 手厥陰	中衝	勞宮	大陵	間使	曲澤	內關
肝 足厥陰	大敦	行間	太衝	中封	曲泉	蠡溝
	春刺	夏刺	季夏刺	秋刺	冬刺	

(裡) 臟

六陽經＼五行	井金	滎水	俞木	原木	經火	合土
大腸 手陽明	商陽	二間	三間	合谷	陽谿	曲池
胃 足陽明	厲兌	內庭	陷谷	衝陽	解谿	三里

在肘，下部多在膝（四肢関節）
络穴多在四肢関節上
（五行木形）肝、胆，属木
上部多在腕下部
原穴多在附節處
生我者为母　我生者为子
经气由此输注也
虚则补其母　实则泻其子

小腸（手太陽）	少澤	前谷	後谿	腕骨	陽谷	小海
膀胱（足太陽）	至陰	通谷	束骨	京骨	崐崘	委中
三焦（手少陽）	關衝	液門	中渚	陽池	支溝	天井
胆（足少陽）	竅陰	俠谿	臨泣	邱墟	陽輔	陽陵泉

（表）腑

○黄帝内經（灵樞）九鍼十二原篇曰○五臟五腧○五五二十五腧○六府六腧○六六三十六腧○經脈十二○絡脈十五○凡二十七氣○以上下○所出為井○所溜為滎○所注為腧○所行為經○所入為合○二十七氣所行○皆在五腧也○節之交○三百六十五會○所言節者○神氣之所遊行出入也○非皮肉筋骨也○考井者泉也○水源之所出也○灵樞二十七氣之所出為井○言經脈之氣○由此起源發出○汪昂註曰○井者○如水之出也○故曰所出為井○溜者流也○灵樞二十七氣所溜為滎○言經脈之氣○由此處急流而過也○汪昂注曰○俞者○如水之注也○經者行也○灵樞二十七氣之所行為經○言經脈之氣由此處通行而過○汪昂註曰○經者如水之行也○合會也接也○灵樞二十七氣之所入為合○言經絡之氣由此會接○汪昂云○合者如水之會也○素問曰○治府者○治其合○又曰陽氣在合○取合以虚陽邪○原者源也○本也○經曰脈之所過為原○又曰瀉必鍼其原○至於春刺夏刺之說○言春令木旺○宜刺井穴以應之○夏令火旺○宜刺滎穴以應之○長夏土旺○宜刺俞穴以應之○

滎指水小流也，俞即输也，灵樞二十七氣之所注為俞，言

[illegible]

鍼灸講義

秋爲金旺。宜刺經穴以應之。冬爲寒水司令。宜刺合穴以應之。此屬前賢惑於陰陽五行之説。有此附會。在治療上未盡然也。

注意

○井滎俞經合治法總訣

（井）井之所治。皆主心下滿。

（滎）滎之所治。皆主心熱。

（俞）俞之所治。皆主體重節痛。

（經）經之所治。皆主喘嗽寒熱。

（合）合之所治。皆主逆氣而泄。

波按。凡胸中滿悶。屬於肺經之病者。則刺肺之井穴。若屬於大腸經之病者。則刺大腸之井穴。餘可類推。凡身熱發燒。屬於肺經爲病者。則刺肺經之滎穴。如爲大腸經之熱者。則刺大腸經滎穴。餘可類推。凡骨節痠重疼痛。屬於肺經者。刺肺之俞穴。屬於大腸經之病者。刺大腸經之俞穴。餘可類推。寒熱喘嗽之屬於肺經病者。則刺肺之經穴。若屬於脾經病者。則刺脾之經穴。餘可類推。氣逆發熱並泄或汗泄。或下泄。屬於肺經病者。則刺肺之合穴。若屬於脾經病者。則刺脾之合穴。餘可類推。

庚辛氣金。肝氣木。金能克木。故此更甚。甲乙氣木。本命日間大汗。大汗則勝陽致以出庚辛日死

附五臟熱論

肝熱病者。小便先黄。腹痛多卧身熱。熱爭則狂言及驚。脇滿痛手足躁不得卧。庚辛甚。甲乙大汗。氣逆則庚辛死。刺足厥陰少陽。又曰肝熱病者。左頰先赤。

心熱病者。先不樂。數日乃熱。熱爭則卒心痛。煩悶善嘔。頭痛面赤無汗。壬癸甚。丙丁大汗。氣逆則壬癸死。刺手少陰太陽。又曰心熱病面頰先赤。

脾熱病者。先頭重頰痛煩心。顏青欲嘔。身熱。熱爭則腰痛不可用俛仰。腹滿泄。兩頷痛。甲乙甚。戊己大汗。氣逆則甲乙死。刺足太陰陽明。又曰脾熱病者。鼻先赤。

肺熱病者。先淅然厥起毫毛。惡風寒。舌上黄。身熱。熱爭則喘咳痛走胸膺背。不得大息。頭痛不堪。汗出而寒。丙丁甚。庚辛大汗。氣逆則丙丁死。刺手太陰陽明。又曰肺熱病者右頰先赤。

腎熱病者。先腰痛胻痠。苦渴數飲。身熱。熱爭則項痛而强。胻寒。且

痠。足下熱。不欲言。戊己甚。壬癸大汗。氣逆則戊己死。刺足少陰太陽。又曰腎熱病者頤先赤。

熱病先胸脇痛。手足躁刺足少陽。補足太陰。

熱病始手臂痛者。刺手陽明太陰。而汗出止。

熱病始於頭首者。刺項太陽。而汗出止。

熱病始於足脛者。刺足陽明。而汗出止。

熱病先身重骨痛。耳聾好瞑。刺足少陰。

熱病先眩冒而熱胸脇滿。刺足少陰少陽。

諸治熱病。以飲之寒水。乃刺之。必寒衣之。居止寒處。身寒而止也。

附五臟欬論

肺欬之狀。欬而喘息有音。甚則唾血。肺欬不已。則大腸受之。大腸欬狀。欬而遺矢。

心欬之狀。欬則心痛。喉中介介如哽狀。甚則咽腫喉痺。心欬不已。則小腸受之。小腸欬狀。欬而失氣。

十五絡穴歌

肺經列缺絡　偏歷屬大腸　胃有丰隆絡　脾則公孫詳　心經絡通里　支正屬小腸　飛揚膀胱絡　腎絡大鐘彰　內關心包絡　外關三焦藏　胆絡光明穴　蠡溝肝家忠　任脈屏翳會　督脈長強繼　更有大包脾　虛里在左旁

肝欬之狀。欬則兩脇下痛。甚則不可以轉。轉則兩胠下滿。肝欬不已。則胆受之。胆欬之狀。欬出胆汁。脾欬之狀。欬則右脇下痛。隱隱引肩背。甚則不可以動。動則欬劇。脾欬不已。則胃受之。胃欬之狀。欬而嘔。嘔甚則長虫出。腎欬之狀。欬則腰背相引而痛。甚則欬涎。腎欬不已。則膀胱受之。膀胱欬狀。欬而遺溺。久欬不已。則三焦受之。三焦欬狀。欬而腹滿。不欲飲食。（總括上文）此皆聚於胃。關於肺。使人多涕唾而浮腫。諸咳治之奈何。治臟者。治其俞。治府者。治其合。浮腫者。治其經。

十二經原穴

胆出丘墟肝太衝。小腸腕骨是原中。心從神門原內過。胃是衝陽氣可通。脾出太白腸合谷。肺原本是太淵同。膀歸京骨陽池焦。腎乃太谿大陵包。

淡按。脈之所過為原。瀉必鍼其原。凡病由於某經之氣太過者。即刺某經之原以瀉之。

十五絡穴歌

人身絡脈一十五。我今逐一從頭舉。手太陰絡為列缺。手少陰絡即通里。

附五臟欬論

鍼灸記彙

十二經原穴

手厥陰絡為内關。手太陽絡支正是。手陽明絡偏歷當。手少陽絡外關依。
足太陽絡號飛揚。足陽明絡豐隆記。足少陽絡為光明。足太陰絡公孫寄。
足少陰絡名大鍾。足厥陰絡蠡溝配。陽督之絡號長強。陰任之絡為屏翳。
脾之大絡名大包。十五絡名君須記。

淡按。支而横出者為絡。十二經各有別絡。別絡者。由此經分支而與別經相通屬之路也。

四總穴歌

肚腹三里求。腰背委中留。頭項尋列缺。面口合谷收

淡按肚腹之疾。都腸胃病。所屬亦為脾胃二經。故凡治肚腹之疾。以三里穴為主。腰背為太陽經之野。故治腰背之疾。以委中為主穴。頭項。面口。指頭項與頭之前半面言。為大腸經之分野。列缺為肺之絡而通於大腸經者。故列缺與合谷為治頭項面口之主穴。

行鍼指要歌

或鍼風。先向風府百會中。或鍼水。水分俠臍上邊取。
或鍼結。鍼着大腸二間穴。或鍼勞。須向膏肓及百勞。
或鍼虛。氣海丹田委中奇。或鍼氣。膻中一穴分明記。

何謂正經？

正經者，有臟腑表裏為之配。

何謂奇經？

奇經者，無臟腑等為之配，奇者，倚也，寄也。

或針嗽。肺俞風門須用灸。或針痰。先針中脘三里間。

或針吐。中脘氣海膻中補。翻胃吐食一般醫。

淡按：風痫中風頭風。水痛水腫臌脹。結核積聚閉經。勞病虛勞。傳尸。虛損精神衰弱。血氣氣虛。氣滯氣結氣促或氣閉。嗽是咳嗽。痰係痰飲。哮喘之類。吐則包含嘔吐翻胃亦膈諸症。

八脈西江月

衝脈 公孫

衝者，以其經脈之氣能上衝，故其脈曰衝脈

（公孫乾六衝脈）九種心疼涎悶。結胸翻胃難停。酒食積聚胃腸鳴。水食氣疾膈病。臍痛腹疼脇脹。腸風瘧疾心疼。胎衣不下血迷心。泄瀉公孫立應。

淡按：前人以八脈配八卦，與九宮數。本穴公孫在卦為乾，在數為六，合奇經之衝脈，故稱「公孫乾六脈衝」，冠於公孫西江月詞之上，便記誦也。「下七條意同。九疼心疼是氣痛。血痛。寒痛。熱痛。食痛。飲痛。蟲痛。疰痛。悸痛。九種是也。」

陰維脈 內關

維者，繫也。陰經由諸穴而連繫之，其脈曰陰維

（內關艮八陰維）中滿心胸痞脹。腸鳴泄瀉脫肛。食難下膈酒來傷。積塊

[illegible]

八脉陰陽表裏
之料法
蹻陽維並督帶
肩背腰腿在表
病因阳蹻脉起
不足根中循外踝
入凡池，過足太陽
膀胱，任申脉是也
陰維脉共維持諸
陽之會，過手少
陽三焦，任外關是
也。督脉者起於有臆。
下極之腧，並於脊
裏上行，凡府，過腦
循額，至鼻，入齦
交穴，過手太陽
小腸，任後谿是
也。帶脉起於季
脇，回身一週，如
帶也，過足少陽
胆，任足臨泣是也

鍼灸雷……

堅積腸痔。婦女腸疼心疼。結胸嘔難當。傷寒不解絶胸堂。瘧疾内關獨擋。

督脉　後谿　督者，理也，其經行於背側之中央，統諸陽之
任面日督脉
（後谿兌上督脉）手足拘攣戰掉。中風不語癇癲。頭痛眼腫淚漣漣。腿膝腰
背痛遍。項強傷寒不解。牙疼腮腫喉咽。手麻足麻破傷風。盜汗後谿先砭。

陽蹻脉　申脉　蹻者，捷也，其脉自足直上至頭，如登蹻之
級，上升在外曰陽蹻
（申脉坎一陽蹻）。腰背屈強腿腫。惡風自汗頭疼。雷頭赤目痛眉稜。手
足麻攣臂冷。吹乳耳聾鼻衄。癇癲肢節煩憒。遍身腫滿汗頭淋。申脉先鍼。

帶脉　臨泣　帶者，其脉環腹一週，如束帶，其脉曰帶脉
（臨泣巽四帶脉）手足中風不舉。痛麻發熱拘攣。頭風痛腫項腮連。眼腫
赤疼頭旋。齒痛耳聾咽腫。浮風搔癢筋牽。腿疼脇脹肋肢偏。臨泣鍼時有驗。

陽維脉　外關　維，維繫也，陽經由諸穴而連繫，故曰陽脉
（外關震三陽維）肢節腫疼膝冷。四肢不遂頭風。背胯内外骨筋攻。頭項眉
稜痛。手足熱麻盜汗。破傷眼腫睛紅。傷寒自汗表烘烘。獨會外關無重。

……帶四脈屬陽，故主治肩背腰背腿在表之病；陰蹻陰維任衝四脈，去心腹脇肋在裏之疾。陰蹻脈亦起足根中，循內踝上行至咽喉，交貫衝脈，通足少陰腎經照海穴是也。陰維脈起維於諸陰之交，通手厥陰心包絡經穴內關是也。任脈起於中極之下，循腹上至咽喉，通手太陰肺經穴列缺是也。衝脈起於氣沖，並足少陰之經，俠臍上行至胸中而散，通足[illegible]

任脈 列缺 任者妊也，其任行於腹側之中央，係負諸濟之任，而曰任脈

（列缺離九任脈）痔瘧便腫泄痢。唾紅溺血咳痰。牙疼喉腫小便難。心胸腹疼噎嚥。產後發強不語。腰痛血疾臍寒。死胎不下膈中寒。列缺乳癰多散。

陰蹻 照海 在內曰陰蹻

（照海陰蹻坤二五）喉塞小便淋澀。膀胱氣痛腸鳴。食黃酒積腹臍并。嘔瀉胃翻便緊。產難昏迷積塊。腸風下血常頻。膈中快氣氣核侵。照海有功必定。

淡談八脈八穴。能統治人身一切病苦。故每有此八穴應診者。普通鍼匠。則先取八脈穴。再及其他要穴。取數較單憑八穴為便捷。若公孫內關二穴。專治胸部與少腹之疾。後谿申脈專治手足腰背頭面諸疾。臨泣外關。專治手足面部諸疾。列缺照海專治少腹咽喉胸部諸疾。

十二、經治症主客原絡訣

肺之大腸客 肺原太淵大腸絡偏歷

太陰多氣而少血。心胸氣脹掌發熱。喘咳缺盆痛莫禁。咽腫喉乾身汗越。

三十六

太陰脾經穴公孫是也此言奇經衝脈厥陰放衍法股腸肋在兩叔之疾

肩內前廉痛亂疼。痰結腸中氣如缺。所生病者何穴求。太淵偏歷與君說。

淡稼。主客者。視病者之偏重於其經者。即以其經為主病而刺其原穴。其疾及他經者則為客。客者魁也。滯也。譬如甲經之病。乙經受其影响而波及本病。即乙經受甲經之客是也。下條意同。

大腸主肺客

大腸原合谷肺經絡列缺

陽明大腸挾鼻孔。面痛齒疼腮頰腫。生疾目黃口亦乾。鼻流清涕及血湧。喉痹肩前痛莫當。大指次指為一統。合谷列缺取為奇。二穴針之居病總。

脾主胃客

脾原太白胃絡豐隆

脾經為病舌本強。嘔吐胃翻疼腹臟。陰氣上衝噫難瘳。体重脾搖心事忘。瘧生振慄兼体羸。秘結疸黃手執杖。股膝內腫厥而疼。太白豐隆取為尚。

胃主脾客

胃原衝陽脾絡公孫

腹瞋心悶意悽愴。惡人惡木恶燈光。耳聞响動心中惕。鼻衄唇喎瘧又傷。棄衣驟步身中熱。痰多足痛與瘡瘍。氣蠱胸腿疼難止。衝陽公孫一次康

心主小腸客

心原神門小腸絡支正

少陰心痛并乾嗌。渴欲飲兮為臂厥。生病目黄口亦乾。脇臂疼兮掌發熱。
若人欲治勿差求。専在医人心審察。驚悸嘔血及怔冲。神門支正何堪攸。缺

小腸主心客

小腸原腕骨心絡通里

小腸之病豈為良。頰腫肩疼兩臂傍。項頸强疼難轉側。嗌頷腫痛甚非常。
肩似拔兮臑似折。生病耳聾及目黄。臑肘臂外後廉痛。腕骨通里取為詳。

腎主膀胱客

腎原太谿膀胱絡飛揚。

臉黑嗜卧不欲粮。目不明兮發熱狂。腰痛足疼步難履。若人捕獲難躲藏。
心胆戰兢氣不足。更兼胸結與身黄。若欲治之無更法。太谿飛揚取最良。

膀胱主腎客

膀胱原京骨腎絡大鐘

膀胱頸病目中疼。項腰足腿痛難行。痢瘧狂癲心煩熱。背弓反手額眉稜。
鼻衄目黄筋骨縮。脫肛痔漏腹內膨心。若要除之無別法。京骨大鍾任顯能。

三焦主包絡客

三焦原陽池包絡絡內關

三焦為疾耳中聾。喉痺咽乾目腫紅。耳後肘疼并出汗。脊間心後痛相從。
肩背風生連膊肘。大便堅閉及遺癃。前病治之何穴愈。陽池內關法理同。

鍼灸歌義

包絡主三焦客

包絡原大陵　三焦絡外關

包絡為病手攣急。臂不能伸痛如屈。胸膺脇滿腋腫平。心中淡淡面色赤。目黃善笑不肯休。心煩心痛掌熱極。良醫達士細推詳。大陵外關病消釋。

肝主胆客

肝原太冲　胆絡光明

氣少血多肝之經。丈夫㿗疝苦腰疼。婦人腹疼小腹腫。甚則嗌乾面脫塵。所生病者胸滿嘔。腹中泄瀉痛無停。癃閉遺溺疝瘕痛。太冲光明即安寧。

胆主肝客

胆原邱墟　肝絡蠡溝

胆經之穴何病主。胸脇肋疼足不舉。面体不澤頭目疼。缺盆腋腫汗如雨。頸項癭瘤堅似鐵。瘧生寒熱連骨髓。以上病症欲除之。須向邱墟蠡溝取。

馬丹陽天星十二訣

三里膝眼下。三寸兩筋間。能通心腹脹。善治胃中寒。腸鳴並泄瀉。腿腫膝胻痠。傷寒羸瘦損。氣蠱及諸般。年過三旬後。鍼灸眼便寬。取穴當審的。八分三壯安。

按：三里一穴。善治腸胃之疾。腎主元氣。脾主中氣。即天之生氣。書曰。有胃氣則生。

蓋脾胃腸之者。為供給營養中樞。腸胃無病。中氣乃強。故古人於三旬之後。必常灸足三里以助脾胃之氣化。增加血液之運行。古諺有曰若要身体安。三里常不乾。即指常灸三里。致起泡潰爛也。近今日人甚為信三里灸法。謂非但能治腸胃病。且能健身云。

2、内庭次指外。本屬足陽明。能治四肢厥。喜靜惡聞聲。癮疹咽喉痛。數欠及牙疼。瘧疾不能食。鍼着便惺惺。

按：内庭為足陽明之滎穴。故所治悉屬足陽明經氣太過之疾。

3、曲池拱手取。屈肘骨邊求。善治肘中痛。偏風手不收。挽弓開不得。筋緩莫梳頭。喉閉促欲死。發熱更無休。遍身風癬癩。鍼着即時瘳。

按。本穴為陽明經之有名要穴。治風疹癢。及肘臂屈伸諸病

4、合谷在虎口。兩指歧骨間。頭疼並面腫。瘧病熱還寒。齒齲鼻衄血。口噤不開言。鍼入五分許。令人即便安。

按。合谷穴之主治有特效者。為齒頭面諸疾。

5、委中曲䐐裡。横紋脈中央。腰痛不能舉。沉沉引脊梁。痠痛筋莫展。風痺復無常。膝頭難伸屈。鍼入即安康。

鍼灸大講義

按。委中一穴。專治腰背腿膝之疾。

6、承山名魚腹。腨腸分肉間。善治腰疼痛。痔疾大便難。脚氣并膝腫。展轉(戰)痠疼。霍亂及轉筋。穴中刺便安。

按。本穴為脚氣或霍乱轉筋之特效穴。

7、太衝足大趾。節後二寸中。動脈知生死。能醫驚癇風。咽喉并心脹。兩足不能行。七疝偏墜腫。眼目似雲朦。亦能療腰痛。鍼下有神功。

按。太衝為肝經之原穴。能驚癇疝氣目疾。實與咽喉心腹都屬肝經氣太過之疾患。故太衝能治之。七疝者。為衝疝。狐疝。疝瘕。疝厥。癩疝。癀疝。癃疝。七種。少腹上衝心而痛。不得前後為衝疝。睾丸偏小偏大。時上時下為狐疝。陰囊少腹腫大控急而痛為癩疝。厥氣上衝心腹而痛為厥疝。少腹間痛結形如臂為瘕疝。睾丸腫痛。甚至潰濃為癀疝。睾丸腫大小便不行為癃疝。

8、崑崙足外踝。跟骨上邊尋。轉筋腰尻痛。暴喘滿心中。舉動行不得。一動即呻吟。若欲求安樂。須於此穴針。

按。崑崙治足踝骨跗骨之病。為最特效。腰痛轉筋亦善。

9、環跳在髀樞。側臥屈足取。折腰莫能顧。冷風并濕痺。腿胯連腨痛。轉側重欷歔。若人鍼灸後。頃刻病消除。

按。環跳治腰痛由於折傷氣滯血瘀而致者。有特效。下肢風溼痺痛痿弛。亦有特效。

10、陽陵居膝下。外臁一寸中。膝腫并麻木。冷痺及偏風。舉足不能起。坐臥是衰翁。鍼入六分止。神功妙不同。

按。本穴專治下肢之風溼痿痺。

11、通里腕側後。去腕一寸中。欲言聲不出。懊憹及怔忡。實則四肢重。頭腮面頰紅。虛則不能食。暴瘖面無容。毫鍼微微刺。方信有神功。

按。本穴專治胸廓內臟多滯之疾。與血行之疾。

12、列缺腕側上。食指手交叉。善療偏頭患。偏身風痺麻。痰涎頻壅上。口噤不開牙。若能明補瀉。應手即如拏。

按。列缺專治頭面之疾。及週身肌肉淺層神經諸疾患。

十三鬼穴歌

百邪為疾狀癲狂。十三鬼穴須推詳。一鍼鬼宮人中穴。二鍼鬼信取少商。

鍼灸[illegible]

鬼壘三鍼爲隱白。鬼心四刺大陵崗。中脈五鍼通鬼路。風府六鍼鬼枕旁。
七鍼處床頰車穴。八鍼鬼市闢承漿。九刺勞宮鑽鬼窟。十刺上星登鬼堂。
十一鬼藏會陰取。玉門頭上刺嬌娘。十二曲池淹鬼腿。十三鬼封舌下藏。
出血須令舌不動。更加間使後谿良。男先鍼左女先右。能令鬼魔立刻降。

按。孫真人十三鬼穴。專治人魂不安。或歌或吟或笑或哭。或多言多語。或靜默不聲。或晝夜妄行。或潛居不動。睬休刑鍼。親長不避。癲狂之疾。頗有神效。行鍼依歌訣次序下鍼。中脈曲池二穴宜用大鍼。舌下海泉宜出血。

註。桑鍼穴歌至本節。於民國二十一年春日註釋。

雜病穴法歌

雜病隨症選雜穴。仍兼原合與八脈。經絡原會別論詳。藏府俞募當謹記。
根結標本理玄微。四關三部識其處。

按。原。為五臟之腧。及六府之原。合即十二經之合穴。八脈即奇經八脈之主穴。經。直行曰經。此指十二經。絡。橫行曰絡。此指十五絡。會。指五會。氣會膻中。血會膈俞。筋會陽陵。骨會大杼。髓會絕骨。（臟会季脇。腑会太倉。脉会太淵）俞。穴也。穴之在於背者曰俞。如心俞肺俞之類。募者五藏之募穴。肺之募為中府穴。肝之募為期門。心之募為巨闕。脾之募為章門。腎之募為京門。此言經氣之結聚處謂之募。俞亦同。惟募在胸腹，俞在背部。難經曰：俞在陽而募在陰是也。俞穴可常鍼。能散其風寒。能補其藏氣。募則宜少鍼。以能泄其藏氣也。根結標本者，經脉在下端一穴為根，在上端一穴為結。經脉起處為本，行處為標。上下循行。理似玄微也。四關者指四大關節。肘。肩。髀。膝。三部者指上中下三部也。

傷寒一日刺風府。陰陽分經次第取。

釋。傷寒一日。見太陽症。頭痛項強。惡寒發熱。先刺風府。雖刺他穴。二日見陽明症。頭痛發熱自汗。不惡寒。反惡熱。先刺陽明之滎穴內庭。再刺他穴。三日見少陽症。口苦咽乾目眩。胸脇滿痛。寒熱往來。先刺少陽之俞穴臨泣。再刺他穴。四日見太陰症。腹滿而痛。食不下。時腹自痛不渴。先刺太陰之井隱白穴。五日見少陰症。脈微細。但欲寐。身重惡寒。先刺少陰之俞太谿穴。再刺他穴。六日見厥陰症。腹中拘急。下利清穀。嘔吐酸苦。甚則吐蚘。先刺厥陰之經中封穴。再鍼他穴。一日二日三日者。計數也。非一日必見太陰症。二日必見陽明症。雖傷寒見太陽症。不拘其日數之多寡。病尚未傳。則刺其風府可也。症見陽明。則刺其滎穴不必問其日數。餘皆同。在表之病則刺陽經之穴。

在裏之病。則刺陰經之穴。所謂「在表刺三陽經。在裏刺三陰經」。病經六日未汗。當刺期門三里。瀉陰經之穴。宜灸關元為妙。

汗吐下法非有他。合谷內關陰交稱。

汗法。鍼合谷。行九九數。得汗行瀉法。汗止身溫出鍼。如汗不止鍼陰市。補合谷。

瀉法。鍼三陰交。行六陰數。一方使病者口鼻閉氣。吞鼓腹中。即泄。泄不止。補合谷。行九陽數。

吐法。鍼內關。先補六次。瀉三次。一方使病者欲吐之狀。即吐。吐不止。補九陽數。使其調勻呼吸即止。

按汗吐下三法。非行於平人能得效者。必病者表病無汗。有汗之資。無汗之机。始發生汗之效力滚滚而出矣。吐。亦須胸膈悶悶不堪。欲吐不能者。施之方有效。瀉。亦必具有必瀉之條件。如腹滿失氣。大解欲解而不得。行之乃有效。雖然。汗。吐。下。為行鍼之功力所致。但医者無絕對之暗示。以堅其必得汗吐下之心理。則其功亦不著。

一切風寒暑濕邪。頭疼發熱外關起。

按。頭疼發熱。病屬外感。不論其為風寒暑濕之所中。概先鍼外關。再及其他各各穴。如風府風池太陽大椎各經之發原穴等。

頭面耳目口鼻病。曲池合谷為之主。

按。頭面耳目口鼻之病。由氣火血熱而發紅腫痛之疾苦。乃以曲池合谷為治療之穴。

偏正頭痛左右鍼。列缺太淵不用補。（以外可鍼內庭）。

按。列缺太淵之治偏正頭痛。係指外感風邪所致。或大腸經氣火太過所致。与血虛頭痛或肝胆氣火太過所致之偏正頭痛不同。當注意之。再治列缺太淵二穴之外。加刺風池。以收捷效。

頭風目眩項掣強。申脈金門手三里。

按。太陽經之風邪稍涉陽明經病。故申脈金門手三里能治之。

赤眼迎香分血奇。臨泣太衝合谷侶。

按。此赤眼。當為胆与大腸兩經之火上炎。

耳聾臨泣與金門。合谷鍼後听人語。

按。此條耳聾。為風火所襲之暴聾。

鼻塞鼻痔及鼻淵。合谷太沖隨手取。（尚宜加鍼上星或灸）

鍼灸大成

按。此條亦屬於風熱化所致之病。否則合谷太冲未必有效。

口禁喎斜流涎多。地倉頰車仍可從。

按。此為中風而致。地倉頰車二穴宜灸。喎左灸右。喎右灸左。

口舌生瘡舌下竅。三陵出血非粗魯。

按。舌部病而屬紅腫痛者。前賢謂為心熱。即舌之局部充血。故刺其舌下兩邊之紫絡。放去靜脈鬱血。其病即愈。

舌裂出血尋內關。太冲陰交走上部。

按。前賢有言曰。舌為心之苗。舌裂出血為心經血熱上湧。其血熱之上升。每挾肝氣而僭逆。內關太冲所以平心肝逆上之火。三陰交為脾經穴。脾脈絡舌下。舌裂出血。亦有心脾之熱者。故亦須鍼三陰交。

舌上生苔合谷當。手三里治舌風舞。

按。舌苔之厚。由於腸胃之濁熱上泛使然。合谷所以瀉其濁熱也。舌風舞。即熱病。心熱太過。舌伸出齒外鼓動如蛇舌。手三里刺之有特效。其理不明。

牙風面腫頰車神。合谷臨泣瀉不數。

按。牙風即牙痛。三穴諸宜刺。用瀉法。

二陵二蹻與二交。頭項手足互相與。兩井兩商二三間。手上諸風得其所。

按。二陵即陰陵陽陵。二蹻即申脈(陽蹻)照海(陰蹻)。二交即陽交三陰交。上列六穴。可治頭項手足之病。二井即肩井天井。兩商即少商商陽。二三間即二間三間。此六穴。可治手上諸風痛或麻痺。

手指連肩相引疼。合谷太冲能救苦。

按。手指与肩臂俱痛。為大腸經病。

手三里治肩連臍。脊肩心後稱中渚。

按。肩痛与臍俱痛。手三里可治之。肩痛及脊則中渚可已之。

冷嗽只宜補合谷。三陰交瀉即時住。

按。合谷所補肺氣。三陰交以瀉脾氣。補肺即所以助肺之肅降而嗽已。瀉脾殆瀉其上衝之氣嗽。鄙意冷嗽都屬痰飲。由於脾失溫運。嗽是標。脾失溫運是本。治病必求其本。冷嗽當補三陰交而不當瀉。瀉則犯虛虛之弊。并須溫灸肺脾二俞。斯為根治。

霍乱中脘可入深。三里内庭瀉幾許。

鍼灸講義

四十二

按。霍亂上吐下泄。中宮清濁混肴。揮霍撩亂。胃腸神經起劇烈之反射作用。中脘一穴。頗具特效。蓋可以止神經之反射性。而使之安靜。吐瀉立止。三里內庭。平胃氣也。

心痛翻胃至勞宮。寒者少澤灸手指。

按。前賢云。心為君主之官。不可受邪之侵襲。故心不能病。所病者。俱屬心包絡病。是心不可瀉。須瀉心者。都瀉心包絡。勞宮心包俞穴也。即原穴也。瀉必鍼其原。瀉勞宮即瀉心也。心中寒而痛者補小腸井穴少澤。助心火也。

心痛手戰少海求。若欲除根覓陰市。

按。少海用補法。陰市為胃經穴。實則瀉其子歟。真理不明。在經穴主治各病之原理。未能闡明以前。頗多難解之處。

太淵列缺穴相連。能祛氣痛刺兩乳。

按。兩乳亦為肺經分野之所及。太淵列缺。瀉肺氣也。雷鍼有效。

脇痛只須陽陵泉。腹痛公孫內關爾。

按。脇為肝膽經之分野。故刺陽陵有效。公孫內關為治心胸腹痛脹悶之特效穴（脇痛鍼足臨泣亦靈。腹痛氣海上中下脘亦可鍼）。

瘧疾素問分各經。危氏刺指舌紅紫。

按。足太陽瘧。先寒後熱。汗出不已。刺金門。

足少陽瘧。寒熱心惕汗多。刺俠谿。

足陽明瘧。寒久乃熱。汗出喜見日光火氣。刺衝陽。

足太陰瘧。寒熱善嘔。色乃衰。刺公孫。

足少陰瘧。嘔吐甚。欲閉戶而居。刺大鍾。

足厥陰瘧。少腹滿。小便不利。刺太冲。

肺瘧。令人心寒。寒甚熱。熱間善驚如有所見。刺列缺。

心瘧。令人煩心。甚則得清水。反寒多不熱。刺神門。

肝瘧。令人色蒼蒼然。太息。其狀若死者。刺中封。

脾瘧。令人寒。腹中痛。熱則腸中鳴。鳴已汗出。刺商丘。

腎瘧。令人洒洒然。腰脊痛。宛轉大便難。手足寒。刺太谿。

胃瘧。令人善飢而不能食。食而支滿腹大。刺厲兑。

危氏復刺十指尖出血。及舌下紫腫筋出血。

又按刺瘧之法。必於瘧發前一小時左右刺之。方可見效。過遲則效不彰。

痢疾合谷三里宜。甚者必須兼中脘。

按。中医名白痢病在氣。刺合谷。赤痢病在血刺小腸俞。赤白痢。氣血皆病。刺足三里。中脘。寔則白者。僅腸壁為寒食所傷。所下者為腸液。故白色。腸因傷而炎腫。腸壁血管破裂。所下者為血液。故赤色。兩者互雜。乃為赤白色。其有胆液滲入者。則間加黃綠色。名曰五色痢。為痢疾之重者。宜加刺三焦俞。灸脾俞與天樞。久痢不止。宜灸百會。久瀉亦同。

心胸痞滿陰陵泉。鍼到承山飲食美。

按。此症由脾家濕氣挾胆熱久於陳化而成之痞滿。故陰陵承山治之。宜觀其舌苔。舌質紅者刺瀉之。淡者加灸。

泄瀉肚腹諸般疾。三里內庭功無比。

按。夾熱者宜瀉。因傷生冷或寒者宜灸。天樞一穴亦不可少。

水腫水分與復溜。(此穴宜灸)

按。水腫放水法。先用小鍼。次用大鍼。以雞翎管透之。（最好用放水鍼）水盡滯濁者死。清者生。足上水腫大者。於後溜穴上放之。

附瀉瘀血法。先用補入地部。少停瀉出人部。少停復補入地部。少停瀉出鍼。真瘀血自出。虛者但出黃水。

人部肌中，天部肌表，地部在骨邊、

脹滿中脘三里揣。

按。脹滿多屬胃不消化。挾濕挾滯。中脘三里有大效。

腰痛環跳委中求。若連背痛崑崙式。

按。環跳委中善治腰部閃痛。不能俯仰。腰痛連背者再刺崑崙。宜刺人中甚效。

腰連腿疼腕骨升。三里降下隨拜跪。

按。腰連腿疼。係指腰背部痛及腿部。

腰連腳痛怎生醫。環跳行間與風市。腳膝諸痛羨行間。三里申脈金門侈。

腳若轉筋眼發花。然谷承山法自古。兩足難移先懸鍾。條口後鍼能步履。

兩足痠麻補太谿。僕參內庭盤跟楚。腳連膝腫痛難當。環跳陽陵泉內杵。

冷風濕痺鍼環跳。陽陵三里燒鍼尾。

鍼灸講義　一七〇

按：上節悉屬筋骨疼痛之症。祇須審其病苦之在何經而刺之可也。

七疝大敦与太沖。五淋血海男女通。

按：疝都屬厥陰病。大敦、太沖。所以瀉其氣也。五淋者。勞淋。血淋。氣淋。石淋。膏淋是也。血海雖能治五淋。亦宜兼刺他穴。如湧泉、陰陵。氣海、中極等穴。

大便虛秘補支溝。瀉足三里效可擬。

按：虛秘者大腸少蠕動也。即膽汁分泌少。腸蠕動遂滯不運。補支溝。瀉足三里。宜再按摩腹部。

熱閉氣閉先長強。大敦陽陵堪調護。

按：熱閉氣閉。為猝失人事。昏不知人。悉屬腦神經發失知覺。熱閉者。身熱如灼。舌絳赤而乾。氣閉者身或熱或不熱。舌亦不甚絳。長強穴之神經。能直通腦系。中樞閉厥之症。都屬肝經之病。肝為風臟。其性剛強。易於厥逆。肝膽互為表裡。故長強大敦陽陵能治閉厥。

小便不通陰陵泉。三里瀉下溺如注。

按：小便不通。刺陰陵三里外。宜再刺關元。

內傷食積鍼三里。璇璣相應塊亦消

按三里係手三里，与足三里，皆於食積

二穴皆須針

脾痛氣血先合谷。後刺三陰鍼用燒。

按。原文為脾病氣血先合谷。頗費解。恐病係痛字之誤。脾部痛。非血寒即氣滯。合谷所以疏其氣。三陰交所以溫其血。

一切内傷内關穴。痰火積塊退煩潮。

按。内關善治胸中病。内傷都為情志之病。其病灶都在胸脇上腹部。故内關一穴能治之。

吐血尺澤功無比。衄血上星與禾髎。

按。吐血。每因欬逆上氣而發生。尺澤所以降肺氣之衝逆。血得行其常道。吐血不止而自止。上星禾髎之治衄血。殆安靜該部之神經。不刺激血之外溢。

喘急列缺足三里。嘔噎陰交不可饒。

按。肺與胃之氣化宜降。升則喘逆嘔吐之病生。列缺足三里。所以降肺胃之氣。而喘急可已。嘔噎亦是胃逆。陰交亦降其逆也。此穴有謂足三陰交。有謂任脈陰交穴。都意二穴皆是。都不可非。

勞宮能治五般癎。更刺湧泉疾若挑。

按。五癎為豬。羊。雞。馬。牛癎。都為痰涎阻塞咽喉。聲帶所發出各種之聲音。

四十五

鍼灸歌訣

業其手似何種書寫。即以何病名之。

神門專治心癡呆。人中間使祛癲妖。

按。癡呆癲狂。悉屬精神上受劇烈之刺激。或所欲不得遂。致神經起變化。如癲如狂。如鬼祟。神門人中間使之頗具神效。

尸厥百穴一穴美。更鍼隱白效照照。

按。尸厥者。猝然昏亂。不知人事。四肢逆冷。其狀若死。

婦人通經瀉合谷。三里至陰催孕妊。

按。婦女經阻不通。瀉合谷補三陰交。經可通。此指實症經閉。足三里與至陰催產。理不可解。恐屬心灵解釋之法。

死胎陰交不可緩。胞衣照海內關尋。

按。死胎不下。先瀉陰交。再補之。胞衣不下。於照海內關亦如之。

小兒驚風刺少商。人中湧泉瀉莫深。

按。人中通督脈太陽經。凡患驚風。都病在太陽。見背反張。四肢痙攣。下寒上熱。久中緩太陽之拘急。湧泉引熱下行。故驚風能已。

癃疝初起灸審其穴。只刺陽經不刺陰。

按。癃疝從背出者太陽經。從腰出者少陽者。從脘出者陽明經。以上俱以各經井滎俞經合鍼治之。從胸出者。以鳩骨一穴治之。

傷寒流注分手足。太冲內庭可浮沉。

按。前賢謂傷寒傳足不傳手。太冲。內庭。一為肝經穴。一為胃經穴。厥陰為陰之極。陽明為陽之盛。病由陽經傳入陰經為逆。由陰退出陽經為順。順者浮也。逆者沉也。病毒之移轉吉凶。以二經為機樞。太冲內庭。防其逆也。

熟此筌蹄手要活。得後方可度金鍼。又有一言真妙訣。上補下瀉值千金。

註 本篇於一九三二年春日註釋

百症賦

百症俞穴。再三用心。

昔賢謂穴之在於背後者名俞穴。俞者注也。輸也。言經絡之氣。輸注於此也。故人身之穴。皆得名之曰俞穴。不必專指背部而言。經凡十二。絡凡十五。奇經凡八。穴有三百六十五穴。縱橫貫注。宜熟諗之。

顖會連於玉枕。頭風療以金鍼。

頭頂重痛。當刺以鍼。若血虛頭暈。則非鍼灸肝俞脾俞不可。又按顖會與玉枕。宜灸不宜鍼。

懸顱頷厭之中。偏頭痛止。

偏頭痛。古稱肝胆風熱。懸顱頷厭宜刺。微出血。更刺風池。其效甚佳(可刺頭維太陽風池三穴較好。)

強間豐隆之際。頭痛難禁。

頭痛由於痰火上擾者。宜刺丰隆以降其痰火。強間不易刺入。可刺風府。

原夫面腫虛浮。須仗水溝前頂。

脾虛面浮腫。刺水溝。流去面浮腫之水氣。頗效。前頂宜灸。

耳聾氣閉。全憑听會翳風。

肝胆之火挾風而上僭。則耳暴聾。刺听會翳風以瀉之。

面上蟲行有驗。迎香可取。

面癢如虫行。係血熱所致。刺瀉迎香。

耳中蟬鳴有声。听會可攻。

耳鳴有疾火上焚者。鍼听會外。宜再刺丰隆。風池等穴。係腎虛者。更當灸腎俞氣海有固腎元。

目眩兮。支正飛揚。

手太陽經脈。與足太陽經脈。俱當鍼於目。故支正飛揚。能治目眩。且二脈皆屬絡脈。刺絡脈。即所以瀉其血。

目黃兮。陽綱膽俞。

目黃肌膚黃。黃而深者名陽黃宜刺之。淡而晦暗者為陰黃宜灸之。至陽一穴亦宜鍼灸。

攀睛攻肝俞少澤之所。

贅肉攀睛。如係心肝之火。可刺肝俞与少澤。若攀睛已久。火炎已平。宜久治之。於刺灸之外。其當消翳藥品。（以外宜鍼灸大小骨空。）

識之為

淚出刺臨泣頭維之處。

淚出即迎風流淚。淚熱而微覺粘手者屬熱。宜刺之。冷而不粘手者為寒。則灸之。（并宜灸大小骨空）。

目中漠漠。即尋攢竹三間。

漠漠者。視物不明。翳膜上似有白膜遮蓋。近代眼科医生。名之曰氣膜。（再刺光明肝俞命門特效。

目覺䀮䀮。急取養老天柱。

目䀮䀮無所見。即不明之意。此症屬於肉障。俗名入眼瞎子。（與上合治）。

四十二

觀其雀目肝氣。睛明行間而細推。

雀目者。似雀之目。至夜即不見物。由於肝熱腎虛之所致。睛明行間外。肝俞湧泉皆宜刺。與上條同治。

審他項強傷寒。溫溜期門而主之。

傷寒太陽病。項強几几刺太陽經溫溜。與肝之期門。當再刺大椎天柱。

廉泉中衝。舌下腫痛可取。

舌為心苗。舌下腫。屬於心熱。亦有脾熱者。

天府合谷。鼻中衄血宜走。

此症屬於肺氣熱。陽明經火逼血妄行。

耳門絲竹空。住牙疼於頃刻。

斯症之牙疼。係牙疼更來之臼齒痛。

頰車地倉穴。正口喎於片時。

中風而致口喎。喎左者灸右。喎右者灸左。

喉痛兮。液門魚際去療。

三焦邪熱上攻。喉中紅痛。

轉筋兮。金門邱墟來醫。

轉筋者。即小腿腓腸痙攣。刺金門邱墟之外。當刺承山有效。

陽谷俠谿。頷腫口噤并治。

頷腫而口噤。兼有生外瘍者。除鍼刺外。宜照外瘍治之。

少商曲澤。血虛口渴同施。

口渴而由於血虛。亦屬於邪熱津枯而致者。刺少商出血。刺曲澤。再宜刺舌下。

通天治鼻內無聞之苦。

通天宜灸。該穴都從之神經通於鼻內。

復溜去舌乾口燥之悲。

腎陰虛而有熱。則舌乾而口燥。復溜可治之。

啞門關沖。舌緩不語而要緊。

舌緩不語者。舌根無力鼓動也。由於三焦熱所傷。

天鼎間使。失音囁嚅而休遲。

囁嚅欲言而不能辨言之。

太沖瀉唇喎以速愈。承漿瀉牙疼而即移。

唇喎鍼太沖得愈者。殆為肝腸氣逆而唇喎。承漿之瀉牙疼。屬下門牙痛。

項強多惡風。束骨相連於天柱。

太陽傷寒。宜鍼風池。風府風門。

熱病汗不出。大都更接於經渠。

熱病無汗。大都經渠鍼刺外。再治間使合谷。

且如兩臂頑麻。少海就傍於三里。

少海与手三里合。當鍼灸兼施。

半身不遂。陽陵遠達於曲池。

陽陵与曲池之治半身不遂。以灸為主。（二穴宜同時施灸是宜灸）。

建里內關。掃盡胸中之苦悶。

胸中苦悶者。即痞滿病也。建里內關刺有特效。

聽宮脾俞。祛殘心下之悲悽。

心中悲悽者。精神不愉快。似覺心

鍼灸說

中酸建。背悶寒慄。灸脾俞有效。听宫穴。裡不可解。瀉小腸之火以安其心臟。

從知腸肋疼痛。氣户華蓋有靈。

鍼氣户華蓋治腸肋痛。大都少效。宜加刺期門陽陵。

腹內腸鳴。下脘陷谷能平。

腹內腸鳴。中有水氣。下脘宜鍼灸並施。更宜灸天樞。

胸腸支滿何療。章門不用細尋。

胸腸支滿。章門宜多灸。

腸痛飲蓄難禁。膻中巨闕便鍼。

腸下飲蓄作痛。膻中巨闕鍼之。宜再灸脾俞與中脘。

胸滿更加噎塞。中府意舍所行。

肺氣失於肅降。即胃氣上逆而為噎塞胸滿。宜鍼內關公孫中脘。

胸膈停留瘀血。腎俞巨髎宜徵。

胸膈停留瘀血。而鍼巨髎理願貫解。恐傷巨闕之誤。

胸滿項強。神藏璇璣宜試。

神藏與璇璣。治胸滿則可。若治項強。則大椎風池不可少。

背連腰痛。白環委中曾經。

背連腰痛。鍼白環委中有特效。宜加鍼環跳。

脊強兮。水道筋縮。

脊強轉側不利。

目眩兮。顴髎大迎。

目眩羞明。鍼頭臨与大迎宜再刺攢竹。可治目瞤

瘧病非顱顖而不瘉。

瘧病灸顱顖之外。宜再刺風府大椎曲池合谷中脘崑崙等穴。

臍風須然谷而易醒。

臍風任憑然谷一穴。延難十余。在臍之四邊宜各灸一壮。

委陽天池。腋腫鍼而速散。

腋下筋腫。二手不能上舉。委陽与天池。會鍼過頗效。

後谿環跳。腿疼刺而即輕。

腿痛刺環跳与後谿而不愈。宜刺陽陵与崑崙。

夢魘不安。厲兑相諧於隱白。

經曰。胃不和則臥不安。厲兑隱白能泄胃經之熱。以安其胃也。

發狂奔走。上脘同起於神門。

神門治發狂奔走。上脘除其痰熱之上衝。

驚悸怔忡。取陽交解谿勿誤。

驚悸怔忡不寧。陽明少陽經火上擾心者。陽交解谿。所以瀉其火也。

反張悲哭。仗天冲大横須精。

反張悲哭。俱為三五歲内之小孩有之。其症都屬臟寒。与驚癇之反張不同。

癲疾必身柱本神之令。

身柱本神刺癲疾而不愈。再刺大陵

鍼灸講義

四十九

間使神門。

發熱仗少沖曲池之津。

發熱瀉曲池。刺少沖。皆驗有效。惟熱過重。委中合谷間使後谿等穴亦當刺。

歲熱時行。陶道復求肺俞理。

流行風溫之熱。刺陶道肺俞外。合谷曲池亦當刺。

風癇常發。神道還須心俞寧。

此症宜灸。

濕寒濕熱下髎定。

濕寒濕熱之症。範圍頗廣。下髎之治溼寒溼熱。係指腸風痔漏之症。

厥寒厥熱涌泉清。

厥寒厥熱之刺湧泉。亦專指熱厥而言。寒厥宜灸關元。

寒慄惡寒。二間疏通陰郄諳。

二間與陰郄宜刺而再灸。(陶道大椎行二道(退熱甚效。)

煩心嘔吐。幽門閉徹玉堂明。

二穴近胃脘。故治煩心與嘔吐。並再鍼中脘三里。)

行間湧泉。去消渴之腎竭。

消渴分上中下三消。下消又名腎消。屬腎経虛而有火。行間湧泉泄其火也。

陰陵水分。治水蠱之臍盈。

水腫之症。小便多不利。刺陰陵。疏肝而利小便。灸水分溫脾陽而消水腫。

癆瘵傳尸。趨魄戶膏肓之路

饒多膏肓。治傳尸勞瘵。宜治之早

。且宜灸。并灸三里。

中邪霍亂。尋陰谷三里之程。

中邪霍亂。係指嘔吐及轉筋之病。陰谷

三里之外。當再刺承山委中。及尺澤中脘等穴。

治疸消黃。諧後谿勞宮而看。

治黃疸。刺灸勞宮後谿外。尚再刺灸

至陽。

倦言嗜臥。往通里大鍾而明。

通里屬心經。大鍾屬腎經。二穴治倦

臥。宜加刺灸脾俞至陽特效。

咳嗽連聲。肺俞須迎天突穴。

咳嗽連聲。係指頻嗽。前賢謂風伏

肺底。每欲冲出而不得也。宜加刺中脘大椎。

小便赤澀。兑端獨瀉太陽經。（小海穴）

小便赤澀不利。乃小腸結熱。宜加灸陰

陵泉三焦俞。膀胱俞。

刺長強於承山。善主腸風新下血。

腸風下血。乃腸出血。前賢謂之濕熱

下注。長強承山有效。

鍼三陰於氣海。專司白濁從遺精。

三陰交。與氣海鍼治白濁遺精之症。

須候濕熱已淨盡。乃可鍼。

且如肓俞橫骨。瀉五淋之久積。

五淋之鍼肓俞橫骨。亦須候濕熱已

去。宜加鍼陰陵。

陰郄後谿。治盜汗之多出。

盜汗鍼後谿與陰郄。曾鍼治數人。

鍼灸讀篇

結核病者。每不易收效。其他佳良。

脾虛穀食不消。脾俞膀胱俞覓。

脾虛少運。谷不易化。二穴當多灸之。宜加鍼三里。

胃冷食而難化。魂門胃俞堪責。

胃寒不化。魂門胃俞亦須多灸。中脘亦不可少灸。

鼻痔必取齦交。癭氣須求浮白。

齦交治鼻痔瀉其氣也。浮白治癭氣宜鍼而多灸之。

大敦照海。患寒疝而善蠲。

二穴善治疝氣之沖痛。

五里臂臑。生癧瘡而能治。

二穴治癧瘡宜灸。初起有效宜加鍼灸小海或天井肩井。

至陰屋翳。療癢疾之疼多。

此條理難解。

肩髃陽谿。消癮風之熱極。

癮風血熱病也。二穴乃瀉熱也。

抑又論婦人經事改常。自有地機血海。

二穴宜鍼灸並施。於經之將期尚須救。

女子少氣漏血。不無交信合陽。

少氣漏血。乃氣不攝血。淋漓不淨也。宜取中極旁一寸半。兩面之經外奇穴鍼灸之。

帶下產崩。衝門氣衝宜審。

衝門屬脾。氣衝屬胃。二穴能止帶

固崩蓋脾能統血。衝任為女子血海。衝隸
屬於陽明也。帶下宜鍼帶脈關元。崩宜
灸長強。

月潮違限。天樞與海須詳。

月潮前期宜刺宜瀉。後期宜補宜灸
。腹脹痛者加鍼灸天樞關元氣衝陰陵穴。

肩井乳癰而極效。

乳癰都肝胆鬱熱。初起刺肩井與尺
澤頗效。

商丘痔瘤而最良。（瘤恐係漏字）

痔漏刺商丘外。承山長強宜刺之。

脫肛取百會尾翳之所。

大氣陷下。脫肛久不愈。百會宜灸之。
尾翳即長強宜刺。

無子搜陰交石關之鄉。

無子之原因有多種。陰交石關不過灸
子宮之虛寒不孕。宜加灸中極關元。

中脘主乎積痢。外丘收乎大腸。

中脘外丘治痢疾脫肛。多加灸天樞氣
海大腸俞。

寒瘧兮。商陽太谿驗。

寒瘧鍼商陽太谿外。宜再加灸大椎。

痃癖兮。衝門血海強。

痃癖之成。都為血瘀氣聚。衝門血海
宜多灸。

夫醫乃人之司命。非志士而莫為。
鍼乃理之淵微。須至人之指教。先
究其病源。後考其穴道。隨手見功

鍼灸詩彙

。應鍼取效。方知玄理之玄。始識妙中之妙。

賦中所述。悉屬前人經驗之作。每病至每穴。其理有不可解者。鍼之則甚有效。其有不甚效驗者。亦占十分之二三。蓋作者囿於韻語。难免掇拾成章。惜作者未加評註。使學者不免目迷五色之憾矣。

壬申孟夏註釋。

第四編　傷寒門

太陽病

（中風）惡風自汗　風池　風府鍼

（傷寒）惡寒無汗　大椎　合谷　曲池鍼

頭痛　合谷　太陽　風池鍼

或加百會

項強　合谷　間使　風門　肺俞鍼

發熱　曲池　委中鍼

過經不解　期門鍼

蓄水小便不通　陰陵泉　陰谷鍼

誤治發痙。曲池　合谷　人中　復溜鍼

陽明病

（大熱不解）大椎　風門　肺俞　肝俞　腎俞　大腸俞　小腸俞　膈俞　厥陰俞

心俞。
（發狂）與前條同治。
（神昏譫語）十二井穴出血 神門 中脘 解谿 足三里鍼 鄭声者不治
（餘熱不清）曲池 足三里 合谷鍼
（大便不通）章門 照海 支溝 太白鍼
（腹痛）足三里 内庭鍼
（發黄）腕骨 中脘 外関 湧泉鍼
少陽病
（寒熱往來）大椎 間使 期門 足臨泣
（胸脇痛）間使 合谷 期門 陽陵泉 内関鍼
（脇痛）支溝 章門 陽陵泉 委中 期門鍼
（嘔吐）期門 中脘鍼
雜治
（猝發寒熱頃刻不能動彈身体疼痛者）少商出血 尺澤出血 委中出血 合谷 曲池 肩髃 陽陵泉 絶骨 崐崘 環跳 人中 助治以阿斯匹灵
（傷寒身熱）陽谷 足三里 太谿 復溜 俠谿 公孫 太白 委中 湧泉鍼
（傷寒熱不已）風池 少海 魚際

鍼灸講義

合谷 復溜 足臨泣 太白 鍼
(熱病汗不出)大都 經渠 間使
合谷 三陰交
(又法)瀉合谷 補復溜 後谿
(熱病退熱法)大椎 曲池 陽陵泉
足三里
(又法)少冲 曲池 重者加委中
合谷 間使 後谿
(傷寒餘熱未清)湧泉 間使 大椎鍼
(熱病後汗不止)陰郄灸
(傷寒吐噦)百會 曲澤 間使 勞
宮 商丘 鍼
(夾陰傷寒)長強穴上有黑筋一條如
未過脊柱者尚可救

第一期鍼 大椎 曲池 百會 風
府 血海 四關 陽陵 三陰交
第二期鍼 小腸俞 腎俞 委中
太冲 崑崙
大凡熱病取 合谷 曲池 尺澤
委中 湧泉
大凡寒病取 大椎 間使 後谿
(傷寒腹滿時痛自利不渴)中脘
天樞 足三里
中寒腹痛吐瀉肢冷汗出昏厥不省人
事急以食鹽填臍中以大艾炷灸之可
收起死回生之功

溫熱門

(一切溫病)合谷 肺俞 魚際 尺

澤鍼
（風温熱病）陶道 肺俞 合谷 曲
池鍼
（春温）合谷 列缺 尺澤 曲池
風門鍼
（暑温）神門 間使 湧泉鍼
（中暑不省人事）人中 湧泉 中衝鍼
（傷暑口乾齒燥發熱而渴体倦脈虚數
者）曲池 間使鍼
（伏暑寒熱纏綿）大椎 間使 湧泉鍼
（温毒）十二井穴出血 委中出血
湧泉鍼
（濕温）期門 中脘 大椎 肺俞
合谷 曲池鍼

冬温与春温同治
（大頭瘟頭項腫脹口氣穢濁膚灼如火
神昏脈伏）十二井穴出血 合谷
曲池 委中鍼
（腦脊髓膜炎）（流行性痙病）百會
人中 大椎 至陽 命門 風
池 委中 曲池鍼 如不效加
中脘
（鼠疫）（形寒發熱神昏腋下腰間有
結核疼痛者屬急性之傳染病）
結核處以三稜鍼刺出血 十宣出血
或十二井穴出血 尺澤出血 委
中出血 大椎 曲池 陽陵泉鍼
（又法）十二井穴出血 尺澤出血

鍼灸講義

委中出血 太陽出血 百會 湧泉
大椎 中脘鍼 兼吸血加合谷上
星鍼 脊厥加神門 支溝鍼
(又法)委中出血約十C.C.尺澤出血)
合谷 曲池 肩髃 足三里
解谿 大椎 陽陵泉 間使鍼
凡鼠疫結核預須於核上刺出血以雞
蛋清調黃柏乳香貼之助以瀉熱清血
毒之藥為主
鼠疫防預法常灸足三里不可間斷。
(預防一切傳染病)神闕 關元 氣
海 足三里 第一年灸三百壯
免疫一年第二年灸六百壯免疫三年
第三年灸六百壯具一生之免疫性

附錄

(百合病)大椎 大杼 風門 陽陵
泉 合谷 足三里 中脘 氣
海 三陰交 支溝 太衝
(病者欲吐不得吐)支溝 照海 內
關 引氣上行而吐之
(瀉胸中熱)大杼 缺盆 背部各俞
穴。
(瀉胃中熱)氣衝 足三里 巨虛
上下廉
(瀉四肢熱)雲門 肩髃 委中 髓
空
(瀉五藏熱)五藏俞穴 十二井穴
凡病屬實熱者多取四肢之穴鍼之

凡病屬虛熱者多取背部各俞穴灸之

神志門（一）中風（二）癲狂癇（三）痙厥

中風

（中經絡）惡寒發熱身重疼痛肌膚麻木筋骨不舒頭項強痛脈浮苔白

合谷 陽輔 陽陵 曲池 風府

肝俞 內庭（各穴均鍼）

助治 用大活絡丹陳酒送下如初起服阿斯匹灵再鍼下穴 少商

曲澤出血 合谷

（中血脈）口眼喎斜各半身不遂或手足拘攣左癱右瘓。

地倉 頰車 合谷 間使

半身不遂 合谷灸 曲池灸

手三里灸 陽陵灸 肩髃灸 三里灸 崑崙灸 絕骨灸 肝俞灸 百會灸

手拘攣或麻木 手三里 肩髃 曲池 曲澤 合谷 間使

足拘攣或麻木 足三里 行間 坵墟 崑崙 陽輔

（中臟府）口噤不開痰涎上壅不省人事四肢癱瘓便溺不覺口噤不開

頰車 地倉 人中 百會均灸

痰涎上壅 關元 氣海 百會均灸

不省人事不知疼痛 神道灸二三百壯 百會灸十壯 人中鍼

註 凡中臟府（充血症）危急症宜

五〇

加鍼十二經之井穴先手後足每穴約
半分至一分之時間不一次取湧泉留
鍼強刺十分鐘如見眼活痰平為有効
蓋湧泉為誘導腦中充血之特効穴也

(中風通治法)百會 肩髃 曲池
外關 後谿 環跳 風市 陰
陵

(中風不語手足癱瘓)百會 風池
風府 風門 膈俞 肝俞 白
環俞 居髎 環跳 風市 陽
陵 膝關 三里 合谷 鍼灸并施

(中風手足拘急)外關 陽池 後谿
中渚 合谷 崑崙 丘墟 後
谿(各穴均鍼灸)

(中風口噤不開)(即中血脈)頰
車先鍼如不開 再直接灸之
合谷 鍼

中風症辨

(腦充血)脈弦而緊 舌圍黄者，此
腦中充血 血管破裂所致宜鍼
(腦貧血)脈無力而虛 面色淡黄或
虛白者 此心臟衰弱 腦中貧
血所致 宜灸

中風脈辨

脈不弦動 或沉細欲伏者 均無妨
劈劈如彈石 或弦勁者 多屬
不救

中風死症

瞳孔散大　面色㿠白　口噤遺尿　目俾口開　痰声如鋸　如見一二均屬不治

日本金剛派中風預防名灸法

凡請求中風預防灸治時。大都在最初發病期。宜先分注意以鑑別之。若即灸施因之有發危險之狀態者。人必以為因灸而致。夫灸為神聖無疵之治法。如此設想。豈僅見疑於術者之伎倆而已哉。是故吾人對於求灸者。當必鑑別其狀態。有無危險而後施治。不可草率從事也。

病者自覺有無現睡眠不足之狀。或瞳孔左右不同。口氣無力。最宜注意。於未診脈之先。施術者須納心於臍下丹田。屏絕外念。再以右手拇食指當右之頸動脈即人迎脈。而左手之食指當右手之橈骨動脈之寸口。中指當關上。無名指當尺中。候其三脈不調。不免有危險狀態。即不可施灸。

施灸者當胆大心細。精密周詳。尤必具美德資格。如一意孤行。疏忽從事。必遭大創而失敗。不可不如也。

中風預防灸之要穴。　風池　天柱　肩井　手三里　神門　陽關　風市　足三里　凡八穴　左右兩側　三日之間　每日小灸七壯　宜於午前空腹灸之通利灸（預防灸）之要穴　大椎　承山　崑崙　一日之間施小灸三十壯。

腦卒中症急救命術

凡卒中急倒時。速於腿部膝膕內之委中穴。與手之尺澤穴。用三稜鍼各刺半分許。使之出血。則腦中之充血減緩。如稍覺人事。即應止其出血。止血之後。再用普通三倍之艾絨。於足之裏正中。自委中經處。兩面共灸之。無論如何重症。均可施灸一回而蘇生也。故腦卒中症。用此法之外。不論用何手術。均不敵其有效。則此方法。足可稱為人命救助之第一方法。然用此法。如不出血。不能有效。故出血二字。尤為治此症之要訣也。

（中風預防灸法）膝眼男左女右灸之。艾炷宜稍大。再於灸之日起計算。至第二年同月同日再灸。

癲狂癇

（癲）神門　內關　隱白　少商　此二穴皆宜合鍼

（狂）心俞温鍼　鳩尾鍼　手陰鍼　間使　神門　中脘　後谿温鍼

（五癇）鬼眼灸最灵　或取申脈　上脘　神門　百會　鳩尾　魂門　照海

（猝中邪風）十三鬼穴或丰隆 風府 心俞 中脘 後谿 間使
大椎 百會 神門 痙厥
（痙病）百會 人中 風府 中脘
大椎 湧泉 少商 合谷鍼
（寒厥）中脘 關元 百會灸
（熱厥）少商 神門 湧泉鍼
（又法）湧泉 行間 內庭 合谷
曲池鍼
（食厥）中脘 三里鍼
（痰厥）中脘 丰隆鍼 或加合谷
灵台灸
（氣厥）中脘 氣海 三里鍼
（又法）膻中 氣海 建里 內關鍼

虛損門

（肺勞）（以手按中府穴部 痛者為肺病 不痛者非肺病，痛而身縮者肺已壞不治）肺俞 膏肓 足三里 俱鍼灸 或加氣海。
（肺癰）（咳吐膿血 胸中隱隱微痛 吐痰臭濁 腥穢）肺俞 列缺 尺澤 俞府 中脘 內關 鍼
（怔忡）心俞 膽俞 神門 通里
神道 鍼灸 有熱者不灸
（心虛多夢善驚） 神門 心俞 內庭
（失眠）（多因腦脊髓神經衰弱，或有惡夢所刺激）肝俞 刺入二分或三分鍼尖向上方捻動十五息二三日

即愈、
(盜汗)後谿　間使　陰郄鍼灸　或
加大椎　肺俞　並治虛汗
(又法)陰郄　後谿　合谷　大椎
曲池(註後谿瀉可止汗補能發
汗)
(骨蒸)勞宮　灸
(羸瘦)至陽　脾俞　腎俞　膏肓
足三里
(咳血)中脘　肺俞　列缺　或用肺
俞　風門　肝俞　列缺　足三里
(又法)心俞　尺澤　肺俞
(嘔血)郄門　尺澤　神門　魚際
(又法)肝門　膏肓　腎俞

(吐血)尺澤　足三里　魚際
(滑精)腎俞　關元　命門　精宮鍼灸
(夢遺)心俞　腎俞　志室　關元
或用心俞　腎俞　三陰交
(夜夢鬼交)大敦　隱白　脾俞　厥
陰俞　曲骨(陰部塗雄黃)
(陽痿不舉)歸來灸　或用命門　腎
俞　關元　氣海灸
(精冷不育)命門鍼　腎俞　關元
氣海鍼灸　或加心俞　關元俞
鍼灸

咳嗽門

(傷寒咳嗽)太淵　列缺　肺俞　天
突　三里鍼

(傷寒咳嗽)大杼 風門 肺俞
(痰熱咳嗽)太淵 列缺 肺俞 丰隆
(痰飲咳嗽)太淵 胃俞 三里
(小兒頓咳)天突 肺俞
(老年久咳)肺俞 氣海 天突 乳
根 關元 中脘 三里
(虛勞咳嗽)崑崙 氣海 溫鍼 灸
崑崙加三陰交
(吐血咳嗽)尺澤 氣海 肺俞 三里

哮喘門

(哮喘)天突 肺俞 氣海 三里
(冷哮)膏肓 中脘 足三里
(熱哮)合谷 列缺 肺俞 中脘
足三里
(實喘)合谷 列缺 丰隆 足三里
(氣急)天突 肩井 中脘 足三里
尺澤灵台二穴定喘有效

瘧疾門

(一切瘧疾)大椎 間使 後谿
(寒瘧)大椎灸 間使灸 商陽出血
太谿鍼
(熱瘧)太谿 後谿 間使 陶道鍼
(溫瘧)大椎 間使 湧泉鍼
(惡性瘧疾)(多發於夏秋之間 重者大熱不退 神志昏迷 其死亡多在一二星期其症狀特點一、大熱 二、譫語 三、嘔吐 四、瞳孔散大 喜向暗方側臥)

十二井穴出血　尺澤出血　委中出
血　曲池　間使　大椎　神門　風
門　肺俞　肝俞　腎俞　心俞　三
焦俞　大小腸俞　各經之滎穴
(三陰瘧)大椎鍼瘥至尾閭灸之　間使
鍼瘥至肩上灸之　後谿溫鍼　脾俞灸
(瘧母)章門　脾俞鍼灸　痞塊上梅
花溫鍼法
(瘧塊成腫)陰陽泉　氣海　章門
天樞
(瘧後不食)公孫　內庭
(瘧後頭痛)腕骨
(瘧後心煩體痛)神門　中渚
(瘧後泄瀉)天樞

(瘧後筋骨痛)公孫　大包
(瘧久不愈)脾俞灸　或發時至十指
出血　寒熱即止　此係古法
霍亂
(真霍亂)吐瀉　腹痛　瘈瘲「化
熱舌紅未化熱者舌白」
尺澤　委中出血　中脘　氣海　十宣
亦出血　如瘈瘲目陷　神色已失
當獨灸神闕
(假霍亂)因傷食或傷熱所致嘔吐胸
悶不舒者取　中脘　足三里
合谷　太冲　間使
(寒霍亂)神闕灸七壯　委中　中脘
合谷　太冲　均鍼

(助治)丁桂散加麝香少許灸臍中
(熱霍乱)少商 少澤 關冲 委中出血 合谷 太冲 大都 曲池 陽陵 均鍼
(乾霍乱)人中 少商 委中 十宣出血 氣海 陰陵 曲泉
(又法)尺澤 委中出血 人中 中脘
(又法)天樞 委中 氣海 大敦 十宣不效灸 神闕
(又法)十井 下脘 天樞 三里
(暴患絞腸痧)必放尺澤委中出血
吐加 內關 三里
瀉加 天樞 章門 陰陵 崑崙
轉筋加 承山 絕骨 陰谷

鍼灸講義

三里 委中出血 尺澤 中脘
太冲
(又法)發時將陰囊揪起即止 吳仰安君傳
(亡陽)灸關元
(心腹痛)手腕骨中一穴甚效
(肢冷脈絶)復溜補鍼 神闕 關元 氣海灸

瀉痢門 (泄瀉)

(熱瀉)中脘 天樞 三里鍼
(寒瀉)天樞灸 胃脾俞灸
(一切泄瀉)天樞 關元 中脘 氣海俱鍼或加三里 大腸俞
(腸鳴泄瀉)三里 天樞 神闕 公孫 至陽

五十八

(水瀉)委中鍼 神闕灸
(久瀉)百會灸 長強鍼 或去長強
加關元灸
(久瀉不止)(腸鳴腹痛)天樞 關元 脾俞 百會灸

痢疾

(痢疾)合谷 三里 中膂俞或大小腸俞「治紅白痢」
(白痢)合谷 關元 脾俞 天樞均灸 或合谷三里中脘
(赤痢)合谷 中膂俞 白環俞
(赤白痢)大小腸俞 中膂俞 足三里 合谷 外關 復溜 腹哀均鍼

(休息痢)天樞 三焦俞 脾俞鍼灸
(噤口痢)內關 外關 中脘 天樞 三里均鍼

胃病門

(嘔吐)內關 中脘 三里鍼
(乾嘔)太淵 大陵 胆俞 尺澤鍼 間使 章門 隱白 乳根灸
(寒吐)內關 中脘 氣海 胃俞 間使 膻中 三陰交均灸
(熱吐)合谷 曲澤 通里 內庭 通谷 陽陵 太冲均鍼
(病中呃逆)中脘 膻中 期門均灸
(久病呃逆)乳根灸三壯「男左女右」 氣海十五壯

（噦呃）為腎氣因寒上冲者　中脘　關元　腎俞　均灸百壮

（急性胃炎）（惡心嘔吐脘痛）肝膈脾胃俞　上中脘　天樞　三里

（慢性胃炎）（嘔吐噯氣脘痛便秘）上穴加胃俞　肓門　梁門

（噎膈反胃）上中下脘　内外関　三里　或加幽門　食竇

（反胃）天突　膻中鍼　中魁灸　期門鍼　嘔不止加中脘

（又法）刺期門頭致　又法内外関　中下脘　三里鍼灸

（反胃吐酸）鍼乳根及内踝下一寸處　即愈

（食道炎）（噎症）嚥下時疼痛或困難　風池　大杼　肺俞　肝俞　天突　上脘　以上强刺激

（食道癌腫）（膈氣）老年患此不易圖治　中魁　肝膈厥陰俞鍼　以上强刺激加温

（食道擴張）（翻胃）賁門部狹窄食下而吐出　巨闕鍼　商邱灸五壮　膏肓温鍼　乳根灸五壮

（胃潰瘍）食後心窩部熱灼或刺痛　或拒按　食後一二時嘔吐　甚則吐血　下血　肝膈脾胃俞　天樞　関元　三里　以上温鍼局部　最忌下鍼

（胃癌）胃痛同上　食後壓重膨滿

噯氣嘔吐　身體瘦　皮色変青黄
色　大便秘者　不治之症也　体強
者半年或一年死　体弱者不及二月死
（胃下垂）胃膨至臍下　壓重噯氣
食後鎔滯　外形心窩不高　水
分陰交部位膨大
上中下脘　梁門　不容　幽門　天
樞　膈肝脾胃三焦俞　淺鍼而多灸
（胃擴張）食少口渴食後壓重　膨滿
噯氣　便秘　呑酸噯酸　有時
連食物吐出較最後所食之物為
多　外形體瘦腹膨　按之如球
上中脘建里水分梁門滑肉門日
月章門肝膈脾俞灸

（胃痙攣）心窩部發生劇痛　顏色蒼
白　流冷汗　強壓稍愈　於飲
食無妨　中脘滑肉門期門三里
三陰交　以上用強刺激或留鍼
於中脘或但灸右邊之滑肉門七
壯亦效
（胃不消化）食後不快　膨滿壓重
眩暈倦怠　時有悪心　精神衰
弱　脾胃三焦俞幽門中脘天樞
三里公孫（以上用輕刺激　再
用温鍼　如單用各法　每穴五
六壯亦可　惟不及鍼刺之收効
速而且持久　如患者無飢餓感
就上穴外加鍼然後　用強刺激

(胃酸過多)食後疼痛 吞酸嘈雜

嘔吐姑伏 中脘 通谷 天樞

脾胃俞 三里 中刺激

附胃病灸法

胃病食慾減退 飲後胃部不舒 噯

氣嘈雜 脹滿嘔吐 以繩環項上

双垂至胸 劍骨尖盡處 斷之

轉向背部垂之 至處点記 另

度口長 折中置点上 兩端是穴

再直置成八卦形  連原有点

共為九點 各灸七壯

(胃痛)(神經痛)如上法 單灸中央

一點三十壯(即不用口量點)加

鍼手三里

(胃痙攣與胆石痛)以兩足稍並 用

繩繞之長度 加中指至大陵之長

度 而環頸項 在背上繩端點記

另張開大口 而量其周圍 折

成四方形 置於背點上(點在中

央)四角是穴 灸二十壯至五十壯

(又胆石痛偏於左肋端)期門 陽陵鍼

補遺

(胃痛通治法)中脘 三里

(肝胃氣痛)中脘 三里 期門 行間

(多年胃痛)上中下脘留鍼一小時

(又法)中脘 三里 脾俞

臌脹門 附奔豚伏梁

(水臌)腎俞 水分 氣海灸 或加

關元足三里陰陵

（全身腫脹）氣海　三里　合谷　內庭　三陰交　行間　曲池

（四肢浮腫）支溝　水分　關元（上身腫人中放水　下身腫三陰交放水）

（腹脹骨痛）建里　氣海　復溜

（氣臌）氣海　膻中　關元　豐隆　陽陵　以上均溫鍼　太衝　脾胃俞　期門鍼

（又法）中脘　氣海　關元溫鍼　足三里

（又法）膻中　氣海　三里　三陰交鍼

（虛臌）中下脘　脾胃俞　神闕　關元　大腸俞灸

附案一婦產後單腹脹　青筋暴露　心悸氣喘　大小便不利　舌光脫潤　少腹有塊　按之痛

第一日鍼天樞府舍五樞意舍胃倉以通氣　灸水分關元三焦俞腎俞以利水　翌日大小便通　腹脹略鬆　除用前穴外　加鍼中脘胃俞氣海中極以健脾振陽

第三日各症俱愈　結瘕尚存　食下覺痛　再鍼上下脘梁門章門以破瘕　關元水道歸來以散瘀　補中脘瀉足三里以調胃氣

第五日仍照前法　加灸脾胃腎俞各三壯　鍼三焦大小腸俞以助消化

第七日腹中大痛 瀉出秽物而愈
（血癥）血海 膈俞 氣海 曲泉
脾俞 足三里 内庭 腹中結蛵
上温鍼 或但鍼灸三里 局部
（水食氣血蠱）内關 水分 公孫
行間 以上多灸 再加灸支溝關
元 氣海三陰交三里
（單腹脹）水分灸 三里 太衝 行
間鍼 或去太冲加内關 氣海
（奔豚）中脘 關元灸百壯 不止
灸腎俞六百壯
（奔豚冲痛）關元灸 大敦鍼
（伏梁）上中脘 氣冲 三里 以上均温鍼
或去氣冲加氣海
或[illegible]大椎[illegible]

黃疸門
（黃疸）至陽 脾俞 陽黃灸日七壯
（陰黃）至陽 脾俞 足三里灸
（陽黃）至陽 脾俞 陽綱 膽俞
（又法）至陽 勞宮 後谿 陽黃鍼 陰黃灸

消渴門
（三消渴飲）金津 玉液 湧泉
（上消）肺俞 尺澤 内關 金津
玉液
（中消）三里 中脘 内庭 曲池
支溝
（下消）小腸俞 氣海 腎俞 湧泉

痿痹門 附脚氣
（肌肉痿痹）脾胃俞 大包 章門

足三里 俱鍼灸
(周身關節痛)陽經關節之穴鍼灸之
(半身不遂)肩髃 曲池 環跳 陽
陵 灸百五十壯
(乾脚氣)承山 絕骨 行間 湧泉
崑崙 照海 俱鍼
(濕脚氣)解谿 三陰交 陰陽陵
陽輔 足三里 俱鍼灸 有熱
者免灸
(又法)陽陵 鍼灸 絕骨 三里 三
陰交 溫鍼 再吃糙米 或加陽
輔 解谿 或去三陰交 加崑
崙 或用風市 伏兔 犢鼻 膝
眼 上下廉 絕骨 三里

疝氣門

(小腸疝氣)行間 曲泉 氣衝 陰
色 歸來 三角灸
(又法)大敦 曲泉 氣衝 三角灸
(寒疝)關元灸 大敦灸 照海灸 或三
角灸
(衝疝)關元 太衝灸
(又法)大敦 關元 急脈 三穴最
有效
(癩疝)曲泉 中封 大敦
(疝痛外腎吊急)急灸獨陰穴在足次
指中節横紋中
(疝痛)三角灸 獨陰灸 大敦 三
陰交

(偏墜)三角灸 不應取百會
(睪丸偏大痛引少腹之特效灸法)陽池七壯 左取右 右取左 最好加鍼關元 大敦 (日本灸法)
(睪丸痛)偏左鍼右承山 偏右鍼左承山 再加鍼行間 可以定痛消腫
(諸疝)大敦 行間 太衝 中封 關元 水道及三角灸 臨症加減 神明在人
(三角灸)以硬紙量患者口角橫經 截斷照量得之分寸 三倍折成三角形上角當臍中下方兩角是穴 以艾灸之 左患灸右 右患灸左

二便門

(小便短數)肺俞 合谷 中極 鍼
(小便不通)陰陵 三里 中極 鍼或加小腸俞
(小便過多)老年人 命門 關元 腎俞 氣海 小腸俞灸
(小兒遺溺)氣海 關元 小腸俞灸 助治木瓜三錢煎服
(老人遺溺)命門 氣海 關元 小腸俞灸 或關元 腎俞 膀胱俞灸
(小便血)小腸俞 中極 陰陵泉 鍼
(小便淋濁小腹脹滿)陰陵泉 湧泉 合谷 膀胱俞 中極 愈後復

發加補腎俞
(膀胱瘀血)血海 膈俞 曲池 足
三里 三陰交 小腸俞
(白濁)(濕熱已甚)三陰交 氣海鍼
(五淋白濁)腎俞 小腸俞 三焦俞
中極 血海 陰陵泉 三陰交
鍼 或單取中極 陰陵泉 三
陰交 助治滑石二錢 牙硝二
錢 泡茶飲一日一服三服可愈
此方治沙淋更效
(梅毒)四髎穴有特效再加後谿 大
椎 內關
(花柳病)兩臂角現白色 毒已入骨
較者鍼大椎 曲池 百會 風
府 陽陵 三陰交 血海 四
髎 重者加委中 太冲 崑崙
小腸俞 腎俞 百會 胃俞鍼
(大便祕結)支溝 豐隆 大腸俞
照海 三陰交鍼
(大便不暢)支溝 照海 承山 大
腸俞 三陰交鍼
(脫肛)有疾性勞痢者 長強 承山鍼
(脫肛)百會灸 長強鍼
(痔漏脫肛)二白鍼 承山鍼 上脘
鍼灸 百會鍼
(又法)百會 長強 氣海 上髎
腎俞 承山
(痔漏)承山 長強 二白鍼

(內外痔䐃腫疼痛)承山　二白　四
髎鍼
(痔漏成管者)附子餅灸法(每次覺
熱痛為度)
(痔出血)百會灸　會陽灸　如肛門
有肉球等突出　鮮血淋漓疼痛
可用柳枝煎濃湯淋洗　以艾
炷灸其上　連灸三五壯　覺有
熱氣一道　冲入腸中　因而瀉
下污穢鮮物　其疾如失
(大便下血)三焦俞　鍼灸　大腸俞　鍼
灸　長强　鍼　承山　鍼
(大下血不止者)脾俞　大腸俞　四
髎灸

(便血)(婦人久患便血腹痛此係氣
痛)三陰交　隱白　足三里
下虛　天樞　承山　大腸俞
氣海　照海
(腸風便血)長强　承山鍼　大腸俞
灸十五壯
(大小便血)三焦俞　長强　中極
陰陵泉　鍼

婦科門

(月經不調)中極　血海　地機　三
陰交
(又法)血海　三陰交　歸來　關元
先期鍼　後期灸
(經前腹痛)血海　腸俞　曲池　足

三里　三陰交

(經後腹痛)氣海　關元　足三里
三陰交　公孫　太衝

(白帶)帶脈　三陰交　氣海　關元

(赤帶)帶脈　中極　歸來　三陰交
章門鍼灸

(赤白帶下)三焦俞　小腸俞　帶脈
血海　三陰交

(又法)氣海　中極　腎俞　關元
白環俞　三陰交　小腸俞

(五色帶下)直接灸隱白穴

(統治一切帶病)三角灸　中極　命門　腎俞　日壯七灸

(血崩)隱白灸有特效

(血崩不止)灸隱白十壯鍼三陰交
氣海　中極

(又法)百會灸　隱白鍼灸　或加長強鍼

(漏下不斷)百會　隱白　長强灸
如不止加鍼血海　三陰交　足三里　胞宮　寒冷不孕　中極
歸來　關元　血海　地機鍼灸
或用命門　腎俞　關元　關元俞

(預防小產)以炒鹽填臍心常灸之
壯數以奇數為要

(婦人滑胎)肝俞　腎俞　命門　三陰交　關元均灸

(子癇)間使　內關　太淵
(臨產交骨不開)肩井　中極
(難產)至陰灸七壯　或灸至陰補合
谷瀉三陰交補太衝
(又法)至陰　獨陰
(胎死腹中)補合谷　瀉三陰交　灸
至陰
(又法)崑崙　曲池　至陰　三陰交
(產後胞衣不下)三陰交　崑崙　中
極　公孫　至陰鍼　或用中極
崑崙
(血暈不省人事)灸支溝五壯　又法
取神門　支溝　關元　三陰交
足三里　或刺印堂出血　神效

(產後血塊痛)氣海　三陰交　曲池
復溜　關元
(產後氣脫陽亡)身熱如烘　大汗淋
漓　面赤唇紅　喜向裡臥　神
昏譫語　肢體痛　脉象浮大無
根　急灸關元
(產後乳少)膻中灸　少澤鍼
(產後汗不止)太冲補
(婦人腰痛連及臍腹部)二日後肚臍
突起一二寸　灸膻中　氣海
次日又鍼關元穴即愈
(陰挺)百會灸子宮脫落肛同治
(陰縮)(前陰及兩乳俱縮)以麝香和
艾灸○會陰　曲骨　水分　長

強 及十數壯再灸神闕 關元
中極
(又法)鍼長強 歸來鍼灸 或灸爲

兒科門

(急驚風)(即剛痙)流行性腦脊髓膜
炎
(症狀)惡寒發熱 頭痛嘔吐 戴眼
口噤 項強背反張 四肢痙攣
(治療)人中強刺出血 印堂百會同上
大椎強刺 至陽 命門同上
風池 風府 厥陰俞 巨闕中
刺戟 中脘 曲池 陽陵同上
(註)百會不出血 但與強刺 又
鍼最厥陰俞 反張已平者 則
巨厥中脘可不鍼)
(又法)印堂 大椎 百會 中衝
大敦 太衝 合谷 行間俱瀉
(又法)人中 大椎 曲池 中脘
承山
(又法)少商 曲池 人中 中脘
大椎 委中 湧泉
(又法)百會 人中 湧泉 合谷
曲池 中脘 承山 少商
(又法)少商 人中 湧泉 中脘
痙厥加百會 風府
(慢驚風)此症多由小兒吐瀉病久所
至)神闕 天樞 關元 炷如
黃豆大最少七壯

（又法）脾俞　三陰交　關元　氣海　中脘俱灸
（又法）天樞　關元　神闕
（又法）神闕　關元　百會
（又法）印堂　隱白　脾俞
（驚風急救法）人中　中衝　二穴以手重掐之　出声者可治　否則危險
（驚風易治難治之辨別）患者男左女右之拇指握拳時　在外男順女逆　拇指在內者女順男逆　在中食二指中者不治
（痲疹）多發於春夏二季　由肺胃蘊熱　傳染時氣而發　初起咳嗽多涕　鼻塞作欠　治宜透發其疹毒　忌用涼劑　若初起誤服之　則肺氣閉而不宣　疹毒不發　或發而不透　致成肺炎　氣喘不易挽救矣　西医多皆束手　中医用葯頗覺有效　若能參以鍼灸　則可收十全之功　治以宣肺泄熱　解毒清血為主　合谷　太淵　肺俞　曲池　少商鍼之　宣利肺氣　委中　尺澤出血以泄熱而清血解毒　若氣喘者加鍼中脘　足三里　以降泄肺胃之蘊熱　若遷延失效　以致疹毒內陷　面白唇青　鼻出

鍼灸講義

氣冷者　不治

(一切感冒)身柱灸叄七壯(日本灸法)

(發汗推拿法)迎香　通天　上星

風府　以大拇指推之

(身熱)大椎　合谷　曲池　太衝

足三里　按摩之

(熱厥)少商　中衝　尺澤　委中

湧泉　中脘　或用大椎　中脘

氣海　亦效

(臍風)然谷　先鍼後灸臍之四圍絕神

灯照法(兒生七日　以蒼白搽

長強　有紅黑毛　去之可免)

倘口撮不能吮乳　宜加灸頰車

並於臍中行線視之　必有紅

線由臍上行　再於紅線上端灸之

不使上行　至腦可愈

(瘧疾)鍼大椎　鍼後以白胡椒末加

膏藥上蓋之　神效

(鼻喉)啞門瀉　絲竹補

(不語)心俞灸七壯

(病後口噤)啞門鍼透風府沿皮向上

心俞灸

第二日　心俞灸　中衝出血　神門

通里　內關俱灸

第三日　心俞灸　氣海灸　關元灸

三里灸　太衝　內庭　曲池均鍼

(雀目)合谷十壯　足大指第一節屈

指尖端灸七壯立效

（哮喘）天突 膈姜灸
（嘔吐）天突 中脘
（吐乳）中庭灸五壯
（痞積）由停乳蓄食所致 四縫出血
（又法）刺食中指無名指三指中節之
横紋 流出白濃水少許 其效
非常 四五次可愈
（泄瀉）天樞 大腸兪
（久瀉）百會灸
（遺尿）關元 氣海 腎兪灸
（骨蒸）陰郄刺

外科門

日本三天灸法
（面疔）灸合谷 脫肛灸百會（肓腸
炎）灸肘尖
（一切頭面瘡）兩大指交叉 中指盡
處 適當外關處 灸十四壯
（一切皮膚病）血海灸 曲池灸 或
加膈兪灸（上列二穴灸治外
亢進時用強刺戟瀉之 如無甚
影响 灸掌心後一寸百壯 無
不乾燥結痂而愈 即勞宮下離
腕横紋大陵穴一寸
（陰疽久流濃水而不愈者）膈兪灸七壯
灸後有反應者佳（如惡寒發熱
頭痛 體溫增加 飲食減少
七天後再灸一次
（各種瘰癧發背）灵台灸 膈兪灸

局部灸 病灶之本經鍼

（各種風濕潰爛疼痛）曲池 膈俞 血海鍼灸

（各種瘰癧流注）百勞 翳風 肘尖 阿是穴 又法初起鍼肩髃 曲池 以則灸 肩井 天井 曲池 少海

（瘰癧之特效灸法）以麝香一分 分裝於釘鞋釘大之三枚艾炷中在曲泉穴處灸之 待火滅後外蓋以膏藥 任其自潰自愈 在三月中 忌食硝性食物 並戒房事 曲泉在手肘尖上

（乳腫）肩井 尺澤 期門

（乳癰）肩井 足三里 尺澤 又法以生地香附等分作餅敷上以艾灸之

（乳癌）未潰香附餅局部灸之 已潰難治

（遍身風癢）風市

（鵝掌風）鍼灸勞宮有特效（小兒口瘡鵝爛亦可用之）

（又法）勞宮溫鍼 八關鍼（手掌爛瘡同治）

（一切癰疽惡瘡）第六椎下旁左側一寸灸七壯 日灸之能化腺生肌 具帶迅速

（各種濕瘡）附子餅灸法

(猴疮)承山　右取左　左取右　再
加血海　鍼之可立消
(又法)至陽　合谷　三陰交　承山
足三里　左取右　右取左
(蜈蚣咬傷)在傷口上灸之立愈
(瘋犬咬傷)承山穴　三姓之人各灸
一壯　重則各三壯　傷處灸數
十壯
(又法)灸外邱三壯　另將頭頂紅髮
拔去
(壁虎咬傷)以桑樹乳汁抹之即愈
(紅絲疔)刺紅絲頭
(四肢疔)身柱　鍼出黃水如血水者佳
再加鍼合谷

(刀鐮疔)(長圓形　青黃色　不可刺
疔上)即臺　合谷　中冲　委中
(一切疔瘡)身柱　灵台　或加鍼
合谷　曲池　或加鍼　病灶之
起穴或本穴再飲以菊花汁

附急救法

(猝死或溺死)鍼會陰
暴死及絞腸痧)先刺十二井穴出血
繼取百會人中

頭面部　頭痛門

(一切外感頭痛)以列缺為主　不應
加頭維
(一切偏正頭痛)以太陽風池為主

（滿頭痛）急性 風池 太陽 風府
頭維鍼
（滿頭痛）慢性 百會 太陽 風池
灸 合谷鍼
（頭痛正中如劈拒按）天突出血 百
會三稜刺 風池 風府
頭痛正中如劈喜按）百會灸 風池
風府 太陽 頭維溫鍼
（頭痛偏前面）合谷 列缺 頭維鍼
或太陽溫鍼 偏歷
（頭痛偏後面）頭維 翳風 風池
（頭痛偏前正）慢性 太陽溫鍼 偏
歷 列缺 合谷鍼
（頭痛偏後正）慢性 風池溫鍼 翳
風 合谷 足臨泣
（偏頭風痛）（由於痰火）風府 丰隆
（偏頭風痛）（由於胆火）懸厘 頷厭
出血 列缺 風池
（前額痛連眉稜）攢竹 頭維 丰隆
中脘 嘔加中脘三里
（前頂額痛）顖會 上星 頭維
（頭項強痛）即失枕 天柱 風池
不愈用[illegible]杵足跟
（又法）天柱 小海
（肝陽）即上列頭痛惡心便秘 風池
支溝 丰隆 崑崙鍼 太陽出血
（便秘）丰隆 支溝
（充血）湧泉鍼

(氣虚)頭維 氣海 關元

(血虚)頭維 三里 曲池 三陰交

(久年頭痛不論何部)風池 太陽溫

鍼 上星 隔姜灸 攢竹 印堂

發時又刺腦空有特效

(久年頭風不論寒熱)百會 顖會

前頂 後頂灸

(又法)太陽穴隔蒜灸三四壯灸後隨用布紮緊勿使吃風

(頭痛灸背法)患者並足 以線圍得

長度 於咽喉緣向背垂下為點

另量口之長度折成┐ 以一

端着點垂下處為灸點 各五壯

灸點 點 點 灸 適當第六椎旁

(頭暈腦昏)風池溫鍼 上星 肝

俞留鍼宜久

(頭昏目弦)肝俞 命門 腎俞 風

池溫鍼

(面腫)人中 復溜

眼病門

(目赤腫痛)太陽出血 睛明 合谷

鍼 耳背紫絡上出血 甚者委

中出血 黃連酒點之(黃連一

兩 高粱酒十兩 浸一月露過幾次

去渣 點目有奇效)或去合谷

加攢竹

(又法)合谷 光明鍼 太陽 委中

俱出血

目赤痛羞明多眵)睛明 合谷鍼

鍼灸講義

六十八

太陽耳後紫絡俱出血照黃連酒
(風眩爛眼)攢竹鍼 太陽灸 以桑
葉艾葉菊花煎湯洗之
(目紅腫生翳)以鍼頻挑肝俞穴 至
現出一筋 挑斷之 即愈
(目猝然生翳而赤澀疼痛者)灸聽宮
內側十五壯 右灸左 左灸右
(又法)灸大指內側本節後大橫紋端
三壯 左灸右 右灸左
(目生內障)風池 肝俞 鍼
(目痛如脫紅而羞明)八關出血 尺
澤 委中 太陽俱出血 服止
痛葯
(目痛如脫至夜更甚而不羞明者)風
池 肝腎俞 照海 行間 連
鍼三次 均強刺戟
(目赤不甚痛不甚羞明者)睛明 肝
俞 腎俞 光明 俱用中刺戟
(目淚紅久不愈)肝俞 光明鍼補法
(目昏花)肝腎俞 睛明 光明 鍼灸
(目散光)肝腎俞 命門 光明 復溜
(目無神)肝俞灸五壯 腎俞灸三壯
足三里灸十壯 隔日灸之
(老年目昏花)肝俞灸 或命門灸
攢竹 鍼微出血
(目因氣逆而昏睹或紅赤者)風池灸
百壯 足三里灸十壯
(病後目昏花)睛明 肝俞 腎俞

光明 用瘀刺數法
（迎風流淚）睛明 魚際 瞳子髎鍼 大小骨空灸 或用上星灸 大小骨空灸 最有效或用上星灸 睛明鍼
（努肉攀睛）睛明 風池 肝俞 俱鍼 大小骨空灸 硫酸鋅水 千分之一 合蒸溜水點之
（拳毛倒睫）灸手三里十壯（如右眼者以右手搭左手肘前 食指當肘尖而握之小指本節着處是穴）
（瞳人乾着）玉枕穴鍼之
（砂眼）（日本流）听宫 日灸五七壯
（雀目）（入夜不見物）肝俞 命門 光明俱溫鍼 加吃猪肝不用鹽

耳病門

（耳聾通治）听宫翳風中渚外關足臨泣
（耳暴聾）百會翳風听會中渚外關 強刺
（病後耳聾）補腎俞瀉翳風耳門
（大怒耳聾）（肝火上逆）行間臨泣翳風耳門
（耳鳴通治）肝俞足臨泣听宫腎俞翳風（耳聾亦治）
（耳暴鳴）听宫翳風液門臨泣風池強刺戟
（耳鳴目眩）听宫翳風心肝腎俞
（耳鳴按之則已）腎俞氣海又腎俞足

三里 合谷

（耳鳴聽之更甚）听會 風池 丰隆

（耳中腫痛）翳風 足臨泣 或加陽陵泉

（又法）（少陽風熱上攻）足臨泣 听會

合谷 頰車 均鍼

（聤耳流膿）（急性）合谷 耳門 翳風 中渚 液門 雷佛奴耳水洗之以百分之一（溶液）或以蓮葉汁滴入 三四日可愈（慢性）合谷 耳門 翳風 中渚 均鍼

鼻病門

（鼻淵）風池 腦空 承靈 均灸 或單取風池 鍼瀉

（又法）（上星 通天）迎香 禾髎 久年

（鼻流清涕）上星灸 多灸上星餘鍼

（又法）上星 風池 風府 風門 鍼

（鼻塞）通天 迎香 又上星 迎香

又上星 迎香 合谷 風府

（傷風鼻塞）大椎 曲池 合谷 又 合谷 風池 迎香

（鼻痔）上星 齦交 又上星 禾髎 風池 風府

（鼻生瘜肉）先以小刀刺破 用雄黃麝香敷之可愈

（鼻中生瘡）少商 鍼

（鼻衄不止）啞門下行一寸 灸三壯 又以紙八層濕而熨之 待第二

膺紙靴血即止　合谷鍼亦效
（又法）少商　灯心蘸油灸　左灸右
右灸左　又上星灸七壮　大椎
合谷鍼

牙齒門

（牙痛）鍼合谷有特效　牙宣同治
又　合谷　内庭
（上牙痛）下関　内庭
（下牙痛）合谷　頬車
（上門齒）人中　合谷
（下門齒）合谷　承漿　皆強刺戟
（上牙生瘡）人中
（下牙生瘡）承漿
（蛀齒）齒孔点莪阿蘇外　再鍼合谷

可立刻止痛
（齒痛牽引顳顬）耳門部（即三叉神
經痛）翳風　耳門　下関　合
谷　外関
（虚火牙痛）湧泉　太谿
（牙関不開）頬車　人中　承漿　合
谷　列缺　廉泉　支溝
（骨槽風）女膝穴灸之、穴在足後跟
骨　除踝至地之正之正中是穴
灸七壮
（齒痛）耳垂之盡處骨上　灸三壮
（齒齦腫痛）項後入髮　旁開二寸
按之殊痛處　灸二十壮
（凡齒痛蟲朽）目翳視物不明　鼻衄

牙宣　喉腫等症　以繩自大椎
起量至肩端（即至肩髃穴折半
之處是穴　灸七壯　有特効

口舌咽喉門

（口內生瘡）舌下　少商出血　合谷
（口內穢臭）舌下出血　大陵　齦喎
斜佗會頰車
（口糜舌紅）金津玉液　少商俱出血
合谷
（口糜舌不紅）關元　心俞　腎俞灸
灸七壯
（口糜舌尖紅絳碎者）金津玉液　少
商　合谷　勞宮
（口乾咽痛）少商　曲澤　或加照海鍼內

（舌強不語）金津玉液少商俱出血
啞門　風府　天突　然谷　廉泉
（舌強舌腫）舌下少商少冲俱出血
（重舌木舌）舌下出血　少商出血
合谷鍼
（舌下腫痛）廉泉　中冲　有特効
（舌風舞）手三里　啞門　金津玉液
（又法）啞門　風府　金津玉液　手
三里　鍼四五次全愈
（舌出不收）用硃砂研敷即收　或暗
擲盤碗於地　使聞声振驚亦收
（舌出血不止）以康熙錢（一邊着臍下
下邊是灸穴　灸十五壯
（咽腫痛水飲不能下者）少商鍼　合

谷鍼 天鼎鍼 廉泉鍼
（喉頭腫痛）少商 液門
（喉中腫塞）以竹絲自大指尖至大陵
穴止之長度斷之 自鼻端向上
量之 盡處以利刃刺出血數滴
即愈
（喉内結核赤腫）勞宮灸七壮 湧泉灸
孔最隔蒜灸之 十宣刺
（鎖喉）下髃骨曲骨内一寸（即廉
泉旁）谷直鍼向上二三分深
再刺少商 商陽 合谷 曲池
（喉痹）以中指本節之内横紋中央（
掌指之交）灸五壮 男左女右
（一切危急喉症）刺委中出血有效

又法尺澤穴下一寸鍼之 可治
危急喉症 又少商出血廉泉平
陰陵外關合谷
（痰火喉風咽腫頷腫）以五指之長度
之繩 自大椎穴下垂 盡處點
之 以足長度斷中摺點上 兩
端是穴 日灸十壮 三日愈
左病灸左 右病灸右 不能分
者均灸之
（双單乳鵝或潰爛）少商 合谷 曲池
（又法）委中 少商 中冲出血 合
谷 足三里鍼
（普通喉病）少商刺 人迎推拿
（喉潰爛）少商 合谷 天鼎

鍼灸證纂

(喉痛不紅)湧泉
(喉痛)因少陽有熱者 合谷 中渚鍼
(喉痛)(熱結)少商出血 合谷 中渚鍼
(下顎脫落)合谷 頰車 听會 下關

心胸肋腹部

心胸病門

(心痛)胃俞 脊俞 足三里鍼
(九種心痛)間使
(心連肘痛)大陵
(心胸痛)内關 心俞 足三里
(心胸痞痛)内關 心俞 足三里
三陰交
(又法)内關 陰陵 承山
(心胃氣痛)中脘 胃俞 三里 厲兌

(心下悲傷)(精神不振背間寒慄)脾
俞灸
(心房跳動)(肝氣上冲)大敦 肝俞
三里 氣海 委中 三焦俞
(心腹痛)中泉鍼經外奇穴在陽池陽谿之中
(心連背痛)魂門鍼
(胸中脹滿)建里 内關 或承山
陰陵泉
(胸痞氣緊)内關 中府 香膻加中
脘 三里 脾胃俞
(胸痛)合谷 間使 期門
(胸悶哮喘)肺俞 灵台 天突 中
脘 三里
(咳嗽胸痛)列缺 肺俞 俞府 期

門　三里

（胸脹腹痛）內關　中脘　氣海　三里　或去中脘　加關元

（又法）公孫　內關

脇肋病門

（脇肋疼痛）期門　陽陵

（又法）支溝　外關　陽陵　膝關　行間

（咳血肋痛）期門　肺俞　膈俞　中脘　三里　並宜食白芨粥

（胸肋刺痛）合谷　閒使　內關　風門　期門　陽陵

（肋骨疼痛）局部鍼灸之

鍼灸講義

（腋下筋腫（二手難舉））委陽　天池

腹病門

（腹痛）氣海　關元　三里

（又法）下脘　三里或三里內庭（又臍之上中左右各開一寸各灸九壯神效）

（又法）公孫　內關　三里　便閉　加支溝

（臍中痛）神闕灸

（蟲痛）地倉　氣海　大腸俞　陽陵　三里

（氣聚結塊）三里為主或加期門章門　氣海　脾胃俞

七十二

(腹中結塊)痞根 溫鍼 或脾俞 三
里 內庭 溫鍼 天應穴
附結塊刺法塊之正中左右上下用梅
花鍼灸 再參狗皮膏

腰背部

(腰脊酸痛)腎俞 命門 人中 或
再加至陽
(腎虧腰痛)命門 腎俞 均鍼灸
(挫閃腰痛)尺澤 委中 人中 腎俞
(用力過度腰痛)委中出血 崑崙
腎俞
(腰痛不可俯仰)環跳 委中 崑崙
人中 均瀉 或加腎俞

(腰部以上挫閃)以大椎為主穴 天應穴
(背連腰痛)白環 環跳 委中
(背連心痛)魂門 鍼
(脊強不能轉側)人中 或加水道
筋縮

四肢部

上肢部

(手指痠痛麻木)外關 合谷 中渚
俱溫鍼
(手指不能伸屈)合谷 中渚 陽池
外關 俱溫鍼
(手腕無力)外關 陽池 腕骨 俱溫鍼
(手部紅腫)手三里 合谷 外關 俱
溫灸

(手連肩痛)中渚 後谿俱溫鍼
(手臂腫痛麻木)外關 手三里 曲池 合谷俱鍼灸
(手臂拘攣或麻木)手三里 肩髃 曲澤 曲池 合谷 陽谿 後谿俱溫鍼
(五般肘痛)(即風寒暑溼熱)肩髃 曲池 尺澤 兼腿痛加陽陵 委中

下肢門

(腿部疼痛)陽陵 後谿 環跳崑崙
(腿股紅腫)環跳 風市 陰市 或加三陰交
(腿膝無力)二市 二陵俱灸
(腳膝疼痛)行間 足三里 髖骨
(又法)陽陵 足三里
(腳膝麻木)陰陽陵 陽輔 三陰交
(腳膝拘攣)陽陵 犢鼻 三里崑崙
(鶴膝風)膝眼 用吸角 又法 陽陵 髖骨
(足痿躄)承山 崑崙 飛揚
(又法)環跳 風市 陽陵
(足背紅腫)坵墟 八風
(陽虛足冷)腎俞 足三里 常灸之
(足冷如冰)陽陵 內庭 厲兌 腎俞
(草鞋風)行間 太谿 崑崙 坵墟
(腳丫風)腳趾丫處鍼灸

鍼灸試

（足瘡）八風

承師談話錄

1. 予接日本生兒至三個月時必灸身柱穴七壯艾粒如米粒大云可消疾又在七歲以下如傷風發熱不爽時亦灸身柱據彼邦人云奇効凡病至十分虛弱時艾灸宜小宜少如太過則不勝火傷毒素反至危重矣

2. 陰疽流注　用大蒜片貼瘡旁不仁處用艾炷灸之不痛者以感覺痛痛者以感覺痛止為佳

3. 陽症欲腫無頭者先以濕紙貼患處視何處先乾即為有膿於該處用艾隔蒜灸之以平為佳（指將成未成而言）

4. 淺刺乃刺激神經幹宜於慢性病之疼痛痠麻及運動失效（直接刺激）

5. 深刺刺激神經末梢如熱病瘧疾止暴痛（反射刺激）鍼之起反射作用以誘導他部之充血分散譬如舌尖刺中冲而有効也

6. 凡灸傷太重致發泡欲潰此時宜將泡皮剪去另用硼酸粉二分凡士林十分調

和敷之待而膚退露紅色肉時再用鮮蚕粉二分凡士林二分調敷使生肌收口

7、凍瘡初發時可用太乙鍼药料加火酒調敷三四分厚堆艾絨於其上炙之追知癢而不知痛時將上药除去可以不發

8、疔不論何經何部鍼灵台或身柱（鍼稍粗）使之微出血水再飲以菊花汁一杯無論如何險重者可取法再者若疔之部位如在大指端當屬肺經即刺其末穴或起穴如中府穴鍼瀉立可見輕餘經類推面部人中疔為疔中最惡之症炙合谷有特效宜大艾炷兩手背宜炙之此日本法也

9、麻風初期面部浮腫有光唇厚色紫黄四肢關節微腫而痛繼見眉髮脫足跟手指潰裂流水是為綿經惡候期（麻風見足跟破爛名漏底難過三年）治療初起於腫處踐刺出血二三日刺一回並將尺澤委中靜脈上出血關節痛處用強刺戟瀉法内服蒼耳子膏以佐治之可愈十之六七再委中穴每次必須鍼之以剷除其根本而預防漏底也

10、臁瘡用麵粉作薄餅約四五分厚上滿刺小孔貼於瘡上再用艾絨炙之（最好艾拌雄少許）炙後瘡上之黑色者起黄腐再炙腐脫至瘡之周圍内部起粉紅

色之肉芽即停止施灸另以麻一兩煎數沸入黃蜡大錢溶和再加輕粉少許研入調和攤紙上逐日更換自愈

11、夫暈鍼為屬於貧血之人或病久体弱与大肌大飽等然文灸亦能致暈不可不知其暈灸之形狀亦與肢冷自汗氣促神迷僵卧與暈鍼完全相同倘遇此種情形最好與以皮下注射強身劑可保無虞若輕者只覺頭暈欲嘔速与開水飲之立可取效行鍼灸者不可不知也

12、我對病人之胸肋腹三部絕不加鍼於局部如胱腹病取脾胃經如三里公孫三陰交內庭等肋脇病取肝胆經如曲泉陽陵太冲行間等胸腹部取心肺經如內関合谷中府大陵等頭部病取少商列缺合谷陽谿三間等然非練氣功者不能達治療之目的也

13、下鍼斷生死法入鍼捻動如久不得氣者為不治症如尚不能決斷再於氣海鍼一寸五分行龍虎交戰手法猶不得氣必少死之症矣

公元一九五二年六月出版

實價人民幣　　元

不准翻印

編輯者：零陵蔣雲華

出版者：零陵縣醫藥聯合會鍼灸講習班

印刷者：零陵永義石印局

鍼灸講義

精简实用针灸学

提 要

一、作者小传

焦永堃，北京国医学院早期教员，中华人民共和国成立后亦健在。惜目前可查到的生平信息不多。

二、版本说明

《精简实用针灸学》，油印本，为焦永堃讲学之用，为民国版《实用针灸学》之精简本。

三、内容与特色

（一）内容丰富，体系完整

从篇章体系看，该书分为两部分，一部分是关于针灸学的内容，另一部分是简明脉诀。针灸部分涵盖了经络循行体系，主要穴位、特定穴和经外奇穴，治症摘要等内容，体现了经络系统的完整性。该部分从针灸学角度出发，开篇即强调了针灸学的特点，内容以针灸学为主，还辅以五行学说与脉学内容，临床适用性强。第二部分为脉诀学，从脉的简述、脉的手下感觉和主病等方面来阐述脉诀，文字朴实，形象具体，便于记忆。这两个篇章的内容均是临床针灸医师的基本所需。

（二）突出“精简”，实用性强

该书正文内容仅有64页，以“精简”二字立意，强调文字精简。该书虽文字精简，内容却是精益求精，并附有精准的手绘版穴位图。在取穴方面，该书强调精简配穴，并将部分穴位按穴名、特性进行分类、对比、归纳和总结，实用性强。“精”字还体现在该书对于文献内容并非全摘录，而是提炼要义，精准解读，形象生动，便于学习者记忆和临床应用。可以说，该书将“精简”二字展现得淋漓尽致。

精简实用针灸学

1958. 12.

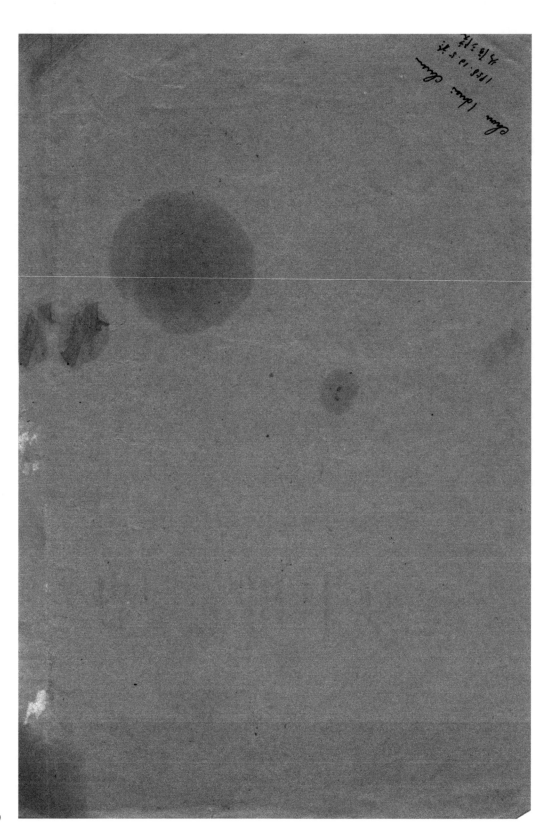

精简实用针灸学

焦永堃　编

本书概要，针灸特点、经脉循环、俞穴部位、理论常识、分门取穴、配穴义理、手续简便、治症摘要。

1. 针灸特点有四，

携带方便、使用便利、治病简捷、多快好省。

2. 脏腑十二经之名称，

手太阴肺经、手阳明大肠、足阳明胃经、足太阴脾经、手少阴心经、手太阳小肠、足太阳膀胱、足少阴肾经、手厥阴包络、手少阳三焦、足少阳胆经、足厥阴肝经。

3. 手足三阴三阳及任督二脉之循环法。

手三阴从胸走手，手三阳从手走头，足三阳从头走足，足三阴从足走腹，此乃脏腑十二经之循环法也。

4. 十二经及任督二脉俞穴之部位。

任脉：

任脉属阴腹与胸，中极脐下四寸定，关元脐下三寸取，石门脐下二寸是、气海脐下一寸半，阴交脐下一寸找，下脘脐上二寸量、建里脐上三寸当，中脘四寸胃中央，上脘五寸胃上口，巨阙六寸理应当、璇玑天突下寸六，天突喉下陷中央，承浆宛宛唇下搜。

督脉：

督脉属阳头与背，水沟鼻柱下宛从，素髎鼻准中央是，上星入发一寸求，百会正在顶之巅，风府后发上一寸，痖门后发上五分，大椎平肩一节下，陶道二节下为真，身柱穴在三节下，命门十四节为真，腰俞二一节下存。

手太阴肺经：

手太阴经本属肺，云门天突旁六寸，天府鼻尖点到处，尺泽肘上内纹头，孔最掌后作七寸，列缺侧腕寸半取，太渊掌后纹头是，鱼际节后腋边间，少商大指内侧记。

手阳明大肠

手阳明经是大肠，商阳食指内侧量，二间本节前为定，三间节后分其详，合谷就在歧骨间，阳谿腕中上侧详，三里曲池下二寸，曲池曲肘外骨藏，肩髃肩端台肩取，巨骨肩上歧骨当、禾髎水沟旁五分，迎香鼻孔五分详。

足阳明胃经、

足阳明分胃之经，头维神庭旁四五，下关耳前一寸是，颊车耳下作八分，地仓夹吻四分临，不容乳下三寸二，天枢脐旁开二寸，水道枢下三寸针，归来枢下五寸找，伏兔阴市上三寸，阴市膝上三寸寻，犊鼻穴在外膝眼，三里膝下落三寸，上廉膝下六寸主，下廉膝下作九寸，丰隆外踝上八寸，解谿足腕陷骨间，冲阳内庭上四寸，内庭次指外间求，厉兑如韭内侧次。

足太阴脾经：

足之太阴经属脾，隐白大指内侧置，大都本节白肉际，太白节后陷下知，公孙节后一寸得，商丘踝下前取之，三阴交踝上三寸，漏谷踝上六寸取，地机膝下五寸找，阴陵泉膝下一寸，血海膝上二寸半，腹哀中脘旁四五。

手少阴心经：

手少阴分心之经，少海肘端后五分，通里掌后作一寸，神门掌纹陷骨中，少府本节后纹定，少冲小指内侧行。

手太阳小肠：

手太阳经是小肠，少泽小指外侧详、前谷本节前为定、后谿握拳纹头当，腕骨腕前在骨下，阳谷腕中锐骨藏，支正腕后是五寸，小海肘端后五分，肩贞肩髃后陷中。

足太阳膀胱：

足太阳兮膀胱经，攒竹两眉头陷中，五处上星寸半寻，天柱项后发际寻，大杼一下旁寸五，风门二下寸半识，肺俞三下各寸半，膈俞七下两旁按，肝俞九椎下两旁，脾俞十一各寸半，胃俞十四椎两旁，气海俞穴十五看，膀胱俞穴一十九，白环俞穴二一旅，膏肓四五三寸看，谚譆六椎下旁三，承扶臀纹当中取，殷门承扶下八寸，委中膝盖后中陷，合阳委下三寸见，承山足跟上一尺，飞扬踝上七寸旅，昆仑外踝后五分，申脉踝下五分看，京骨节后赤白际，束骨本节后视端，通谷本节前为定，至阴小指外侧间。

足少阳肾经

足少阴经肾所属，涌泉足心跪取之，然谷踝前骨下使，太溪内踝后五分，照海踝下四分的，复溜太溪上二寸，交信复溜筋后针，阴谷曲膝筋下找，四满阴交旁一寸，中注脐旁一寸针，通谷上脘寸半旁，幽门巨阙寸五量、俞府璇玑旁二寸。

手厥阴包络：

手厥阴经心包络，天池腋下三寸得，曲泽肘内横纹作，间使掌后三寸求，内关二寸始无错，大陵掌后横纹间，劳宫手心即是穴、中冲中指之端度。

手少阳三焦：

手少阳兮三焦论，关冲小次外侧寻，液门小次歧骨间，中渚液门后一寸，阳池表腕中间取，外关腕后二寸分，支沟腕后是三寸，天井肘上一寸许，翳风耳后开口取、丝竹空眉后陷是。

足少阳胆经：

足少阳兮号胆经、听会耳前开口明，瞳子髎穴即太阳，临泣目上发五分，风池项后大筋内，肩井肩上中间寻，带脉脐上旁七五，环跳髀骨曲上足，风市直立中指尽，阳陵泉膝下一寸，阳

—4—

文泉下三寸针，光明外踝上五寸，阳辅踝上四寸寻，悬钟外踝上三寸，丘墟外踝前陷中，临泣侠谿后寸半，地五会穴后一寸，侠谿小次歧骨间，窍阴小次外侧边。

足厥阴肝经：

足厥阴经属于肝，大敦爪后如韭里，行间筋骨中间取，太衝大次歧骨陷，中封内踝前一寸，蠡沟内踝上五寸，曲泉曲膝纹头见，章门下脘六寸旁，期门巨阙四五详，以上一百六十六穴。

5，经外奇穴及主治

金津一穴舌下左筋上，玉液一穴舌下右边藏，治心乱恶心，鼻准一穴鼻头中央是酒糟鼻，印堂一穴两眉头当中治惊风、太阳二穴眉目头陷中头目病，耳尖二穴捲耳尖上明目翳膜、鱼腰二穴两眉当腰取眉目抽，中魁二穴中指中节上治噎膈、肘尖二穴两肘骨尖明治瘰疬，子宫二穴中极旁三寸子宫寒、大骨空二穴大指节上，小骨空二穴小指节明，治目生翳膜、内迎香二穴鼻中两旁鼻室渊，五虎四穴食指无名指五指掌、八邪八穴手五歧骨间手臂痛、四缝八穴四指中节纹小儿积、十宣十穴两手十指端卒闭症，八风八穴足五歧骨陷脚背痛、内踝尖二穴内踝骨上内臁抽、外踝尖二穴外踝骨当外臁抽、四关四穴合谷太衝焉、治风气厥逆。

6·理论

五脏----------	心	肝	脾	肺	肾	包
六腑----------	小肠	胆	胃	大肠	膀胱	三焦
五行----------	火	木	土	金	水	相火
五味----------	苦	酸	甜	辣	咸	
五色----------	赤	青	黄	白	黑	
五主----------	血	筋	肉	皮	骨	
五藏----------	神	魂	意志	魄	精智	

六气——————— 火　风　暑湿　燥　寒

四时——————— 夏　春　季夏　秋　冬

四方——————— 南　东　中　西　北

脏会章门、腑会中脘，气会膻中，血会鬲俞、脉会太渊，骨会大杼、髓会悬钟、筋会阳陵泉

春夏刺浅秋冬刺深何谓也

春夏者阳气在上人气亦在上肌肉浅薄万物发生之时宜浅刺之，秋冬者阳气在下人气亦在下肌肉肥厚万物收藏之时宜深刺之。

十五络脉

人体络脉有十五、手太阴络为列缺，手阳明络偏历得，足阳明络丰隆记，足太阴络公孙可，手少阴络即通里，手太阳络支正是，足太阳络号飞扬，足少阴络大钟识，手厥阴络名内关，手少阳络外关别，足少阳络光明位，足厥阴络蠡沟配，任脉之络叫会阴，督脉之络号長強，脾之大络称大包。

四总穴诀

肚腹三里留，腰背委中求，头项寻列缺，面口合谷收。

五夺不可泻

形肉已脱是一夺也、脱血之后是二夺也，大汗之后是三夺也，大泄之后是四夺也，新产大血之后是五夺也，此皆不可泻。

局部取穴

上部病取手阳明经，中部病取足太阴经，下部病取足厥阴经，前膺病取足阳明经，后背病取足太阳经，取经者取经中之穴也，一病可用一二穴。

人身同身寸之度量法

男左女右手中指中节内纹头为一寸，胸部两乳中间折作八寸，肚脐以上下边为一寸，左右边为一寸，大眼角至小眼角为一寸，脊背脊骨横量为一寸，以脐上行至歧骨为八寸，头部前发际至后发际折作一尺二寸，前发际不明者，两眉心上行三寸为前

发际边，后发际不明者，平肩一椎骨上行三寸，为后发际边，寻穴方法，以肚脐，膝盖、脊骨、掌纹、内外踝，上寻穴从上边量，下寻穴从下边量，左右穴从左右边量。

刺针之士要须知

宁失其穴，勿失其经，宁失其经，勿失其气

首先认明病症，当思从何治法，何穴为主，何穴为宾，何补何泻，再度病人肥瘦，浅深有关，令病人正坐，或平卧伏卧侧卧，伸合手法度，其他尚有曲伸取者，张口闭口取者，嗌撒者，握取者，不一而足，切勿草率，各按其穴之取法，以为定则耳，取穴既正，用左手紧按其穴，令气血宣散，乃用右手大指次指持住针柄，中指紧抵针腰，针長者，无名指以抵之针尖，直刺穴中，令病人紧守方寸，切勿恐怖，勿畏疼痛，神经勿紧张，此时持针之士，手要着力，心要气雄，神经调息，目无他视，意志专注于针尖，轻轻徐入，直达部分，自无疼痛之患也。

五行生克

相生者，金生水、水生木、木生火、火生土、土生金。

相克者、金克木、木克土、土克水，水克火、火克金。

虚则补其母，实则泻其子，生我者为母、我生者为子，

井荥俞原经合

少商鱼际与太渊、经渠尺泽肺相连，商阳二三间合谷、
阳溪曲池大肠牵、隐白大都太白脾，商丘阴陵泉要知、
厉兑内庭陷谷胃、冲阳解溪三里随、少冲少府属于心、
神门灵道少海寻、少泽前谷后溪腕、阳谷小海小肠经、
涌泉然谷与太溪、复溜阴谷肾所宜、至阴通谷束京骨、
昆仑委中膀胱知、中冲劳宫心包络、大陵间使传曲泽、
关冲液门中渚焦，阳池支沟天井索、大敦行间太冲看、
中封曲泉属于肝、窍阴侠溪临泣胆、丘墟阳辅阳陵泉、

五脏者，井荥俞经合，是木火土金水也，
大腑者、井荥俞原经合，是金水木火土也。

肺经例图

小商	鱼际	太渊	经渠	尺泽
井	荥	俞	经	合
木	火	土	金	水

大肠例图

商阳	二间	三间	台谷	阳谿	曲池
井	荥	俞	原	经	合
金	水	木	○	火	土

禁针穴歌

脑户顖会及神庭、玉枕络却到承灵，颅息角孙承泣穴，
神道灵台膻中明，水分神阙会阴上，横骨气冲针莫行，
箕门承筋手五里，三阳络穴到青灵、孕妇不宜针合谷，
三阴交内亦通论，石门针灸应须忌、女子终身孕不成，
外有云门并鸠尾，缺盆主客深晕生、肩井深时亦晕倒，
急补三里人还平，刺中五脏胆皆死、冲阳血出投幽冥，
海泉颧髎乳头上、脊间中髓伛偻形，手鱼腹陷阴股内，
膝膑筋会及肾经，腋股之下各三寸，目眶关节皆通评。

禁灸穴歌

哑门风府天柱擎，承光临泣头维平，丝竹攒竹睛明穴，素髎禾
髎迎香程、颧髎下关人迎去，天牖天府到周荣、渊液乳中鸠尾
下，腹哀臂后寻肩贞，阳池中冲少商穴，鱼际经渠一顺行，地
五阳关脊中主、隐白漏谷通阴陵，条口犊鼻上阴市，伏兔髀关
申脉迎，委中殷门承扶上，白环心俞同一经，灸而勿针针勿灸，
针经为此尝叮咛，庸医针灸一齐用，徒使患者炮烙刑。

分门取穴

气门

大椎，调和卫气、天柱、理气治气乱于头，肩井，镇肝降逆气
巨骨，开肺降逆气，天突、降气，云门、开胸降逆利气、俞府，
开胸降冲气、中脘、升清降浊利气，气海、助气，肩髃，理肺

舒气，曲池、行气、合谷、升气降气行气，三里、升气降气调中气、复溜，固阴收肾气、阳陵泉，行气导滞。

血门

三阴交，通经行瘀清血生血凉血、太冲、通经行瘀养血凉血，委中、清血，曲泉，清血凉血养血、行间、行瘀破血结，昆仑、下血、曲池、行血、交信，调经血，间使，行血隐白，补血、上星、治鼻衄血、鱼际、治痰带血，

虚门

气海，补气益肾气，关元、固下元益精气，中极，益精补气血，章门、补五脏益气血，中脘、益胃补大肠、三里，益胃补气血，上廉、解溪，俱益胃，三阴交，补三阴壮阳益精生气血，阴陵泉，滋阴益气血、地机，补脾益气血，公孙、补中正脾阳，隐白、补脾益气扶阳，涌泉，补肾益精滋阴，太溪，益肾振阳滋阴，复溜、补肾气滋阴固精，曲泉、养肝补血、太冲，补肝血，太渊润肺。

实门

神门、少冲、通里，俱泻心、然谷、太溪、俱泻肾、中冲，劳宫、大陵、内关、曲泽、俱泻心包络，肺俞，列缺，尺泽，少商，俱泻肺、公孙，商丘、俱泻脾、行间，太冲、蠡沟，俱泻肝，阳陵泉、泻胆通大便、关冲、外关、支沟，俱泻三焦，关元，泻膀胱，天枢，通肠逐秽，中脘、泻腑导滞、三里、清胃降浊，丰隆、泻胃祛痰通大便、上脘，泻胸膈。

寒门

中脘，温中暖腑治胃寒及腹中一切寒冷、气海，治一切寒冷温中下焦，关元，温下焦暖子宫，章门，治脏寒积聚，归来，治下元虚冷寒疝，三里，治胃寒腹中寒冷，三阴交，温中下治血寒一切寒冷，公孙，理心腹寒，阴陵泉，温中焦理脾寒，隐白，

温脾理中下寒，肾俞，理肾寒，委中，治腿寒及腰部受寒，曲泉，理血寒腹中寒痛，然谷、温下元助肾火，列缺、理肺寒，大椎、发表寒，后谿，发表寒、大敦，暖下元治寒疝。

热门

神门、通里、少府，俱泻心热，内关、清心包解胸中热，大陵，清心胸热，劳宫、清心膈热，尺泽，鱼际、肺俞，俱清肺热，风门、清肩背邪热，上星、清头，目、鼻中热，百会，清头部热，曲池、清气血表里诸窍之热，合谷，清气分及头面诸窍之热，支沟，清三焦热，阳陵泉，降肝胆热，太阳、清头目热，大椎、清表热，后谿清表热，三阴交，清血热平肝热，三里，清胃热腑热，上廉，清肠胃热，丰隆，降肠胃热及痰热，解谿清胃热，天枢，治大肠热，上脘、清心胃热，曲泽，出血，清血，泻心治暑热、用三棱针，委中，出血清血热大肠膀胱热，用三棱针，金津，玉液，出血退心胃热，用三棱针。

风门

风府，搜周身风尤治头风外感风邪，风池，治头风外感风邪，风门治肩背风、风市，治腰腿风，肩髃、搜经络之风主周身四肢，曲池、搜周身风邪，百会、治暴中风头风，水沟、治暴中风头面风邪，八风治腿脚风邪，八邪，治手臂风邪，环跳，搜经络之风主四肢，阳陵泉，舒筋利节搜四肢风，委中，治腰腿风，三里、搜四肢风，三阴交、搜中风主周身四肢，

湿门

三里、燥湿祛湿，上廉、祛湿燥湿，三阴交，化湿邪，委中，利湿、昆仑、行湿，太谿，利湿、内关、利湿、阳陵泉，降湿下行、曲池、行湿、复溜、化湿，中脘，化湿热寒、下廉祛湿

7. 配穴义理

大椎曲池合谷

大椎手足三阳督脉之会，纯阳主表，故凡外感六淫之在于表者，皆能疏解也，佐以曲池合谷者，以阳从阳，助大椎而干旋营卫，清里以达表也，审其身热自汗，则泻大椎以解肌，无汗恶寒，则补大椎以发表，或先补而后泻，或先泻而后补，神而明之，存乎其人矣，至于外感，变症，至繁且杂，兼他症者，尤必兼而治之，是以邪在于经，头项强痛者，则加风池，热甚而心烦溺赤者，则加内关，谵语便燥，胃家实者则加丰隆，三里，胁痛呕吐见少阳症者，则加支沟，阳陵泉，气逆喘嗽，则加鱼际，伤风鼻塞，则加上星，又若疟疾之病，虽有表里阴阳之别，而其寒往热来，无不关乎营卫，故是法亦能兼治，再如骨蒸潮热盗汗等症，虽系阴虚劳损之候，余尝用此法，亦大有养阴清热之功，谁谓个中无活泼泼天机耶。

合谷复溜

二穴止汗发汗，针家皆知之，而其所以能止汗发汗之理，则多未详也，试申言之，夫止汗补复溜者以复溜属肾，能温肾中之阳，升膀胱之气，使达于周身，而外卫自实也，泻合谷者即所以清气分之热，热解则汗自止矣，发汗补合谷者，则以合谷属阳，清轻走表，故能发表托邪随汗出而解也，佐以泻复溜者舒外卫之阳，而成其开皮毛之作用也，至若阳虚之自汗，阴虚之盗汗，固与外邪有别，而合谷复溜亦能止之者，盖又以复溜非特能温肾中之阳，亦且以滋肾中之阴也，尤有进者寒饮喘逆水肿等症，余推详其理，借用复溜，以振阳行水，合谷以利气降逆，颇有奇效，可见此中变化无穷，学者当隅反之。

曲池合谷

二穴属手阳明经，主气，曲池，走而不守，合谷升而能散，二穴相合，清热散风，为清理上焦之妙法，以清轻之气上浮故也，头者诸阳之会也，耳目口鼻咽喉者清窍也，故禀清阳之气者皆能上走头面诸窍也，以合谷之经，载曲池之走上升于头面诸窍，而畅行其清散作用，故能扫荡一切邪秽，虽然二穴之上行也，唯无定所，苟欲其专达某处，势必兼取某穴，以为响导，则其径捷，其力专，其收效也亦速，故头疼头晕，取风池头维，目赤目翳加上星太阳，鼻窒鼻渊配迎香禾髎，耳鸣耳聋，兼听会翳风，口臭舌裂，水沟劳宫，咽肿喉痹，鱼际颊车，龈肿齿痛，则有下关，口眼㖞斜，则参地仓，君臣合力，标本兼施何患疾之不愈乎；

水沟风府

风者百病之长也，善行而数变，内经云，邪入于脏，舌即难言口吐涎，盖肾脉夹舌本，脾脉络而散舌下，心之别络亦系舌本，故风邪中于此三脏，则令人舌强难言口吐涎，而神智不省也，又三阳之经并络入额颊於口，今诸阳为风寒所客，故经急而口噤不开也，是法补水沟，以开关解噤，通阳安神，泻风府搜舌本之风，舒三阳之经，凡一切卒中急症，牙关不开，不省人事，施之关隘立开，随即苏醒，语言自如，转危为安，诚针科之首选，起死回生之宝筏也，他如口眼㖞斜，偏枯不遂等症，虽有中经中络之别，然异流同源，亦其所宜焉。

肩髃曲池

二穴皆属手阳明，大肠为肺之腑，故是法有调理肺气之特效，尤妙在肩髃卧针，有舒通之象，而曲池更走而不守，善能宣气行血，搜风逐邪，二者相配，真可谓之珠联璧合。举凡一切经络客邪，气血阻滞之病，无不能舒通而调和之，而尤以中风偏枯六气等症为对工，所谓一通百通也，甚至肝郁胸闷，气滞膨胀，二穴特能舒通气血，真乃针到疾愈，诚哉是然也。

环跳阳陵泉

二穴皆属足少阳胆经，其性舒通宣散，善能理气调血，驱风祛湿，且阳陵泉又为筋之所会，尤有舒筋利节之功，故凡中风偏枯不遂，诸痹不仁，以及筋挛，腰痛痿厥等症，皆其擅长。余尝以环跳拟肩髃，阳陵泉拟曲池，以彼此上下相应，形性相仿，而功效又雷同者也。

曲池委中下廉

痹者风寒湿三邪合而为病也，风气胜者为行痹，以风性游走也，寒气胜者为痛痹，以寒性凝结也。湿气胜者为着痹，以湿性重着也，主以是法者，曲池搜风以行湿，委中舒风以利湿，下廉通肠以渗湿，其寒气胜者，则补泻兼行，散寒祛风而燥湿，兼以各舒其经，各通其络，邪去而经络亦通，何之有哉。

曲池阳陵泉

曲池居于肘内，阳陵泉位于膝下，同为大关节要，曲池行气血通经络，阳陵泉舒经络利筋节，具有宣通下降之功，百症赋列其治半身不遂，足举其要。余如肝风作抽历节诸痹等症，可以望而知矣，而穴又有降浊泻火之功，曲池清肺走表，阳陵泉泻肝胆平里，余因推广其用，凡肝肺郁闷，胸胁作痛，或热结肠胃，腹胀等症，借其清利表里之功，靡不获效，由是可见穴法之妙，全在善用者之配合也。

曲池三阴交

一阴一阳一手一足，曲池性游走通导，擅能清热搜风，三阴交乃三阴之会，为肝脾肾三经之枢纽，亦即血科之主穴，二者相合，曲池入三阴之分，故能清血中之热，搜血中之风而淤自行血自通矣。是以诸般肿痛，泻之而肿消痛止，花柳毒疮，泻之而毒消疮平。余如风瘙诸疮腰痛脚气，以及妇女崩带症瘕积聚经闭等症，尤能著手成春也。

三里三阴交

三里升阳益胃，三阴交滋阴健脾，阴阳相配，为脾胃虚寒气血亏损之主法。五劳七伤所不可少者也。亦有胃弱脾弱，阳盛阴亏者，则补阴之中，势必兼行清导补三阴交泻三里是也。更有阳虚气至，风湿客邪，臂腿麻木疼痛者，则一以振阳气，一以和阴血，合而舒经理痹其功效尤莫大焉。

阳陵泉三里

阳陵泉为胆经之关键，三里为胃腑之枢纽。二穴相合，泻阳陵泉以平肝之火，降上逆之气，再泻三里以导胃中之滞，通胃之肠，于是清阳得升，浊阴得降，凡木土不和之病，如胃寒停痰，泄泻呕吐等症，泻之自然烟消云散，而饮食亦因之畅和矣。且阳陵泉为筋之所会，大有舒筋利节搜风祛湿之特力，三里亦有通阳活血燥湿散寒之功，能再进而治诸痹膝痛筋挛历节，半身不仁等症，亦未始非针法之妙用也。

四关

四关者合谷太冲四穴也，经外奇穴以之名矣，盖有精义存焉。夫合谷原穴也，太冲亦原穴也，以形势言，合谷位于两歧之间，而太冲亦位于两歧之间，是二者相同之处也。再以性质言，合谷属阳主气，而太冲则属阴主血，是又二者同中之异也。然二者之间，正所以成其虎口冲要之名，二者之要，亦正所以竟其斩关破众之功，观其开关节以搜风理痹，行气血以通经行瘀，及手配丰隆阳陵泉以豁痰泻火，而治癫狂，配百会神门以镇静安神而疗五痫，是明证矣。

丰隆阳陵泉

二穴为通大便之主法，何以言之，夫丰隆为足阳明胃经之络脉，别走太阴，其性通降，从阳明以下行也，得太阴湿土以润下也，阳陵泉性亦沉降，从土以疏土也，余尝以是法，拟承气，有承气之巧，而不若承气之猛烈，其治癫狂等症，非但泻其实亦且折其痰也。

气海天枢

气海者，气血之会，呼吸之根，藏精之所，生气之海，下焦至要之穴也。补之益脏，回生气，温下元，振肾阳，有如釜底添薪，故能蒸发膀胱之水，使化气上腾，而布于周身也，天枢乃大肠之募，胃经之穴，其分理水谷糟粕一切留滞，实有特效，以之与气海相配，取气海振下焦之阳，有助气之功，取天枢调肠胃之气，以利运行，故擅治腹寒疝瘕，贲豚大情阴缩厥逆胀满气喘，小便不利，妇女转胞，崩带月事不调等症，为虚劳羸瘦积冷痼冷之首法，较肾气丸之力，犹有过之无不及也。

中脘三里

中脘胃之中也，三里胃之合也，阳明者燥气治焉，燥者阳明之本气也，胃腑以此燥气故能消化水谷。若此燥气不足，则水谷停矣。太过则又为中消噎膈等症，是法专理胃腑，兼治腹中一切疾病，君以中脘者，以中脘为六腑之会，胃之募也，臣以三里者，正所以应中脘而安胃也，倘其胃中虚寒，饮食不下，胀痛积聚，或停痰蓄饮者，则补中脘，即所以壮胃气散寒邪也，泻三里者，引胃气下行降浊导滞，而助中脘以利运行也。其或胃腑燥化太过，消谷引饮，呕吐反胃者，则中脘亦可酌泻也。至于霍乱为病，悉因夏秋之时，饮食不节，暑湿污秽扰乱中宫，以致清浊不分，上吐下泻，腹中疼痛而成霍乱矣。治之先刺出恶血，以去暑秽，然后补中脘以升清，泻三里以降浊，中气调畅，阴阳接续则渐愈矣，再有胃病而兼其他症候者，兼治必须加减，如下元虚寒，补气海，上焦郁闷泻通谷，脏气微补章门，肠中滞泻天枢，是也。

合谷三里

二穴皆属阳明，一手一足，上下相应，合谷为大肠经原穴，能升能降能宣能通，三里为土中真土，补之益气升清，泻之通阳降浊、二穴相合，肠胃并调，若清阳下陷，胃气虚弱，纳谷不畅者，则补三里，提合谷以升下陷之阳，俾胃气充，而食自进；若湿热壅塞滞中宫，致留食停饮而痞胀噫嗳者，则泻三里，引合谷下行以导浊降逆，斯中宫利而气自畅矣。故资调理中宫以宣通畅胃为立法，实不诬也。

三里二穴

五脏六腑皆禀胃气以为营养，有胃气则生，无胃气则死，盖以胃为后天之本，水谷之海，主消纳者也，胃气盛则纳谷自畅，营养自周，否则脏腑失养而生气绝矣。夫胃者戊土也，三里者合土也，是三里为土中真土，胃之枢纽，大成云诸病皆治，盖又以胃为五脏六腑之海也，余取之以壮人身之元阳补脏腑之亏损，凡寒气积聚之症瘕皆温而通之化之，湿滞风邪传经之肿痛，亦泻而消之矣，至其升清降浊导逆之功，开痰行滞化积之力，补中升阳诸方、不能擅美确有实力也。

劳宫三里

劳宫属心包络，性清善降，功能消痰舒气化滞降逆开七情郁结，尤擅清胸膈之热，导火腑下行之路，与三里相合，大泻心胃之火，挫上逆之势，凡结胸痞闷呕吐干哕吞酸嘈杂嗜卧等症无不效若桴鼓，用针者其勿忽诸。

三阴交二穴

李东垣治病，以脾胃为主，为立方皆升提辛燥，与阴虚体质大相迳庭，自唐容川氏滋脾阴说倡兴以来，深得医林多数人之信仰，盖脾阳虚陷，运化失司，诚宜益气升阳，若脾阴枯槁，津液不行者，则温燥之法，断乎不可尝试，而当滋阴润燥者也，考三阴交，为肝脾肾三经之交会，故能补脾之中，间接可补肝阴肾阳，是三阴交独有气血两补之功，不特为女科之主穴，亦且为内伤虚劳杂病门中之要法也，其治腹痛泻痢疝瘕转胞崩带经崩漏等症，实有特效也。

隐白二穴

脾主运化，全赖阳气为之旋转，苟脾阳不运，则腹胀溏泄，倦怠少气崩带等症作矣。昔贤立补中调中升阳等方，即本此意，余取隐白亦获如是，缘隐白为太阴之根，补之大益脾气，升举下陷之阳，温散沉痼之寒。实为中州之主帅，内伤虚病门中之良法，所谓扶中央即可固四外也。

大敦二穴

足厥阴肝经主筋，怒则伤肝而郁入肝，足厥阴之络环抵小腹，故诸疝皆属于肝，大敦为肝经井穴，余取其直接舒筋，调肝祛邪，寒则补之，热则泻之，兼风湿者，加曲池委中，寒其卵缩引小腹痛者，加隐白二穴，再取三阴交，太冲行间蠡沟曲泉，即可痊愈、又若妇女寒疝下坠痛引小腹，男子寒热疝气，仰上立下，故此法亦为对症，学者当细参配合之妙也。

大椎内关

夫饮水邪也，水停于胸膈之间，气道壅塞，则作喘咳胸满吐逆等症，然水何以能停也，是又当责之于三焦，三焦者气道不通，水道不流，而成是病，三焦气足，水由三焦之气化而下膀胱，水自无停留之患，如三焦气虚，于是水道闭塞，气化不行，而诸症作矣，此法大椎为督脉手足三阳之会，余取之以调太阳之气，而补三焦之虚，气行则水自利也，内关为手厥阴心包之络，别走少阳三焦，余取之内关利水化湿，以通其淤塞，则气道畅，而饮症自愈矣，若少年病久气虚、内热不食者，以补大椎助阳气，泻内关清胸膈之热，气足食增岂不健壮乎。

内关三阴交

内关手厥阴心包之络别走少阳三焦，能清心胸郁热，使从水道下行，配以三阴交滋阴养血、清热养阴，为阴虚病损之要法。

盖下焦之阴精一亏、则上焦之阳邪必盛，而骨蒸盗汗咳嗽失血梦遗经闭等症作矣、内关清上、三阴交滋下，一以和阳，一以固阴，阴阳相合，斯可滋生化育矣。

鱼际太谿

虚痨之病现咳嗽吐血骨蒸潮热者，十居七八、兹因耽于酒色，善于思怒，脾肾两亏，阴液枯干，不能上滋心肝，以致火炎肺萎，金则遭尅，遂现損症，施治大法，宜仿昔贤清燥救肺汤之意，清火势以救金刑，滋阴液以润肺燥，水火交济，子母相生，庶几有一线生机也。是法君太谿补水中之土，润肺而生金，臣鱼际泻金中之火，逐邪而扶正，理肾者兼理色欲，清肺者亦顾酒伤，丝々入扣，实具累奏其功也。

天柱大杼

东垣曰，五脏气乱于头者，取之天柱大杼二穴也，不补不泻，以导气而已，旨哉斯言，夫膀胱者，州都之官，气化所出，故统周身之阳气而为太阳经也，且五脏之俞穴，皆在于背是五脏之气，又皆通于太阳也若夫气乱于头者，则头重目眩者有之，耳中鸣者亦有之，治之者，当然以导气下行，为定律，今考天柱大杼二穴，皆属足太阳经，而大杼更为督脉别络，手足太阳少阳之会，其能调理气道可知，至云不补不泻者，盖又以气既乱矣，补之泻之，皆足益以其乱，故不必操之过急，但宜调其头络，徐々导之，使循太阳经而下，则无头乱之患矣，再如风寒客于太阳之经头项脊背强痛者，是法亦所当用，惟邪之所在，势不得不行泻法，以舒经络而散邪也。

巨骨二穴

巨骨属手阳明大肠经，穴在肩端两叉骨陷中，刺之若高临下，宛如左右各树一镇压然，且其性沉降，大能开胸镇逆，宣肺利气，举凡胸中淤滞，及一切上逆之邪，均能降之使下，故为定喘之无上妙法，他如咳逆上气，肝火上冲，呕血吐血诸症，亦能挫其上逆之势，急切收效也。

俞府云门二穴

咳嗽喘息，本多见之症，而施治每多不效，何也，要皆未彻底认识其标本原因也，夫咳嗽喘息，固属肺病，然而近因也，标病也，其根本原因，固不在肺，而在肾也，以肾司收纳，冲脉又交于肾经，至胸中而散，若下元空虚，收纳失司，则肾阴之气，随冲脉上逆入胸，鼓动肺叶，故咳嗽而喘息也，治之者，不问来源，只知治肺，一味宣散清利，轻者或可取效一时，重则犹如隔靴搔痒，良以肺部未得清解，而冲气已复上逆，且不降冲肃肾，想咳止嗽宁喘定耶，余取此法，君俞府以降冲气之逆，理肾气之源，佐云门以开胸顺气；导痰理肺，标本兼施，则诸症悉自愈，亦有阴火随冲脉上逆，以致胸中结闷，内热咳嗽者，此法亦有奇效，是又在学者之择选耳。

气海关元　中极子宫

方书求嗣之方，不胜枚举，而有应不应者何也，盖未得其根本所在故耳。经云女子二七，天癸至，任脉通，太冲脉盛，月事以时下，男子二八，肾气盛，天癸至，精气溢泻，阴阳斯之谐和，否则阴阳既不和，则子嗣又乌从而得哉，是以求嗣之道，男子首在调精，女子首在经行，在男子有淫欲过度；亦有先天不足肾气不充、精不泛射者，在女子则月经不调之外，更有子宫寒冷、胞门闭塞者，凡此种种，皆无成孕之可能，求嗣之士，可知着眼所在矣，余于男子之阳不知者，取气海以振阳气，取关元以滋阴精，盖以气海为男子生气之海，关元为三阴任脉之会，藏精之所也，其于女子之阴不知者，则取中极以调精，取子宫以开胞，盖又以中极亦为三阴任脉之会，胞宫之门户也，子宫二穴，在中极旁三寸，位居小腹，正当胞宫之处，胞宫今亦名子宫，此穴此名，其义可知，补之者，正所以煖胞升胞，俾其血媾易受孕也，齐嗣之穴，固不止此，然苟能于此法此理融会贯通之，则求嗣之道，亦不难矣。

合谷三阴交

二穴安胎堕胎之理，已详于针灸大成中，兹所欲言者，不过引伸其义而已，夫三阴交补脾养血，固为妊娠要穴，然其安胎之力，尤赖乎合谷之清热也，何言之，观乎徐灵胎先生之言曰，妇人怀孕中一点真阳，日吸母血以养，故阳日旺而阴日衰，凡半产滑胎皆火盛阴衰，不能全其形体故也，又读叶天士先生，胎喜凉而安一语，益信其真，故昔贤安胎，皆主黄芩以清热也、脾主后天生化，故又佐白术以补脾而养胎也，再参之針法，合谷亦犹黄芩也，三阴交感其温，而合谷亦运以和之，是法与是方，吻合者如此，且三阴交为三阴肝脾肾三经之会，能温补而又能滋阴者也，其少腹寒滞欲痛，而疼痛者，皆可治也，余常借用是法，取合谷以清上中之热，取三阴交以滋中下之阴，故凡阳偏阴亏上热下寒者，皆其宜也。

中脘气海

中脘六腑之会也，气海生气之海也，二穴相合，有化寒助气之功焉，而胃脘虚寒，以致饮食不进，食下不化，腹内胀满，甚至食后呕吐者，令以补中脘，合胃气，化寒滞消胀、止呕吐、而进饮食也，进而言之，肾水亏损，下元虚弱，以致气血不生，阴精不降，甚致气怯无力者，则以补气海助胃经固下元而增力，气血未足矣，饮食亦进，气血亦足，岂非健康之人乎，尤有病腹疼痛，而受寒气者，余用此法，亦能定痛也，再加三里以寒气下行耳。

手足三里

人之生命，以赖运动而生也，手足三里者，手足阳明肠胃之经也，若肠胃运化灵通，饮食有味，而善运动，则体质强壮矣。若肠胃不畅，运化失司，饮食无味，息惓嗜卧，日久而成病矣。甚至半身麻木不仁，风寒之邪流注经络而成痹，及四肢疼痛，或痠胀者，皆经络淤塞不通之故也，每以此法，非特调理肠胃，而尤能舒通经络以逐邪也。

阴阳陵泉

肝之为病者，气乃人之常有也，普通之人，肝气盛者最多，脾之为病者，脾阳下陷，水谷不消，四肢不运，以致羸瘦无力，而成脾劳矣。夫肝胆属木也，脾胃属土也，以阳陵泉为胆经之合土，阴陵泉为脾经之合水，肝旺脾虚，以取合穴，此义可知，今泻阳陵泉以平肝理气，补阴陵泉以养阴健脾，肝脾调和，自无相克之理，水谷以进，自无脾劳之患，至足腿疼麻木无力，以及鹤膝风者，尤能奏功也。

风阴二市

四肢疼痛，而成麻木者，是风寒淤塞，经络不通也，气虚受寒，传入经络，即成麻痹不仁，可补阴市，以助胃气，加风市舒通经络，以化寒止麻木也。外卫不固，感受风邪，客于经络，四肢疼痛者，以泻风市阴市，舒筋散风和络祛邪而止疼痛也，再详而言之，分其患之部位，取其经穴，若患足部加太冲昆仑，或刺八风，膝盖肿痛，取犊鼻，或取三里等是也。

少商々阴合谷刺出血

此三穴医家多取为喉科之主法，以其清肺泻热也，余同推广其用，为儿科之主，以小儿禀质纯阳，内热最盛，肺为娇脏，喜者其冲，且小儿卫气未充，感邪尤易，肺合皮毛，故见症恒多咳嗽喘逆发热，由是观之，此法不无相当理由也，惟加减之法，他书未详，兹特分别述之，夫咽喉见症，固由内热冲结，然亦有脏腑之殊，轻重之别，取之必丝丝入扣，方能有效，今具法仅泻太阴阳明之热，为力有限，故必再取关冲、少冲，中冲、少泽、等穴配之，以竟全功。至于小儿外感时邪，兼停食积滞，以致吐泻者，加四缝八穴。腹痛者，加隐白、厉兑，大敦，热甚喘逆烦燥者，酌加少商，中冲，少泽。热极生风惊痫目直色青，必再取手足诸井，十宣穴应之，若邪炽病危，险象丛生，诸治不效者，则必及水沟、风府、百会、涌泉，昆仑、命门，等穴尽取之，庶几能挽回一二也，尤有进者，此法不特为儿科之主，即成人内热外感见症，先刺之出血，重者亦可见效，轻者能使立愈也。

曲泽委中

二穴皆大筋动脉所在，故能出血，为霍乱吐泻之妙法，非只放出暑湿风热毒秽即已，他如暴绝厥逆，阴阳不相接续等闭症，亦有起死回生之功，盖邪之卒中于人也，内外为之闭绝，有如河道为淤泥阻塞，则水无去路，若决以出口，则河流通行，淤塞自去矣，且曲泽通於心，有清烦热祛邪秽之力，故凡心乱神昏，皆其所宜，委中位于下，有祛风湿解暑秽清血毒之功，故善治泻痢，而於柳恶疮之未溃者，刺之血出即消尤具特效也，至于加减之法，亦当审慎，如霍乱呕吐不止者，可加金津、玉液、少商、商阳、合谷、心烦乱者，再加中冲、少冲，百会不泻痢者，去委中，如刺之后，腹痛吐泻仍不止者，可再取中脘、天枢、三里，留针以继之，始克竟其全功也。

8. 消毒及贮针法

消毒法

消毒时，以沸水煮针，或用酒精浸之擦之，方可使用，然后取穴，按穴之部位，局部消毒，洁净为妙。

贮针法

藏针用具，以磁铁盒铜种盒或玻璃盒，内铺药棉，将针安插於药棉上，恐损伤针尖也。

9、手术简便之补泻

病有虚实寒热，针有补泻清化，按大成所云："八法针灸"，即针灸补泻有八法也，临床操作之实用，同一法足能治疗各种病症，惟提插法较为便利，今介绍补泻手法四种，

一、转针法

以十二经之循环法，取其何经何穴，顺行经络而转针，谓之补，逆行经法而转针，谓之泻。

二、迎随法

随而济之为补，迎而夺之为泻，以经络之循环，取穴之方式，随经取为补，迎经取为泻。

三、呼吸法

鼻呼为补，口吸为泻，以左手按好针穴，令患者呼之，随呼而进针，使阳气上升，谓之补，吸时，随吸气而进针，使阴气下降，谓之泻也。

四、提插法

提为补，插为泻，是法男女有别，子午相异，以男子午前阳气在上，插之使阳气下行，谓之泻，提之使阳气上升，谓之补。女子则不同，以女子午前阴气在上，插之使阴气下行，阳气上升，谓之补，提之使阴气上升，阳气下降，谓之泻，男女不同，子午相背，以午后男子插针为补，提针为泻，女子午后，则提针为补，插针为泻。

针法补泻

一、灸法

灸法亦分补泻，腹部由下而上灸，背部由上而下灸，为补。胸腹由上而下，背部由下而上，为泻，此灸法随经灸为补，迎经灸为泻，四肢灸法，亦复如是。

二、灸法

用灸之时，勿将火灭，急按其穴，为补；急吹其火，慢按其穴，为泻。总之灸法，虚寒用之相宜，实热不宜灸。

10. 治症摘要

中 风

风之中於人也，有由于痰热内盛，外卫偶疏，邪乘虚而入者；有由于体肥湿溢，腠理致密，气道壅塞，为邪所中者；有由于气弱虚风渐袭，肢体麻木，蔓延日久、忽然暴发者，其内因虽各有不同，然其由于卫阳失固，邪以虚入者则一、轻则中於经络，偏废偏重，半身为之不遂，或口眼喎斜、肌肤为之不仁，重则入于脏腑，神为之昏，舌为之强，口吐涎沫，语言难出，而不识人矣，治此症惟针灸最捷，可度其轻重缓急以施治焉。风中脏腑不省人事，口噤不开，舌强难言，口吐涎沫，此时急宜开其关窍，通其闭塞，否则危殆立至。

先刺、百会、十宣、十二井俱出血、再取、水沟补、风府泻，瘖症或言语謇涩，再取，瘂门、承浆，天突俱泻，风中於经，肢体偏重，半身不遂，取，肩髃，曲池俱泻，再取、环跳，阳陵泉俱泻，再取，手足三里，绝骨俱泻，风中於络，口眼喎斜，面颊不仁，先针未喎之面，取，颊车，地仓，曲池，合谷俱泻，再取，水沟，承浆，听会，翳风，下关、迎香，太阳，足三里，俱泻，诸穴应之，

伤寒、温病

寒为阴邪，其病也首必恶寒，寒束卫气，故脉紧而体痛，温为伏邪，其发也先必发热，热耗津液，故脉数而口渴，此伤寒温病之分别也，伤寒初起，宜发汗透表，汗出则寒邪自解，温病初起，宜清热解肌，热清则温症自除，此其大法也，然其余传变诸症，则又在临时变通耳。

伤寒无汗恶寒发热体痛取，大椎补，曲池、合谷俱泻后先补，伤寒久不得汗解，或心下有水气喘满者取，合谷补，复溜泻，伤寒温病汗出不止者取，合谷泻，复溜补，温病身热自汗口渴者取，大椎、曲池、合谷俱泻，伤寒温病，胃家实热。大便燥结者，取，阳陵泉，手足三里俱泻，伤寒温病，头项强痛眩晕者，取风池泻心中懊憹小便黄赤，泻内关通里。谵语烦渴，泻神门三里，热入血室，泻期门，咽痛，泻颊车，

瘟疫

瘟疫为时行病之一种，最易传染，由邪秽从口鼻深入心肺，壅塞伏热不得外出所致，其症发热恶寒，口渴心烦，头晕咽痛面赤，舌上隐起红点，脘闷身倦，周身俱红若云霞，一二日内即起痧疹，甚则神昏谵语，舌黑唇焦，咽喉肿烂，转瞬即现危殆象，此症由内发外，治宜先去毒热，然后清解，使达于外，方可无虞，亦有毒热结于内，大便闭结数日不通者，亦可相机下之，惟当审证明确然后施行，慎勿妄下而致毒热内陷也，先刺，少商、商阳、合谷，少冲，中冲，关冲，少泽，十宣，俱出血以去毒热，则无内陷谵妄咽喉肿烂之虞，复取后穴，大椎、曲池、合谷，神门，内关俱泻；若热入血分发为斑疹，仍不见减，可急用三棱针刺曲泽出血甚则更刺委中出血即解，其有受病人传染者，可刺、曲泽，委中俱出血，毒热下泻下痢不止，刺、委中出血，此病总以毒热外出为顺，故得痧疹透发是良好现象，若诸症悉愈，而痧疹尤未退减，则取后穴，以清血热，曲池，三阴交俱泻此病见咽肿咽痛咽烂，皆为逆候，最宜注意除刺手指诸井穴出血外，可再取后穴为应，颊车，合谷、三里、丰隆、通里、尺泽、俱泻，热结於内。大便闭结，下之取，支沟，阳陵泉，丰隆。

内伤虚劳

内伤由于饮食失节，劳役过度，伤损脾胃，运化失司，以致清阳不升，浊阴不降，湿滞中宫，纳谷不畅，消化力弱，肌肉消瘦，正气遂日渐亏损矣，虚劳则由于五脏亏损日久，始而气血不足，津液干枯，继而神为之疲，精为之竭，生气乃绝矣。

内伤虚劳症象不一，兹分别条陈论治。

内伤，脾胃俱虚，食少难化，饱胀面色萎黄，肌肉消瘦，倦怠无力，取、三里、三阴交俱补，。清阳下陷，浊滞中宫，腹胀泄泻，气息短促，困倦力乏，取，隐白二穴补，。脾阳失运，寒邪伤中，腹痛泄泻，肠鸣，面青黄，取、三阴交二穴补，寒湿积滞，腹胀濡泻，腹痛腰痛，取、三阴交，上廉，俱补，脾阴不足燥热太过，四肢发热倦怠形瘦取商丘泻阴陵泉补胃强脾弱，饮食难化饱满嗳气，取阳陵泉，泻，太白，补劳伤形气，湿热壅滞，腹胀便秘口疮取劳宫下廉俱泻隐白补伤食胸胀，呕恶吐酸嗳气，取中脘补阳陵泉三里，俱泻。

虚劳，阴虚火动，骨蒸潮热，咳嗽吐痰，汗出烦燥不寐，少气，取大椎、曲池、合谷，内关，俱泻复溜补，。肾虚火炎发热，咳嗽痰多，盗汗失精，取、然谷，复溜，俱补，内关，泻，阳虚自汗，气短倦怠、取，三里，复溜俱补，。肺虚叶痿，咳嗽吐涎沫，取，肺俞，太渊，俱补，。火炎肺燥，咳嗽唾血，取、鱼际、泻太溪，补，思虑伤心，惊悸怔忡，健忘。

火扰心神不安，多梦失眠，取神门、内关，俱泻通里补、

脾虚饮食不化，腹痛泄泻，取，隐白，三阴交俱补，肝虚，目。眈々不明血亏，取、曲泉、太冲，俱补，

肾虚，水道不利，阳气虚弱遗精失溺，取气海，关元，俱补

肾精不足，元气虚弱，取，中极，曲骨，俱补。

气血俱虚，取、三里、三阴交，曲池，俱补。

痿痹

痿病因湿热伤筋，致腿脚痿软无力，足不任地，步履艰难，、惟不痒不痛，是其特征耳，治宜清湿热、舒筋节，故取阳明经为主，痹则由风寒湿三邪杂合为病，其风气胜者，为行痹，遍身走注，痛无定处，寒气胜者为痛痹，发有定处，其痛特甚，湿气胜者为着痹肿痛沉着，举动难移，诸痹治法、首宜宣通经络，舒调气血，然后风胜者搜逐之，寒胜者温散之、湿胜者渗利之、自可应手而起矣，诸痹通治，肩髃，曲池俱泻，

环跳，阳陵泉、曲池，委中，下廉、合谷、太冲，俱泻，

行痹，曲池三阴交俱泻，曲池阳陵泉俱泻风市三阴交俱泻，

痛痹，三里，三阴交、俱补、复溜，绝骨，俱补，

着痹，下廉湿寒补湿热泻，委中泻三里寒补热泻阳陵泉泻，

诸痹，随患处再取下穴应之、，肩背，肩井巨骨大杼风门，

腰脊，命门、肾俞、委中，白环俞、，胁肋，支沟，阳陵泉，

腿股，曲泉、阴市，风市、，足胻，昆仑，阳陵，上廉、太谿

八风，解谿、，膝膑，内外犊鼻，委中、三里、阴阳陵泉，

肘臂、手三里、外关、天井，手腕、，列缺，阳池，大陵，

手指，，合谷，八邪，五虎，

脚气

脚气源之于湿气下注，然有湿热湿寒之别，其见症腿脚红肿痛耳热者，是湿而热盛也，若不肿不热而痛者是湿寒盛也，热盛者宜清热利湿，寒盛者，宜散寒燥湿，亦有脚气日久，转成鹤膝风者，两膝肿大，举步痛楚，膝下至足，枯细异常，但存皮骨，有如鹤膝，故名此也，由于湿兼风邪聚于关节使然，当以舒筋利节，搜风祛湿之法为主。

湿热脚气取曲池三阴交俱泻、湿寒脚气取三里三阴交俱补，脚气再取下穴继之，上廉下廉，风市阴市，委中绝骨太谿，

阳陵泉，昆仑，八风、解谿，阳辅，太冲、

鹤膝风先宜舒通关节，取肩髃曲池俱泻或取曲池阳陵泉俱泻继取·下次应之，三里、犊鼻、委中、阴陵泉。

失血

失血有吐衄便尿之異，论吐血以心胃为主、以心火上炎，逼血妄行，从胃气上逆而吐出也，衄血者，分耳目口鼻喉诸窍也，皆由阳热过盛，逼血妄行，而上走清窍也，便血先血后便为近血，有肠风脏毒之别，肠风由风热内陷所致，脏毒则由湿热结毒而成，先便后血为远血，此血由胃中来，去肛门较远，多因脾胃气虚，中州不固，血失统摄而下陷也，尿血有虚实二症，实症由热结膀胱，或心经遗热於小肠所致，虚症则由于血室不固，鲜血如尿之長流而出也，治血症先当调气舒经、以血之妄行，实缘气之先乱，气乱而后血始离经，如吐血必先肝胃气逆，便血必先中气虚陷，始吐血衄血又当以降火为主，以其阳热太过、气火交实，而后始逼血妄行也、余如咳嗽带血均宜清热，惟虚损者，则当兼治耳。

吐血先宜降火下气、挫其上逆之势，取巨骨，神门曲池合谷，内关，三里，俱泻，、咳嗽带血，取鱼际泻太谿补内关列缺，俱泻，三阴交补，又肺俞，太渊，大陵，曲池合公、尺泽。

耳目口鼻喉衄血，取上星、迎香，听会，翳风，横行，太阳，承浆，天突，合谷，颊車，俱泻，、齿衄，取，颊車，下关，

舌喉衄血，点刺中冲，少冲、关冲、金津，玉液、俱出血，

肠风下血，取，曲池、委中、内关、阳陵泉俱泻。

脏毒下血、取、曲池、太冲、下廉、三阴交，俱泻。

粪后下血，取，隐白、三里、俱补、再取三阴交、补。

小便尿血，取肩髃曲池合谷内关俱泻，劳宫复溜三阴交俱泻

虚症小便尿鲜血，取、关元、三阴交俱补中极，复溜俱补，

神病

心为一身之主宰，凡言语举动，意志思虑，无不受心之支配，或云脑髓司知觉运动，不知脑髓亦同受心之策动也，心之所以如此灵明者，以其为君主之官，主藏神者也，神藏于心，心病即是神病，若心血不足，则虚烦不眠，心火太过，则心悸懊憹，心中气郁则忧愁不乐，心火不足，则神怯恐怖，风痰入心，则神昏不省，凡此种种，皆神病也，治此取神门为主，以其为心经之原穴，虚则补之，实则泻之，随症施宜可也，

虚烦不眠，宜调元养血安神，取肩髃曲池神门俱泻三阴交补，

心悸懊憹怔忡宜清心安神，取神门、内关，曲池合谷俱泻。

心乱无主，宜醒心安神之法，百会、神门，巨骨俱泻。

忧愁不乐，宜理气解郁，取肩髃曲池合谷，神门，内关俱泻，

神怯恐怖，宜壮火安神，取神门补涌泉泻又少府补然谷泻，

神昏不省人事，急用开关通窍醒神之法，刺十宣，少冲，中冲百会俱出血，再取前穴，水沟补风府泻神门四关俱泻，

癫狂痫

癫狂痫虽为三症，其实皆不外痰火风气惊实邪为病也，狂则邪入于阳，故见狂暴跳，目直不识亲疏，狂歌妄笑，多怒不卧，甚欲操刀杀人也，癫则邪入于阴，故精神痴呆，语无伦次，悲哀欲哭，而多喜睡也，痫则风痰结于胸膈，发则上蒙心包，闭塞关窍，故神昏口噤，卒倒吐涎沫而抽搐也，治癫狂以坠痰利气降火安神为主，治痫则以破痰开关搜风镇心为主也。

癫狂、取丰隆阳陵泉，俱泻又取百会、神门，后溪，俱泻

再取下穴，继之、阳溪、少海、水沟、攒竹，

发痫，取、水沟，百会，神门、四关，俱泻，再取、下穴，

后溪、丰隆阳陵泉，身柱俱泻，又巨阙上脘，天井，太冲，

痰饮

痰饮之生、责之于胃，胃弱气滞，性质胶粘，则热痰聚，胃

阳虚冷，水饮不化，则寒饮生，然此又关乎脾与三焦也，脾主运化，三焦司决渎，运化不行，则湿聚，决渎失畅，则水停，水湿交结，痰饮乃成矣，治法先当理脾以祛湿，通三焦以利水，然后再行和胃化痰，寒则温之，热则清之，其痰实者，则折之下之，饮逆者，则攻之降之，是又在临症之随机应变也，实痰结滞，取丰隆阳陵泉俱泻，痰饮成癖，取巨阙不容俱泻，胸胁停饮，取大椎先补后泻内关，水停不化，取复溜阴陵泉，俱补，导痰涤饮，取，肩髃，曲池、合谷，内关俱泻。

咳嗽

有声曰咳，有痰曰嗽，咳由气逆，责之于肺，嗽因痰聚，责之在胃，关于肺者，或风寒外束，或痰热内盛，或水饮上冲，或胃气上冒，以致失其清肃之降，气因上逆而咳也，关于胃者，胃浊湿聚而生痰，痰积胃脘，遂逆咳声而咯出也，治法风寒外束者，取大椎、曲池，合谷俱泻之解邪，加鱼际泻以清肺利气。痰热内盛者，取肩髃曲池俱泻以顺气导痰，取内关鱼际俱泻以清热，水饮停肺者，取大椎内关俱泻通决渎之路以行水。泻列缺，逐肺中之水而利气，冲气上逆者，泻俞府云门以平冲理肺，泻巨骨二穴以降气挫逆，若痰盛咳嗽者，则泻阳陵泉三里，以降浊化痰，泻尺泽以清肺利气，痰清气顺，咳自止而嗽自平矣，其有咳嗽日久，以致肺气虚损者，则取肺俞太渊以补之，更有火热熏蒸，津液干枯而成虚劳咳嗽者，则泻鱼际以降火、补太谿以养阴，是又当从虚劳兼治也，总之咳嗽是标病，其致咳嗽之由是本病，治肺即是治标，故于清肺理气之外、尤当究其来源兼治其本也。

喘哮

喘是呼吸急促，哮则喘急而兼喉中作响，故又谓之哮吼，喘有虚实之别，哮则兼痰涎壅塞，虚喘气乏息微，呼吸不能接续，真气不足，肾失收纳，肺失统摄所致，治以益气固下元为主，调肺利气为佐。实喘气粗胸膈满硬，或因寒邪外束，或由痰火内郁，或因冲气挟水引上犯，以致肺失清肃，壅塞气道，不能布息而上逆也，治以散风寒，泻痰火利水饮为主，降气清肺利膈为佐，亦有上盛下虚而喘者，则又当虚实兼治也。

喘哮虚症，取、气海，复溜，大渊，俱补。·外寒侵肺作喘，取，大椎补曲池，合谷，鱼际，俱泻。·痰火郁结作喘，取，内关，鱼际，尺泽，肩髃，曲池，合谷，俱泻。

冲逆水饮作喘，取中脘补不容俞府俱泻。·上盛下虚喘逆，取，复溜，补二穴列缺，内关，俱泻，又三阴交，补二穴，俞府二穴云门二穴俱泻，降逆定喘，取巨骨泻二穴或取劳宫，三里俱泻，喘哮宜灸膻中俞府，哮吼取天突泻酌取曲泽出血，

胀满水肿

胀满初起，多因湿热壅滞中焦，结于肠膜之中，阻塞运化而生，日久则脾气虚损，而失运化，遂益形胀大，甚则波及三焦油膜不利，决渎不行，泛滥周身，而成水肿矣，治之初起，以调导为主，补脾为佐，宜有热利湿，补泻并用之法，勿令其胀大为患，其脾气渐败，腹已胀大者，则以补脾为主，消导为佐，得脾气日旺，运化复畅，可望胀减满消，若水肿已成，四肢面目俱肿，则惟有利水化气益肾补脾，诸法兼行，苟施治期早，尚有转机，以此病最难于根本肃清也。

胀满初起，取劳宫泻二穴隐白补二穴又内关三里阳陵泉俱泻，

已形胀满，取，公孙，二穴上廉二穴俱补又气海补天枢泻又中脘，章门，俱补天枢泻，又三里，二穴三阴交二穴俱补

水肿利水道，取肩髃曲池合谷内关俱泻又大椎内关俱泻

水肿利小便，取关元，先泻后补水道泻水肿化气行水。

取、气海，复溜，俱补又三阴交，二穴上廉，二穴俱补。

面目浮肿，取，水沟、颊车、俱泻，水肿最宜灸、水分．

疟疾

疟由风暑合邪为病．以夏伤于暑，秋复感冒风邪，舍于荣卫之间，一旦为外邪所束，不得汗解，遂发为疟疾也，凡疟疾昼发者轻，以邪在三阳也，夜发者重，以邪在三阴也，治疟疾以调和荣卫为主，荣卫通利，则邪气自解，其寒多无汗者，当发汗以解表，热多汗出者，当清热以和里，若病久脾胃气虚者，则又以益气扶脾为主也，疟疾当其未发前，取大椎，但寒无汗补热多泻，曲池泻合谷泻寒甚补．

寒甚再加，后溪，二穴俱补，热甚再加，神门．二穴俱泻．

疟不已刺委中曲泽出血、久疟气虚、取，三里三阴交补之，

诸疟再取下穴泻之，神门间使前谷，公孙，解谿太谿侠谿，

霍乱

霍乱有阴阳之分，腹痛兼吐泻者为阳霍乱，但觉中绞痛不吐不泻者，为阴霍乱，皆由风寒暑热水食杂邪滞於中焦，混於肠胃，清浊不分，气血错杂，以致挥霍变乱，会卒危急矣，大抵阴霍乱最重、阳霍乱较轻，以邪气秽物得由吐泻而出也，治此先宜刺出恶血，以解邪秽，而通气血，轻者即愈，重者更以调理肠胃、升清降浊之法治之，则吐泻腹痛自止矣．

霍乱心腹大痛心乱刺曲泽、百会，十宣、少商，商阳，中冲，关冲，少冲，少泽，合谷，俱刺出血，甚则更刺，隐白，大敦厉兑窍阴至阴俱出血、兼恶心呕吐者更刺金津玉液俱出血

兼泻痢更刺委中出血出血后不愈再取中脘补天枢三里俱泻

霍乱不吐不泻寒甚腹痛不止，而成阴霍乱取中脘气海关元

三阴交俱补，霍乱转筋紫筋刺出血不愈取阳陵泉承山，俱泻，

噎膈翻胃

经曰三阳结谓之膈，三阳者指胃小肠大肠而言也，三者皆人

身之主要消化器官，胃之上口曰贲门，小肠之上口曰幽门，大肠之下口曰魄门，若三脘热结不散，灼伤津液，则三门干枯，水谷出入之道路不得通畅，而消化阻滞矣，贲门干枯，则纳入水谷之道路狭隘，故食不能下，为噎膈也，幽门干枯，则放出腐化之道路，狭隘故食入反出为翻胃也，二症日久失治，魄门干枯，大肠传导之路，亦因之狭隘，于是大便更燥，涩难行矣，治之先清结热，以养津液，然后再以利膈，理肠胃开关门之法继之，此症少壮可愈，若年高气弱，则难于奏功也

噎膈翻胃取，中脘补，上脘，下脘、天枢俱泻。

又、天突、中魁俱泻二穴，又劳宫二穴，膈俞二穴俱泻。

呕吐哕

呕吐哕虽属胃病，然推究其因，则有自动被动之不同，属于自动者，则有胃寒胃热与胃中停痰，蓄食之殊属于被动而发者，或肝胆贼邪犯胃，或冲气上逆入胃，或水饮侵胃，是皆此症之间接原因也，总之无论其为自动被动，或直接间接，要皆不外胃气上逆可知，故治之以降逆顺气为主，逆降则邪势挫，气顺则痰水行，然后再依寒热虚实，或攻或消，或温或化。

痰饮或降，冲逆因症施宜可也。胃膈热甚呕吐哕逆先刺金津，玉液少商商阳合谷中冲俱出血，继取劳宫二穴三里二穴俱泻，

积寒痰饮结滞，中宫呕吐哕逆取，中脘补，三里泻，

肝胆邪火犯胃，呕吐哕逆出苦汁者取阳陵泉三里太冲俱泻。

蓄食停水呕吐哕逆取，中脘补，天枢，三里俱泻。

冲气上逆胃阳不宣，呕吐哕逆取，中脘补，通谷泻。

泄泻

泄泻有水泻，寒泻、脾泻，肾泻、食泻、火泻，暑泻，之别，水泻，即水湿作泻，其泻多稀水而肠鸣、寒泻以其直倾而下，由中焦寒湿过盛而作，故泻如鸭溏，清冷异常，而肠鸣腹痛

也，脾泻纯由脾气虚损，运化失职，故食后即泻而腹满也，肾泻早晨作泻，由肾气不足，下元虚寒，收摄失司所致，食泻谓之伤食，泻多臭秽，而腹痛嗳满也，火泻谓之心遗热於小肠，故泻时阵阵作痛，而思冷饮也，暑泻谓之暑热下陷，其症心烦口渴，少腹绞痛而汗出也，治法水泻宜利水行湿，寒泻宜温中燥湿，脾泻宜益脾理气，肾泻宜固肾燥下，食泻宜降消行滞，火泻宜清火利小便，暑泻宜解表清热祛湿，此其纲要也，

小泻、取下脘补天枢内关下廉俱泻，寒泻取三阴交三里俱补，脾泻，取，三阴交二穴补、肾泻、取，气海，复溜，俱补，食泻，取中脘補天枢三里俱泻，火泻，取内关委中曲池俱泻，暑泻，先刺委中出血继取，大椎曲池合谷，内关上廉俱泻，

痢　疾

痢疾由于暑湿寒热而发也，皆不外肝热气滞而成，又不可一概而论，此症初起多属热属实，久则属寒属虚，更当分别论治也、暑湿下痢以清暑祛湿为主，寒热下痢应以分解之法，加调理肠胃施之，久痢而变虚寒者，又当温补兼施，以冀痊愈也。

暑湿下痢，先刺委中出血、再取合谷内关委中上廉俱泻，寒热下痢、取、阴陵泉，泻三阴交、补，久痢当温补，取、气海、关元，又三里，隐白，三阴交，俱补，

黄　疸

病黄疸者，周身面目俱黄、小便赤豆汁黄色，但欲安卧，有谷疸酒疸女劳疸之分，谷疸即胃疸，以食谷入胃，脾气不输，胃气不清、胃中苦浊，湿热相併，逆蒸发成黄，其初起寒热不食，食即头眩，心胸不安，是其候也，酒疸因过饮之人，湿热相蒸而成，湿热上熏心包，故心中懊憹，湿热蓄结，故足心热而小便不利也，女劳疸由色慾过度，湿热结于膀胱所致，其候额上黑，手足中热，膀胱急小便自利也，治法谷疸酒疸，以利

小便为主，女劳疸以攻结热降瀉滞为主，且黄之发，乃湿热郁于肌肤，故又可从清热解表之法以发之，诸疸累实者，亦可下之，所谓釜底抽薪，即不熏蒸也发黄也，

谷疸，取中脘补上脘三里俱泻，酒疸，取、鱼际，内关，阳陵泉，俱泻，女劳疸、取，涌泉、劳宫，俱泻。

又曲池三阴交太冲俱泻，诸黄，取大椎曲池合谷内关俱泻，

诸黄累实，取丰隆阳陵泉三里俱泻，面目黄取水沟迎香俱泻，

消症

消分上中下三消，上消属肺，饮水多而小便如常，中消属胃，或消谷善饥，或饮水多而小便短赤，下消属肾，饮小多而小便浑濁，三消皆由燥热太过，津液干枯所致之，惟下消间有由于肾阳虚寒者，则饮一溲二小便清白者是，治法上消宜清热润肺，中消宜泻胃中燥火，下消属于热者，以通利小便为主，属于虚寒者，以补肾化气为主，是当分别施治也。

上消、取、曲池，合谷，内关，鱼际，俱泻。

消谷善饥，取，三里，阳陵泉，大陵，俱泻，

中消饮水多小便短赤，取，内关，三里，委中，俱泻。

下消饮水多小便浑濁，取内关，太谿，阳陵泉，委中俱泻。

饮一溲二、取三阴交，复溜，俱补又气海，关元，俱补。

积聚

积聚即症瘕痃癖之类，皆由寒邪凝结而成，有形体可扺摸，阻滞运化，常令人腹痛，不下饮食，甚则烦满呕吐逆乱，其寒与脂膜血汁结成者，谓之积，其体牢坚，发有定处，毫不软动，故难治之、寒与水气结成者，谓之聚，其体柔软，发无根本，时上时下、忽聚忽散，较为易治、大法以温化为主，惟年深日久块坚腹胀大者，则难于痊愈矣。

积聚、取中脘补三里泻，又，气海补天枢泻又、章门补。

臌哀，泻又上脘补不容泻又，中极、补水道，四满、俱泻，又关元、补商丘，泻又，三里，三阴交，俱补，

肝积肥气，泻行间，脾积痞气，泻商丘，肾积贲豚，泻涌泉，肺积息贲，泻尺泽，心积伏梁，泻神门，此泻五脏之实积也，

疝

诸疝皆任肝二经为病，以任脉起于会阴，循阴器而上毛际，肝之经亦过腹裹而环阴器也，主于任脉者，下元寒冷，气血凝滞，故内结为疝也，主于肝经者，主肝筋，前阴又为宗筋所聚，伤于寒则卵缩滞痛，伤于热则被纵下坠是也，治法寒者以温下元散结滞为主，热者以清热舒筋为主，兼湿肿大者，更以利湿之法佐之，自可收效也，

寒疝痛引少腹或卵上入腹，取三阴交补又，关元归来俱补

热疝红肿作痛，取，曲池、三阴交、太冲，俱泻，

湿热疝肿大坠重，取、内关、委中，俱泻，隐白、二穴补

诸疝，取、大敦，热泻寒补，

遗精

遗精有梦遗滑精之别，梦遗多由青年性欲发达期间，思想有感于中，心肝火旺，前阴挺纵，寐中肝魂不守，因发为梦，因梦境而欲动阳举即精泄矣，滑精则由过欲之人，因惯精滑，肾失收摄，关门不固所致，故梦遗多为实症，多阳举而射出，滑精多为虚症，多不自觉而流漏出也，治法梦遗以清心火，减思虑平肝为主，固关门为佐，滑精则纯以补肾固关门为主，肾气足，关门固，则精自收藏矣，再如肝火旺盛之人，阴茎挺纵，睡眠之时，务以侧卧为妙，盖仰睡俯卧，阴头有所抵触，最易发生梦遗故也，

梦遗、取神门，曲泉，太冲，俱泻三阴交先泻后补，

又、内关蠡沟俱泻，关元，补又，然谷，先泻后补中封，泻

滑精，取中极、三阴交俱补、又，关元、复溜，俱补。又气海，阴陵泉俱补，梦遗滑精，灸，关元，肾俞、二穴

·淋浊

淋是小便淋沥不利，茎中涩痛，甚则闭塞，点滴俱无，浊是小便前后所出浊物，白如米泔，二症皆由湿热毒积凝结膀胱，壅滞水道所致，治以清热祛湿利水解毒之法，浊滞通行，则水道自畅流矣。·淋浊通治，取内关委中太溪阴陵泉俱泻，又曲池，然谷，三阴交俱泻，又，关元复溜，俱先泻后补，诸淋、取肩髃曲池内关合谷俱泻，又复溜阴陵泉俱先泻后补，

遗尿

遗尿一症，以小儿最多，多年肾气虚弱，亦常有之，皆由于肾气不足、下元虚寒，收纳失司，不能统摄之故，观小儿至十五六岁后，肾气日盛，关门渐固，遂自然收持而不复遗尿，然亦有肾气过于薄弱，壮年仍遗尿如故，或中年肾气乍虚而遗者，甚或有关门收纳全失，尿出不禁，毫无知觉者，是皆肾虚不能约束膀胱而为病也，治此以振肾阳温下元为主，釜底添薪，气化行而州都和，关门自守矣。

遗尿不禁，取，三阴交，二穴补又，中极，阴陵泉，俱补。又，气海，复溜，俱补又，关元，水道，俱补。

心腹胸肠诸痛

心为君主之官，外有包络围护，邪气绝难干犯，故作痛时较少，间有他脏之经气绝逆上凑于心之分而作痛者，以厥心痛也。引其气，导其逆，再清其心，即可痊愈，若邪气直干心脏，伤其脏真，而作痛者，是真心痛也，其痛甚，手足青至节，旦发夕死，夕发旦死，歧骨以下作痛者，是胃脘痛也，胃脘痛有由于胃寒气滞者，有由于痰热蓄结者，有由于水饮泛逆者，有由于蛔虫上干者，有由于食停阻塞者，虽各不一，然皆当先以

计消降逆通阳利气之法，以止其痛，痛止后，再探源施治可也。大腹痛属于脾，多因脾阳不运，寒气积聚而作，治以温中化滞利气为主、小腹痛多由下元阳虚，寒气结于肠膜之中，以振阳温下之法治之，胸为肺之部、肺下有膈，肺气不宣、膈中阳滞，则胸中痛，治宜利膈，而宣散肺气，胁肋痛属于肝胆，肝胆气郁则胁中痛，瘀血留饮亦痛，当随症斟酌治之，

心痛，取、肩髃、曲池，内关，俱泻又，巨阙补神门泻

胃脘痛，取中脘补三里泻又上脘补通谷泻又下脘补天枢泻

大腹痛、取、三阴交，二穴补又，阴陵泉，隐白，俱补

小腹痛，取、气海，补天枢，泻又，关元，补四满，泻

扶脐腹引两胁痛、取、上廉二穴补，胸痛，取、肩髃曲池，大陵鱼际，俱泻，又，云门风门俱泻，气郁胁肋作痛·

取、支沟阳陵泉太冲俱泻、寒气积聚胁痛，取章门气海俱补

瘀血作痛取曲池三阴交阳陵泉俱泻，留饮作痛取中脘补不容泻

头痛眩晕

头痛有虚实之别、大抵新痛多为邪实，久痛则兼正虚，然亦有久痛为邪所缠，新痛因虚而发者不可一概而论也、实邪痛者，风热痰火是也，正头痛多是风热，偏头痛多是痰火，治以清热散风降痰泻火是也，邪去则痛自愈矣，兼虚而痛者，当是其为气虚，或血虚、随以益气养血之法兼治之，自可收桴鼓之效也，眩晕亦分虚实两端，经云上虚则眩、又云肾虚则高摇，髓海不足，则脑转耳鸣、是皆指虚而言，所谓上虚者则脑虚也，脑为髓海、髓生于精，精藏于肾，是所谓上虚也，髓海不足也，皆肾虚之故也，因其上虚而髓海空也，故五脏六腑之气，不得以上荣，而眩晕也，由于实邪者、如肝脏火旺痰饮内盛之人，肝阳鼓动，或偶感风邪，于是风火交煽，挟痰饮上冒于头、故作眩晕，此即内经诸风掉眩、皆属于肝之谓，亦所以张仲景以

痰饮立论，刘河间以风火立论也，然而此虚实两端，又每有连带之关系，因其肾虚也，故水不涵木，而木愈横，因其髓海空也，故肝风胆火得以上窜，此又叶天士滋阴平肝之主張也，由是吾于眩晕之治法，得以结论矣，审其因虚而眩晕者，则滋肾益精补髓以培其本，導逆引气以熄其标，其纯由实邪作祟者，则泻肝胆，搜风火，涤痰饮，除暴安良，刻不容缓也，若陳久眩晕，时作时止，因虚而又兼实者，则平肝泻实，以治其标，滋肾益精，以理其本，是又治法中之定法也。

正头痛，取曲池，合谷，百会，俱泻又风府，上星，俱泻

偏头痛，取风池，头维，太阳，俱泻又丰隆，解谿，俱泻

头风眩晕，取、百会，风池，曲池，合谷，俱泻。

痰火眩晕，取，阳陵泉，丰隆，俱泻又，合谷，内关，俱泻

厥气乱於头眩晕，取，天柱、二穴大杼，二穴俱不补不泻

眩晕，滋髓补肾，取，复溜，二穴悬钟，二穴俱补

通头疼，取、风池、头维、上星、百会，俱泻，

眼 目

目病分内外二障，内障多因肾虚，水精不能上注，致瞳神渾暗无光，视物𥇦𥇦不明，治以补肾精聚神光为主，外障则因风火上攻，或赤肿痛烂，或生翳膜，或努肉拳毛，或淚出痒涩，治此以清火散风化翳膜为主，惟眼病其瞳子为障膜完全遮尽，致瞳光过散不能分清物件者，则难於有效也

暴发赤肿一切外障，取、曲池，合谷，内关，瞳子髎俱泻

又，上星内迎香俱刺出血泪出，取风池，头维，临泣俱泻

眼生翳膜，取，后谿，合谷俱泻又，耳尖，鼻际俱泻

内外障通治、取、大骨空、小骨空，俱泻

目视𥇦𥇦，取，目窗二穴光明二穴俱泻

精光不足，取，复溜二穴补百会，肝俞俱泻

鼻

鼻通于脑又为肺之窍，故胆移热于脑，则发为鼻渊，外寒束肺则鼻塞流涕、又督脉循脊上脑过鼻下入齿，若诸阳热甚，则血上溢，而为衄血，是以鼻科诸证，以治脑清肺除热为主也。

肺热为外寒所束，鼻塞流涕，或热甚衄血不止，取，风府、曲池，合谷、鱼际俱泻又，上星先刺出血再留针二间，迎香禾髎俱泻，鼻渊鼻窒，取悬钟禾髎素髎迎香俱泻．

牙　齿

牙为骨之余，属乎肾，牙龈为阳明经所过之地，下牙龈属足阳明胃经，上牙龈属手阳明大肠经，多由阳明经风火上攻，乃牙龈作痛，非齿痛也，惟客寒犯脑，多兼连齿痛，是即寒牙痛也，若牙齿不痛，但觉齿長松动者，是为肾衰之象，治以补肾为主，治风火牙痛，则又当泻阳明积火，兼疏散风邪也，

风火牙痛，取曲池，合谷，颊车俱泻又，二间三里解溪俱泻

牙痛急口噤，取，翳风，颊车，听会，下关俱泻

寒牙痛，取合谷三里太溪俱补，肾虚齿摇动取太溪二穴补。

咽　喉

咽喉肿痛，多由于上中焦积热与风邪结于咽喉所致，此症最是险急，初起但觉肿痛不利，即宜以清热散风之法施治，若失治邪盛，则咽喉肿闭，语言难出，是名喉痹，或于咽喉两旁生单双乳蛾，甚或有热与痰涎结于喉间，内外肿闭，汤水不下，而成缠喉风者，是皆危急之候也，当速以泻热破结之法，挫其邪势，或用针于肿处刺破，出其恶血，庶有挽回之希望，若溃后脓血不出，肿闭如故，汤水仍不下咽则不起矣。

咽喉肿痛喉痹乳蛾等症先刺少商，商阳，合谷，中冲俱出血，甚则再刺，关冲、少冲，少泽俱出血。

再取曲池合谷鱼际内关颊车俱泻，又尺泽三里二间翳风俱泻，

咽喉内外肿闭汤水不下，前穴不效再刺，金津玉液俱出血。
再取，丰隆，阳陵泉俱泻，又，天突，神门俱泻。

口舌

口为脾之窍，舌为心之苗，心胃火炽则口出臭味，脾经风热藏则唇肿痛，心火上炎，则发为舌肿重舌，心气虚则暴瘖不能言，风痰客于舌本，则舌强急不语，当分别治之。

口臭，取水沟劳宫三里俱泻，唇肿痛，取地仓承浆俱泻。
舌肿重舌先刺，金津玉液少商商阳合谷中冲少冲少泽俱出血。
再取，曲池，合谷，神门，内关，哑门俱泻
暴瘖不能言，取，风府，天突，俱泻，通里二穴补。
舌强急不能言，取水沟风府中冲俱泻又肩髃曲池哑门俱泻

耳

耳为肾窍，内通于脑，故肾虚精气不足，阴气厥逆，上乱于头，则耳聋而嘈嘈若鸣也，卒然耳聋蝉鸣者，是又为少阳风火上煽之故，以手足少阳之脉，皆环绕于耳前后也，治法前者以补肾导逆气为主，后者则以泻少阳开关窍为主也。

肾虚耳鸣耳聋，取，肾俞二穴补，天柱、大杼俱不补不泻。
风火上煽耳鸣耳聋，取曲池合谷外关听会翳风风池俱泻

妇女

妇女之病，除月经崩带胎产诸门异于男子外，其余未尝有别，兹特将月经崩带胎产诸病，一申言之，妇人因生育之关系，故以血为主，所谓人之生也，禀父精母血而成形是也，此血由中焦化气取汁而生，与男子无异，惟女子二七之年，肾中癸水至于胞中，此血即循冲任二脉，亦下入胞中，与癸水会合，则为经血，每月一行，以作胎孕之用，是谓月经，故女子月经调畅，而可成孕，反之月经失调，则为经病，而不能受孕矣，故求嗣必先调经，而月经之所以不调者，则有寒热虚实四大原因，

寒症者，腹中积冷结气，积聚成块，致经血凝滞，始则后期色黑，久则经闭，治以温散化滞为主。热症者，心肝火盛，血被热煎而沸腾，而干枯，故多先期而来，其色紫黑，甚则经闭，身形枯槁，治当清心平肝滋阴凉血。虚症者，或因失血过多，或因脾胃虚损，化生者少，或因内伤阳元，灼伤津液，肾虚亏损，以致癸水不足，经血枯涸，其经来色淡而少，渐至闭绝，最为劳病之厉階，当速以养阴生血之法治之。实症者，或恶血凝结不去，痰水与血结与血室，或湿邪阻滞，或经血过多，频频下行，皆当以去瘀逐邪之法为治，凡此种々，皆月经不调之重要原因，失治则经血闭绝，他病丛生矣。

崩是血崩，非经期而下血之谓，多者为崩，少者为漏，行经而下血过多不止者，亦是血崩，古又名崩中，谓脾虚中洲不能统血而崩溃也，此症总因脾经虚陷而成，治以升补脾气固中洲为主、亦有由于肝胆火肆横逆侮中，血不守静而崩溃者，是又当清肝泻火也，带是带脉为病，带脉下系胞宫，中束人身，居身之中央，由脾所司，其带下之污秽赤白物，乃脾气下陷，带脉失其约束，湿热下注，与胞中之血水混杂而成，治此以祛湿利水升脾气固带脉为主、崩带虽皆有关于脾，然一是血病，一是水病，不无分别也，

妇人胎前以清热养血为主，以胎元在腹，日吸母血，于是阴血不足，阳常有余，其胎动胎漏烦热诸症，无一非阳亢阴亏胎无以养之象，苟得热清血足，则诸症自宁，而胎亦安稳矣，及期难产者，多由于胎前失于调摄，气血阻滞，或交骨不开，或坐草太早、用力颠倒所致，此时急宜以催气活血之法施治，若产后晕绝不省人事者，姑无论其为气血虚脱，或恶血冲心，总以先开其关窍，通其闭塞，为当务之急、然后再随其虚实，或行瘀，或补虚，或舒调气血，以善其后也，大法产后属虚，固宜

补益，然每多恶恶露未行，瘀凿未去，通利之不遑，而竟误施
补涩，以致水与血结，转变为水肿膨胀者，是又不可不慎重也，
胎产杂症尚多，不胜枚举，可参考各门施治也．
血寒月经不调，色黯腹痛后期，取，三阴交．二穴补．
症瘕经闭，取，气海补天枢泻又中极，地机俱补水道泻．
血热经血色紫黑瘀结成硬块先期而来，取曲池内关三阴交俱泻
又通里、太冲，阳陵泉俱泻，．热盛阴液枯涸月经色淡血少，
取内关，泻三阴交，补又阳陵泉，曲泉，俱补，
脾胃虚弱，饮食不畅，血虚经少，取，隐白、三里、俱补，
瘀血凿结，水湿杂邪，阻滞经闭不调，取，四关，俱泻．
又、曲池、三阴交，俱泻又、内关，阳陵泉，昆仑，俱泻
经血过多不止，取，通里，肩髃，曲池，俱泻．
思虑郁结经闭，取，肩髃，曲池，间使，俱泻．
经闭，取，关元，交信，三阴交，俱补．
脾虚带下，取，隐白，二穴补又，三里、三阴交，俱补．
湿热壅滞带下秽物，取，蠡沟，太谿，合阳，俱泻．
带下，取，关元，带脉，俱补
崩漏，取，三阴交，补又，气海，交信，俱补又，大敦，补
肝胆火旺，血不归经崩漏，取，通里，行间，俱泻．
妇人无子，取，关元，三阴交，俱补又，中极，子宫，俱补
安胎，取合谷泻三阴交补，恶阻呕逆，取劳宫三里俱泻．
妊娠烦热，取，曲池，合谷，内关，俱泻．
子上冲心闷，取，巨阙，三里，支沟，俱泻．
难产，取合谷补三阴交泻，交骨不开难产，取肩井二穴泻
胎死腹中，取昆仑曲池俱泻，胎衣不下，取中极昆仑俱泻
前阴下脱，取，隐白，三阴交，曲骨，俱补，
恶露不行，取曲池三阴交太冲俱泻，又中极，四满，俱泻

小　儿

小儿发育未全，正生長之期，内元七情之扰，外惟风寒之侵，或飲食生冷不节，或积乳停痰，故其为病也，实症多而虚症少，治之之法，清解通利而已，且小儿不能留針，仅可出血，凡寒热咳嗽惊痫吐泻蓄食停积诸症，自可应手而愈，若脾胃生气过于損伤，阻其发育之机，以致羸瘦腺弱，难救治矣。

小儿一切内热外感均取下穴为主、少商，商阳，合谷，俱出血再取下穴应之，如热甚咽喉肿痛痄腮，取、少冲，中冲，关冲，少泽，俱出血惊痫角弓反张更取，诸井穴，及，十宣，俱出血甚則再取，水沟、百会，印堂、风府，神门，身柱，命门，昆崙，俱出血大哭效，不哭难。

脾虚慢惊风，取，隐白，印堂，俱补此二穴能留针，须一人扶其两脚腕，勿令乱踢碰針，一令执其两手，勿令其抓鍼，

停食蓄乳久成疳积，取，四缝，有积出粘液，无积則出血。

吐泻更剌，中指两侧出血，阳止吐，阴止泻。

简明脉訣

（一）审查人之疾病，观看脉之动静，以望闻问切为主。

病分寒热虚实，按脉定之，脉分二十七部，气动脉应，阴阳有别，按医者和缓之呼吸，评患者之至数，一至催逐叠满二至为败，都是死症。三至为迟，四至为缓，五至为平，六至为数，七疾八急九脱。小儿稍不同，以小儿呼吸紧张六至为平。

（二）診脉之部位

分寸关尺三部，掌后高骨为关，关前为寸，关后为尺，左寸心与小肠，左关肝胆，左尺肾与膀胱，右寸肺与大肠，右关脾胃，右尺包络三焦。

（三）小儿診断之脉膊及病纹

按食指内侧之显著病纹，分风气命三关，病纹到风关，此症軟轻，若到气关，比較严重，倘到命关，则最为严重，应多加注意。

紫风红伤寒，　　青惊白色疳，

黑时因中恶　　黄色因脾端。

浮脉

浮脉举之有余，按之不足，如微风吹鸟背上毛，如水漂木，如捻葱叶

形状

浮脉惟从肉上行，如循榆荚似毛轻，三秋得令知无恙，只病逢之却可惊。

相类

浮如木在水中浮、浮大中空乃是芤，拍拍而浮是洪脉，来时虽盛去悠悠。

浮脉轻平似捻葱，虚来迟大豁然空，浮而柔细方为濡，散似杨花无定踪。

主　病

浮脉为阳表病居，迟风数热紧寒拘，浮而有力多风热，无力而浮是血虚，寸浮头痛眩生风，或有风痰聚在胸，关上土衰兼木旺，尺中溲便不流通。

浮脉主表，有力表实，无力表虚，浮迟中风，浮数风热，浮紧风寒，浮缓风湿，浮虚伤暑，浮芤失血，浮洪虚热，浮散劳极

沉　脉

沉脉重手按至筋骨乃得，如绵裹砂，内刚外柔，如石投水，必极其底。

形　状

水行润下脉来沉，筋骨之间要滑匀，女子寸兮男子尺，四时如此号为平

相　类

沉帮筋骨自调匀，伏则推筋着骨寻，沉细如绵真弱脉，弦长实大是牢形。

主　治

沉潜水蓄阴经病，数热迟寒滑有痰，无力而沉虚与气，沉而有力积并寒。寸沉痰郁水停胸，关主中寒痛不通，尺部浊遗并泄

痢，肾虚腰及下元痌.

沉脉主里，有力里实，无力里虚，沉则为气，又主水蓄，沉迟痼冷，沉数内热，沉滑痰实，沉涩气郁，沉郁寒热，沉紧冷痛，沉牢冷积，

迟　脉

迟滑一息三至，去来极慢.

形　状

迟来一夕至惟三，阳不胜阴气血寒，但把浮沉分表里，消阴须益火之源.

相　类

脉来三至号为迟，小駚于迟作缓持，迟细而难知是涩，浮而迟大以虚推.

主　病

迟司脏病或多痰，沉痼癥瘕子细看，有力而迟为冷痛，迟而无力定虚寒，寸迟必是上焦寒，关主中寒痛不堪，尺是肾虚腰脚重，溲便不禁疝牵丸.

迟脉主脏，有力冷痛，无力虚寒，浮尺表寒，沉迟里寒，

数　脉

数脉一息六至、，脉流薄疾.

形　状

数脉息间常六至，阴微阳盛必狂烦，浮沉表里分虚实，惟有儿童作吉看.

相　类

数比平人多一至，紧来如数似弹绳，数而时止名为促，数见关中动脉形.

主病

数脉为阳热可知，只将君相火来医，实宜凉泻虚温补，肺病秋深却畏之，寸数咽喉口舌疮，吐红咳嗽肺生疡，当关胃火并肝火，尺属滋阴降火汤.

数脉主腑，有力实火，无力虚火，浮数表热，沉数里热，气口数实肺痈，数虚肺萎.

滑脉

滑脉往来，流利展转，替々然如珠之应.

形状

滑脉如珠替々然，往来流利却还前，莫将滑数为同类，数脉惟看至数间.

主病

滑脉为阳元气衰，痰生百病食生灾，上为吐逆下蓄血，女脉调时定有胎. 寸滑膈痰生呕吐，吞酸舌强或咳嗽，当关宿食肝脾热，渴痢癫淋看尺部.

滑主痰饮，浮滑风痰，沉滑实痰，滑数痰火，滑短宿食.

濇脉

濇脉细而迟，往来难，短且散，或一止复来，参伍不调，如轻刀刮竹，如雨沾沙，如病蚕食叶.

形状

细迟短濇复来难，散止依稀应指间，如雨沾沙容易散，病蚕食叶慢而难.

相类

参伍不调名曰濇，轻刀刮竹短而难，微似杪芒微而甚，浮沉不别有无间.

主　病

涩缘血少或伤精，反胃亡阳汗雨淋，寒湿入营为血痹，女人非孕即无经，寸涩心虚痛对胸，胃虚胁胀察关中，尺为精血俱伤候，肠结溲淋或下红。

涩主血少精伤之病，女人有孕为胎病，无孕为败血。

虚　脉

虚脉迟大而软，按之无力，隐指豁々然空。

形状相类

举之迟大按之松，脉状无涯类谷空，莫把芤虚为一例，芤来浮大似慈葱。

主　病

脉虚身热为伤暑，自汗怔忡惊悸多，发热阴虚须早治，养营益气莫蹉跎。血不荣心寸口虚，关中腹胀食难舒，骨蒸痿痹曰精血，却在神门两部居。

经曰血虚脉虚曰气来虚微为不及病在内曰久病脉虚者死。

实　脉

实脉浮沉皆得，脉大而長，微弦，应指愊々然。

形　状

浮沉皆得大而長，应指无虚愊々强，热蕴三焦成壮大，通肠发汗始安康。

相　类

实脉浮沉有力强，紧如弹索转无常，须知牢脉帮筋骨，实大微弦更带長。

主　病

实脉为阳火郁成，发狂谵语吐频々，或为阳毒或伤食，大便不通或气痛，寸实应知阳热风，咽疼舌强气填胸，当关脾热中宫满，尺实腰肠痛不通，经曰血实曰脉实者水谷为病，曰气来实强是谓大过

長　脉

長脉不干大小，迢々自若，如循長竿末梢为平如引绳，如循長竿为病．

形状相类

对于本位脉名長，弦则非常但满張，弦脉与長争较長，良工尺度自能量．

主　病

長脉迢迢大小匀，反常为病似牵绳，若非阳毒阴痫病，即是阳明热势深．

短　脉

短脉不及本位，应指而回，不能满部．

形状相类

两头缩々名为短，涩短迟々细且难，短涩而浮秋喜见，三春为贼有邪干．

生　病

脉短惟于尺寸寻，短而滑数酒伤神，浮为血涩沉为痞，寸主头痛尺腹疼．

洪　脉

脉洪指下极大，来盛去衰，来大去長．

形　状

脉来洪盛去还衰，满指滔々应夏时，若分春秋冬月分，升阳散火各狐疑．

相类

洪脉来时拍々然，去衰来盛似波澜，欲知实脉参差处，举按弦长愊々坚。

主病

洪脉阳盛血应虚，相火炎々热病居，胀满胃翻须早治，阴虚血痢可愁如，寸洪心火上焦炎，肺脉洪时金不堪，肝火胃虚关内察，肾虚阴火尺中看。

洪主阳盛阴虚之病，泄痢失血久嗽者忌之，经曰形瘦脉大多气者死曰脉大则病进。

微脉

微脉极细而耎，按之如欲绝，若有若无，细而稍長。

形状相类

微脉轻微瞥々乎，按之欲绝有如无，微而阳弱细阴弱，细比于微略较粗。

主病

气血微兮脉亦微，恶寒发热汗淋漓，男为劳极诸虚候，女作崩中带下医，寸为气促或心惊，关脉微时胀满形，尺部见之精血弱，恶寒消瘅痛呻吟。

微主久虚血弱之病，阳微恶寒，阴微发热。

紧脉

紧脉来往有力，左右弹人手，如切绳，如纫箄线。

形状

举如转索切如绳，脉象因之得紧名，总是寒邪来作寇，内为腹痛外身疼。

主病

紧为诸病主于寒，喘咳风痫吐冷痰，浮紧表寒须发越，紧沉湿散自然安，寸紧人迎气口分，当关心腹痛沉々，尺中有紧为阴冷，定是奔豚与疝痛。

诸紧为寒为痛人迎紧盛伤于寒气口紧盛伤于食尺紧痛居其腹乃疾在其腹中恶浮紧咳嗽沉紧皆主死。

缓 脉

缓脉去来，少驶于迟，一息四至，如丝在经。

不卷其轴，应指和缓，往来甚匀，如初春杨柳舞风之象。

形 状

缓脉阿々四至通，柳梢袅々飐轻风，欲从脉里求神气，只在从容和缓中。

主 病

缓脉营衰卫有余，或风或湿或脾虚，上为项强下痹痿，分别浮沉大小区，寸缓风邪项背拘，关为风眩胃家虚，尺中濡泄或风秘，或是蹒跚足力迂。

浮缓为风，沉缓为湿，缓大风虚。

芤 脉

芤脉浮大而软，按之中央空，两边实，中空外实状如慈葱，

形 状

芤形浮大软如葱，按之旁有中央空，火犯阳经血上溢，热侵阴络下流红。

相 类

中空旁实乃为芤，浮大而迟虚脉呼，芤更带弦名曰革，血亡芤革血虚々。

主 病

寸芤积血在于胸，关内逢空肠胃痈，尺部见之多下血，赤淋红痢漏崩中。

弦脉

弦脉端直以長，如張弓弦，按之不移。

形状

弦脉迢々端直長，肝经木旺土应伤，怒气满胸常欲叫，翳蒙瞳子泪淋浪。

相类

弦来端直似丝弦，紧则如绳左右弹，紧言其力弦言象，牢脉弦長沉伏间。

主病

弦应東方肝胆经，飲痰寒热疟缠身，浮沉迟数须分别，大小单双有重轻，寸弦头痛膈多痰，寒热癥瘕查左关，关右胃寒心腹痛，尺中阴疝脚拘挛，弦为木盛之病浮弦支飲外溢，沉弦悬飲内痛疟脉自弦，弦数多热，弦迟多寒，弦大主虚，弦细拘急，阳弦头痛，阴弦腹痛，单弦飲癖，双弦寒痛，若不食者，木来克土难治。

革脉

革脉弦而芤，如按鼓皮

形状主病

革脉形如按鼓皮，芤弦相合脉寒虚，女人半产并崩漏，男子营虚或梦遗。

牢脉

牢脉似沉似伏，实大而長微弦。

形　状

弦长实大脉牢坚，牢位常居沉伏间，革脉芤弦自伏起，革虚牢实要详看。

主　病

寒则牢坚里有余，腹心寒痛木乘脾，疝㿗癥瘕何愁也，失血阴虚却忌之。

牢主寒实之病，木实则为痛，扁鹊云更为虚牢为实，失血者，脉宜沉细反浮大而牢者死虚病见实也。

濡　脉

濡脉极软而浮，如棉在水中，轻手相得，按之无有，如水上浮沤

形　状

濡形浮细按须轻，水上浮棉水不禁，病后产中犹有药，平人若见是无根。

相　类

浮而柔细知为濡，沉细而柔作弱持，微则浮微如欲绝，细乃沉细近于微。

主　病

濡为亡血阴虚病，髓海丹田暗已亏，汗雨夜来蒸入骨，血山崩倒湿侵脾，寸濡阳微自汗多，关中其奈气虚何，尺伤精血虚寒甚，温补真阴可起疴，濡主血虚之病，又为伤湿。

弱　脉

弱脉极软而沉，细按之乃得，举手无有，

形　状

弱来无力按之柔，柔细而沉不见浮，

主　病

弱脉阴虚阳气衰，恶寒发热骨筋萎，多惊多汗精神减，益气调阴急早医。寸弱阳虚命可知，关为胃弱与脾衰，欲求阳陷阴虚病，须把神门两部推。

散　脉

散脉大而散，有表无里，涣漫不收，无统纪无拘束，至数不齐，或来多去少，或去多来少，涣散不收如杨花散漫之象。

形　状

散似杨花散漫飞，去来无定至难齐，产为生兆胎为堕，久病逢之不必医。

相　类

散脉无拘散漫然，濡来浮细水中棉，浮而迟大为虚脉，芤脉中空有两边。

主　病

左寸怔忡右寸汗，溢饮左关应软散，右关软散胻胕肿，散居两尺魂应断。

细　脉

细脉小于微而常有细直而软，若丝棉之应指。

形　状

细来累累细如丝，应指沉沉无绝期，春夏少年俱不利，秋冬老弱却相宜。

主　病

细脉萦萦血气衰，诸虚劳损七情乖，若非湿浸伤腰肾，即是伤精汗泄来；寸细应知呕吐频，入关腹胀胃虚形，尺逢定是丹田冷，泄痢遗精号脱阴

脉经曰细为血少气衰有此症则顺否则逆故吐衄得沉细者生

忧劳过度者脉亦细．

伏　脉

伏脉重按着骨，指下裁动，脉行筋下．

形　状

伏脉推筋着骨寻，指间裁动隐然深，伤寒欲汗阳将解，厥逆脐疼证属阴．

主　病

伏为霍乱吐频々，腹痛多缘宿食停，蓄饮老痰成积聚，老痰成积聚因循，食郁胸中双寸伏，欲吐不吐常兀兀，当关腹痛困沉々，关后疝痛还破腹．

动　脉

动乃数脉，见于关上下，无头尾如豆大厥々动摇．

形　状

动脉摇々数在关，无头无尾豆形团，其原本是阴阳搏，虚者摇兮胜者安．

主　治

动脉专司痛与惊，汗因阳动热因阴，或为泄痢拘挛病，男子亡精女子崩．

促　脉

促脉来去数，时一止复来，如蹶之趣，徐疾不常．

形　状

促脉数而时一止，此为阳极欲亡阴，三焦郁火炎炎盛，进必无生退乃生．

主　病

促脉惟将火病医，其因有五细推之，时々喘咳皆痰积，或发狂斑与毒疽.

促主阳盛之病，促结之因皆有气血痰饮食五者之别，一有留滞则脉必见止矣.

结　脉

结脉往来缓，时一止复来.

形　状

结脉缓而时一止，独阴偏胜欲亡阳，浮为气滞沉为积，汗下分明在主张.

主　病

结脉皆因气血凝，老痰结滞苦沉吟，内生积聚内痈肿，疝瘕为殃病属阴.

代　脉

代脉动而中止，不能自还，因而复动，脉至还入迟，良久方来.

形　状

动而中止不能自还，复动因而作代看，病者得之犹可疗，平人却与寿相关.

相　类

数而时止名为促，缓止须将结脉呼，止不能回方是代，结生代死有殊途.

主　病

代脉原因脏气衰，腹痛泄痢下元亏，或为吐泻中宫病，女子怀胎三月兮，脉经曰代散者死病泄及便脓血生，五十不止身无病，数内有止皆知定，四十一止一脏绝，四年之后多亡命，三十一止即三年，二十一止二年应，十动一止一年殂，更观气色兼形证，两动一止三四日，三四动止应六七，五六一止七八朝，次第推之自无失.

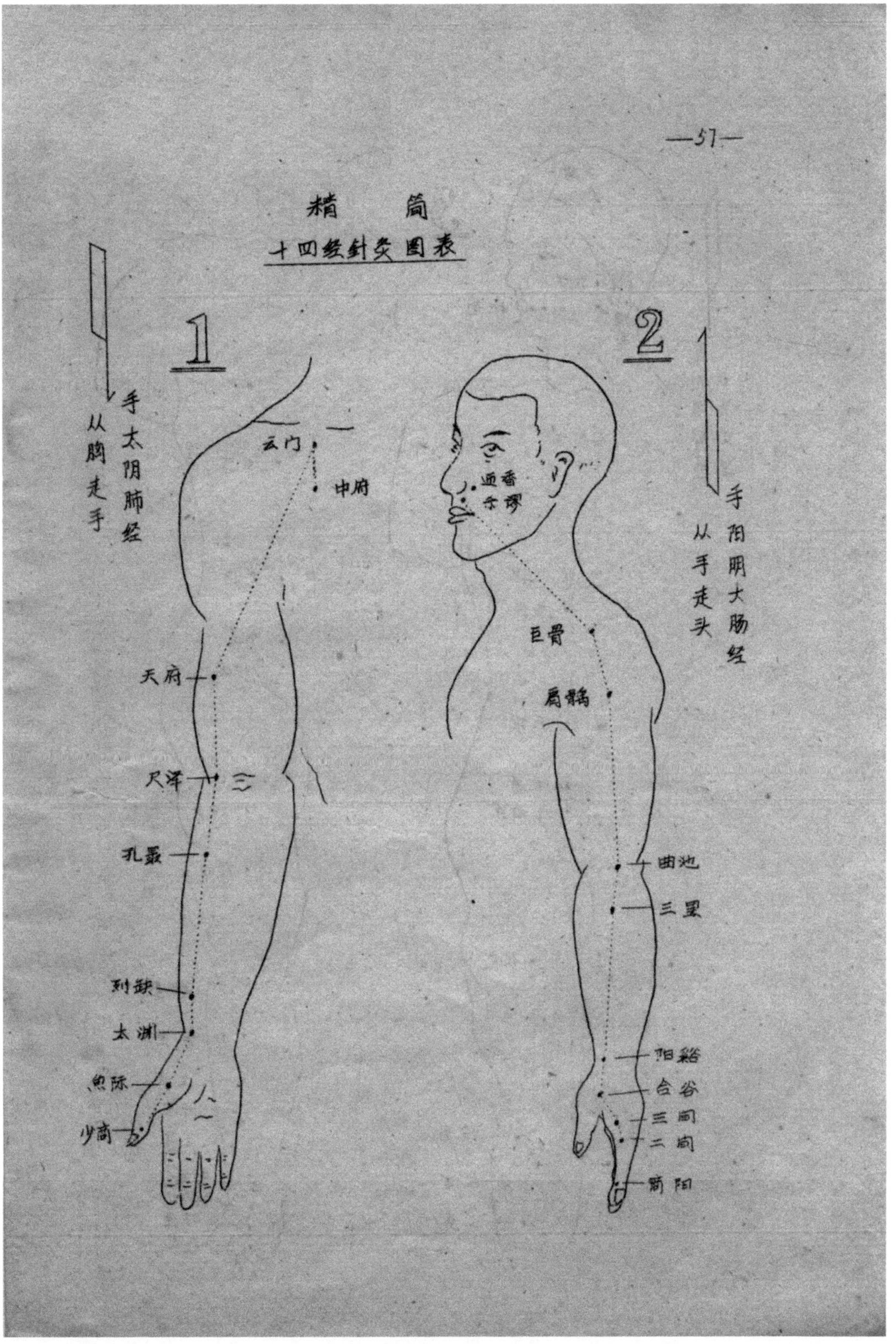
—57—
精简
十四经针灸图表
1
手太阴肺经
从胸走手
云门
中府
天府
尺泽
孔最
列缺
太渊
鱼际
少商
2
手阳明大肠经
从手走头
迎香
禾髎
巨骨
肩髃
曲池
三里
阳谿
合谷
三间
二间
商阳

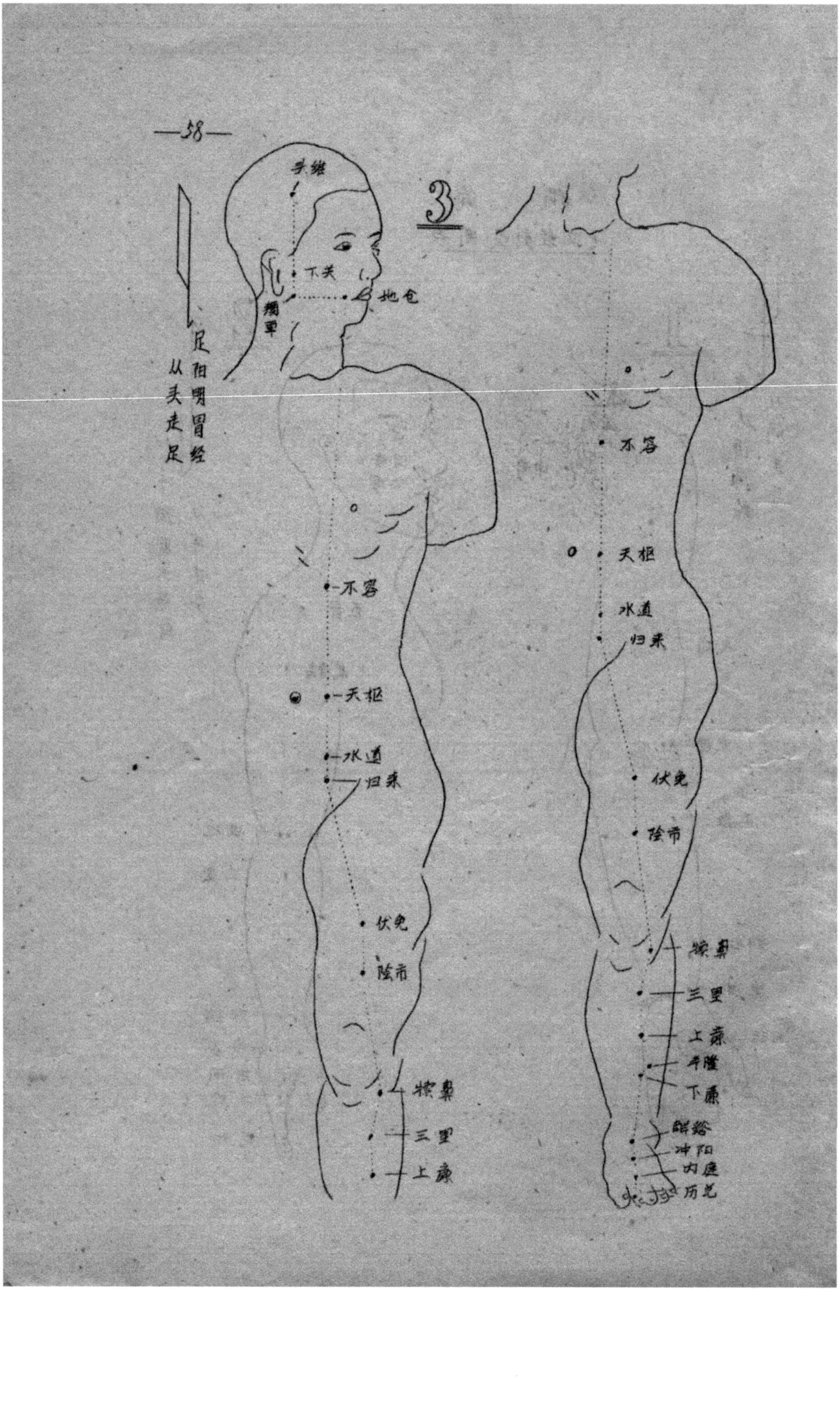
—58—
3
头维
下关
地仓
颊车
足阳明胃经
从头走足
不容
天枢
水道
归来
伏兔
陰市
犊鼻
三里
上廉
丰隆
下廉
解谿
冲阳
内庭
历兑

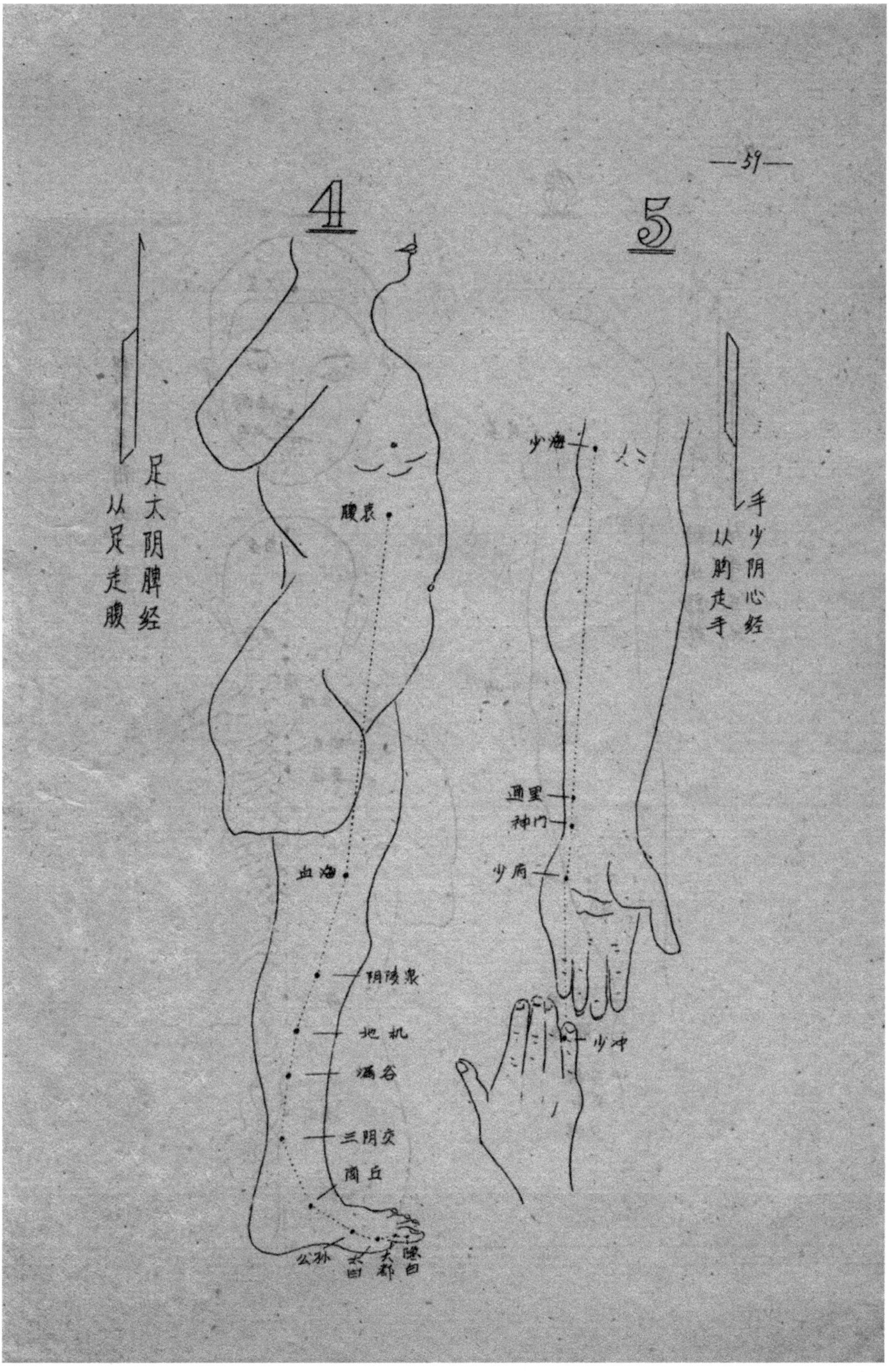
—59—
4
足太阴脾经
从足走腹
腹哀
血海
阴陵泉
地机
漏谷
三阴交
商丘
公孙
太白
大都
隐白
5
手少阴心经
从胸走手
少海
通里
神门
少府
少冲

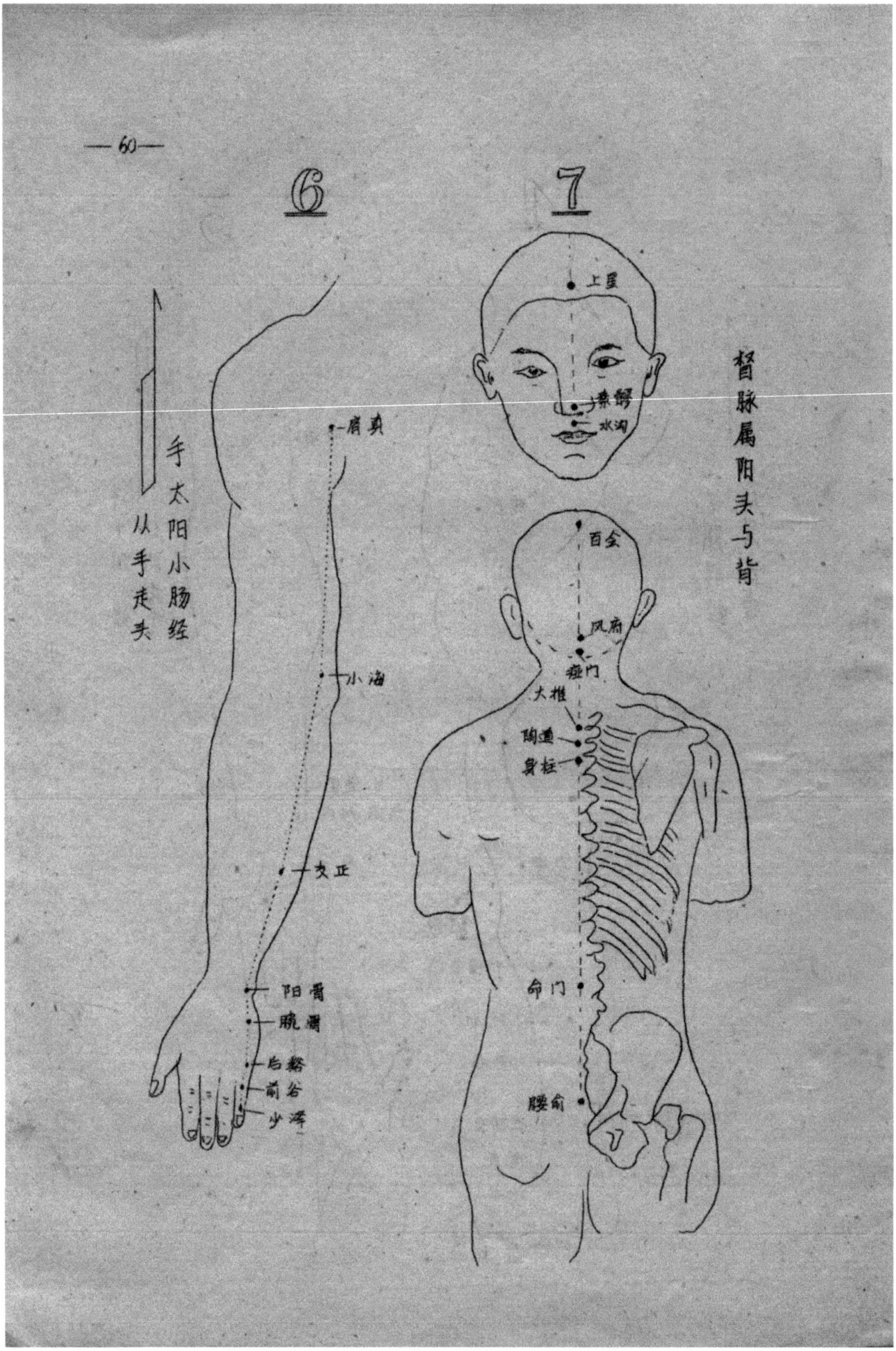
—60—
6
7
手太阳小肠经
从手走头
肩贞
小海
支正
阳谷
腕骨
后谿
前谷
少泽
督脉属阳
头与背
上星
素髎
水沟
百会
风府
哑门
大椎
陶道
身柱
命门
腰俞

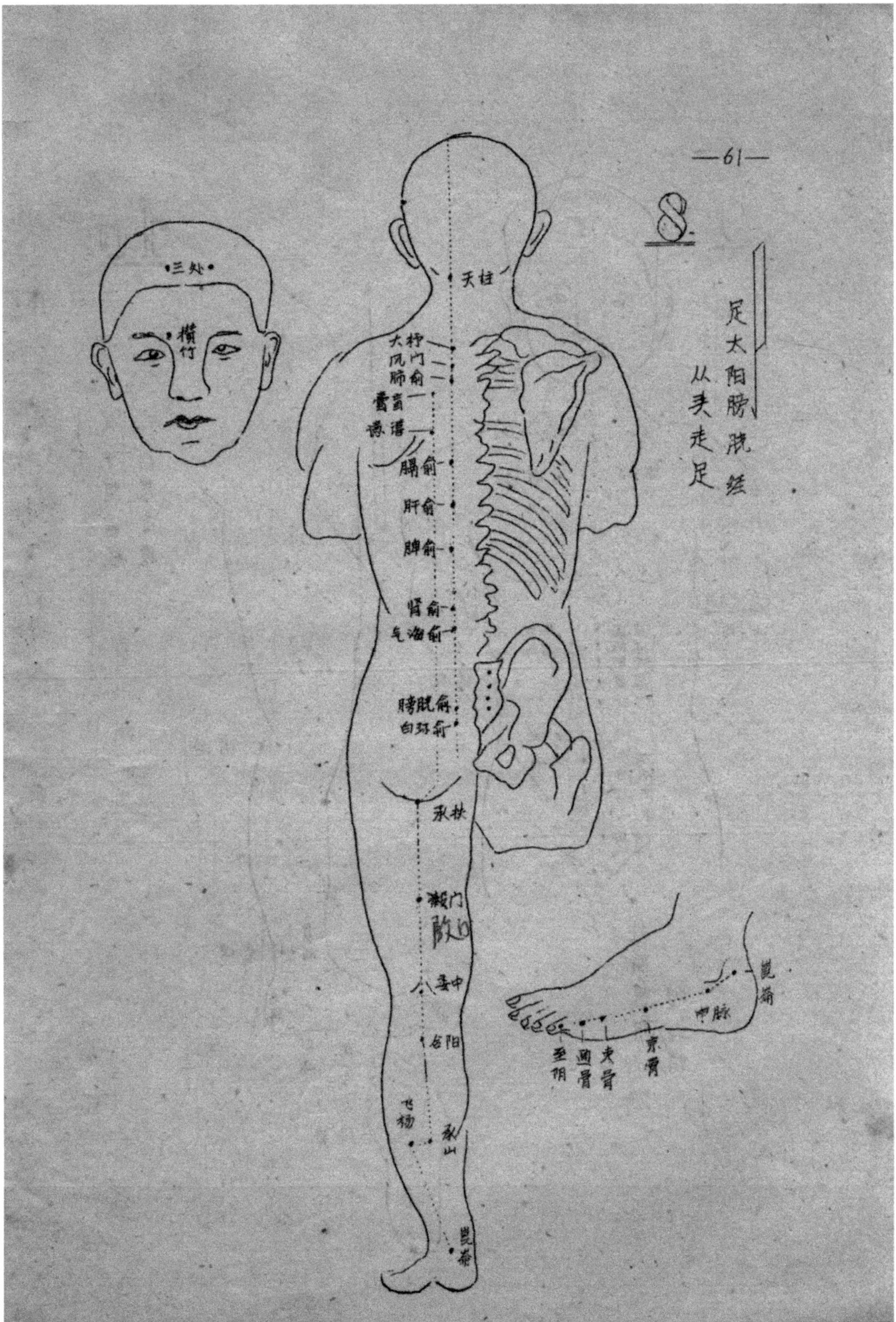
—61—
8.
足太阳膀胱经
从头走足
三处
攒竹
天柱
大杼
风门
肺俞
膏肓
谚譆
膈俞
肝俞
脾俞
肾俞
气海俞
膀胱俞
白环俞
承扶
殷门
委中
合阳
飞扬
承山
昆仑
申脉
京骨
束骨
通谷
至阴

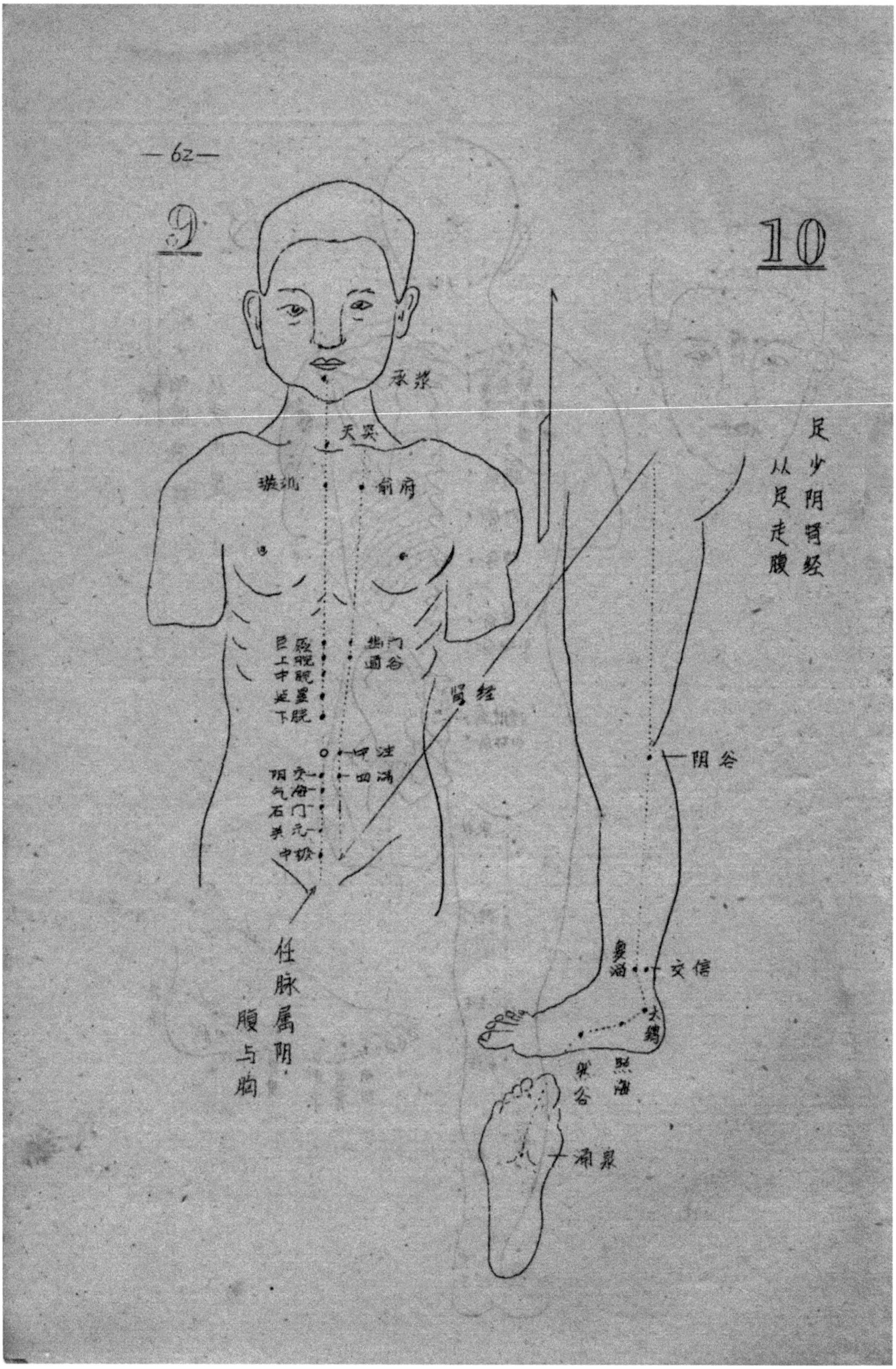
—62—
9
10
承浆
天突
璇玑
俞府
巨阙
上脘
中脘
建里
下脘
幽门
通谷
中注
四满
阴交
气海
石门
关元
中极
肾经
任脉属阴，腹与胸
足少阴肾经
从足走腹
阴谷
复溜
交信
大钟
照海
然谷
涌泉

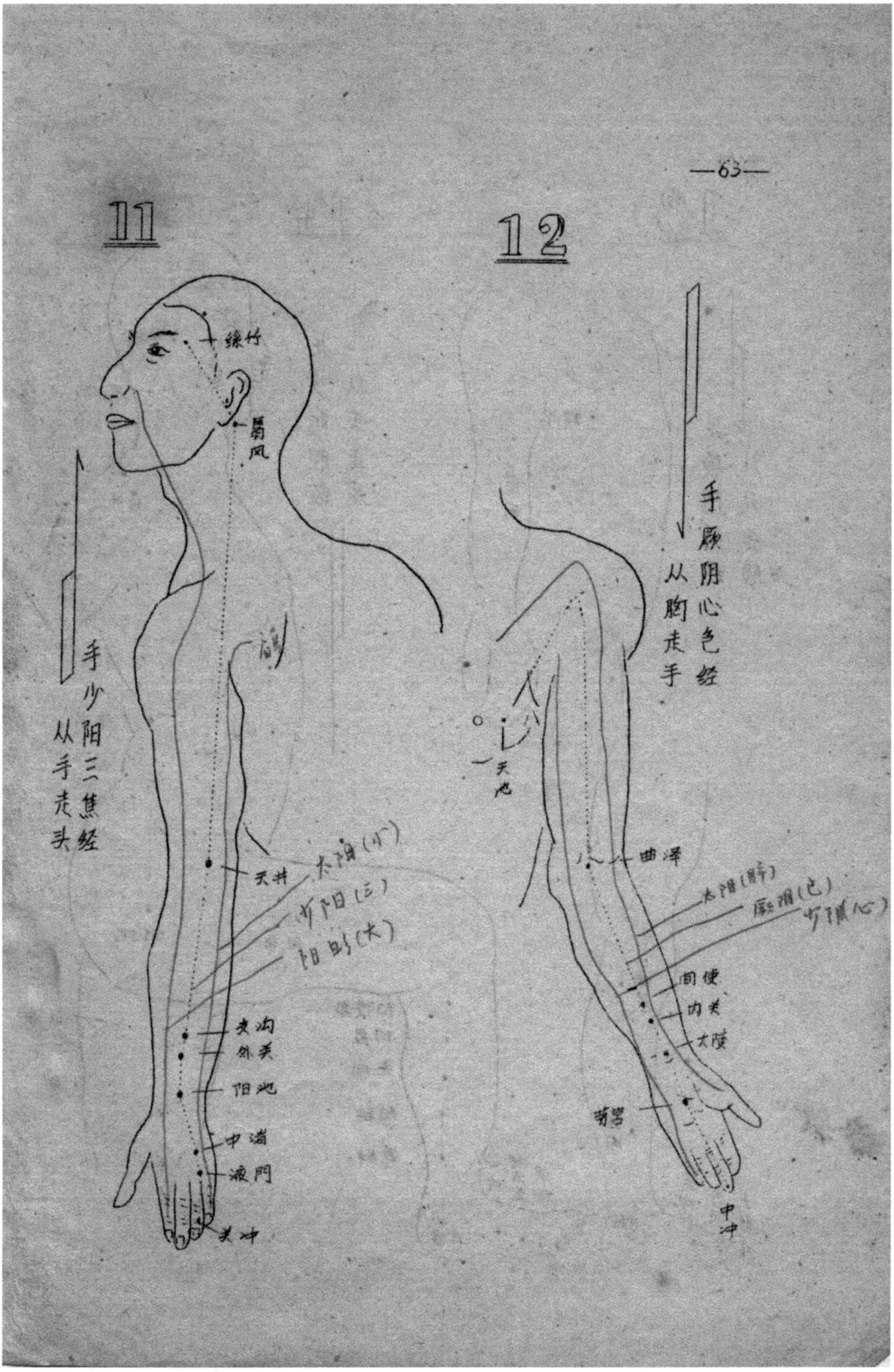

—63—
11
12
丝竹
翳风
手少阳三焦经
从手走头
天井
太阳(小)
少阳(三)
阳明(大)
支沟
外关
阳池
中渚
液門
关冲
手厥阴心包经
从胸走手
天池
曲泽
太阴(肺)
厥阴(包)
少阴(心)
间使
内关
大陵
劳宫
中冲

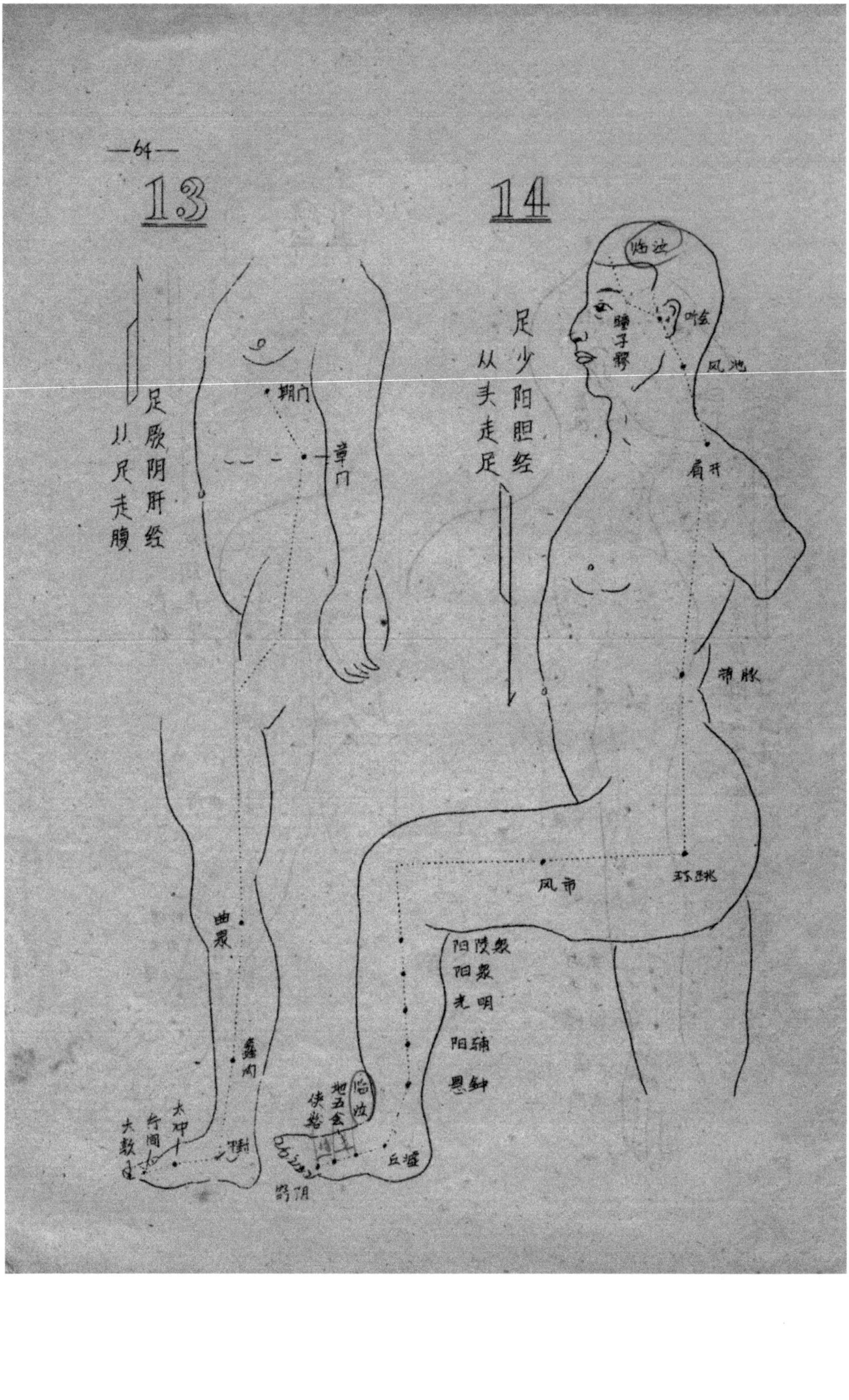

—64—
13
14
足厥阴肝经
从足走腹
期门
章门
曲泉
蠡沟
太冲
行间
大敦
中封
足少阳胆经
从头走足
临泣
听会
瞳子髎
风池
肩井
带脉
环跳
风市
阳陵泉
光明
阳辅
悬钟
地五会
侠溪
临泣
丘墟
窍阴

针灸治疗讲义

提　要

一、作者小传

作者不详。

二、版本说明

油印本、铅印本各1册。二者内容基本一致。

三、 内容与特色

该书在内容上与承淡安先生的《中国针灸治疗学》《中国针灸学讲义》的治疗部分有着很高的相似度，但是在结构体例上又不尽相同。《中国针灸治疗学》分为总论、经穴之考正、手术、治疗四部分。《中国针灸学讲义》按照针科学、灸科学、经穴学、针灸治疗学四部分展开。该书将论述的重点放在了治疗上，除开篇提及分门取穴外，并未涉及经络理论基础、针刺补泻等行针手法的操作、灸法实施的禁忌等内容。故推测，该书是针对已有经络腧穴理论基础，并掌握了针刺和灸法操作理论知识的中医学者而编写，以进一步增强其临床辨病诊疗的中医思维及对针刺、灸法的实际运用能力。

现将该书特色介绍如下。

（一）规范经穴理论，表里相通，分门论治

在该书卷首，作者言明针灸选穴犹如开方组药，也应将“寒则温之，热则清之，虚则补之，实则泻之”作为针灸治病的不二法门，故针灸取穴亦有寒热补泻之别。此处作者的表述与罗兆琚在《实用针灸指要》中关于“穴性穴义”之分门取穴的理念大

体相同。该书作者按照气门、血门、虚门、实门、寒门、热门这六门分门取穴，将常用的穴位按照六门划分穴性归属，介绍各穴位的名称、功用主治、具体定位等内容；又因风门、湿门不能概括于其中，另汇集气病分风、湿二门所取穴，将经络与脏腑紧密相连，言其主要功用，以使学习者临证时易于选取，从临床应用的角度规范了经穴理论。

（二）注重医家经典，治病求因，内容完备

在具体疾病的论述部分，作者引用《难经》原文来注明伤寒的分类，且明确说明学针灸“欲得其详者，非读《伤寒论》全书不可”，着重强调了反复、全面研读中医经典对练习针灸的重要性。对于与疾病相关的内容，作者按门分类介绍，共载入伤寒门、温热门、暑病门、霍乱门、中风门、惊风门、痉厥门、癫狂门、疟疾门、泻痢门、咳嗽门、痰饮门、哮喘门、虚劳门、吐衄门、呕吐门、噎膈门、臌胀门、癥瘕门、五积门、三消门、黄疸门、汗病门、痦瘵门、疝气门、遗精门、淋浊门、癃闭门、便血门、脚气门、痿痹门、妇人门（经病、带下）、头部门、目疾门、耳疾门、鼻疾门、牙齿门、口舌门、咽喉门、小儿疳门、胸腹门、腰背门、手足病门等门类疾病，病种相对齐全，内容完备。对于每一个疾病，作者又从症状、病因、治疗、治理这四方面进行详细论述。作者对病因的叙述极为详尽，充分展现了中医“治病求因”的学术思想，有助于研习者建立系统、完善的中医思维。该书具有较高的临床实用价值。

鍼灸治療講義

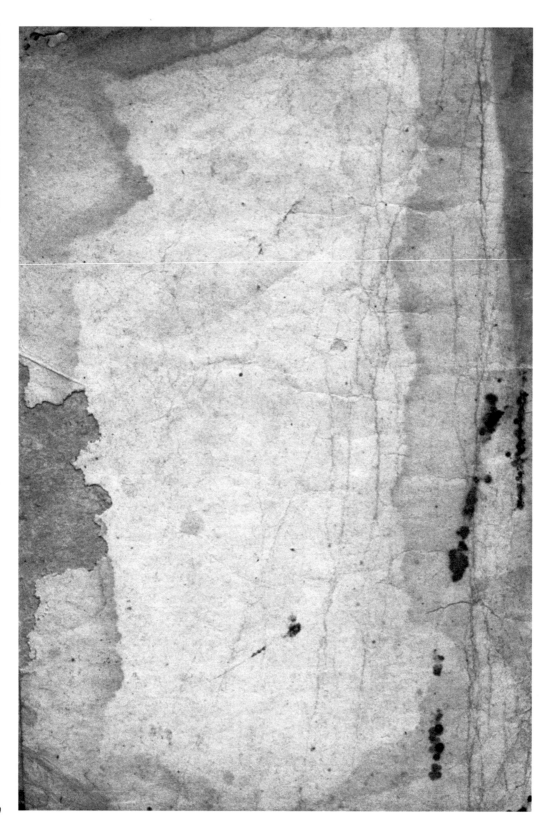

鍼灸治療講義

分門取穴

疾病之生·不離氣血·故湯液治病·有入血分之藥·有入氣分之藥·病之變化多端·則又不離寒熱虛實四則·寒則溫之·熱則清之·虛則補之·實則瀉之·此爲治病之不二法門·故藥物治病·有寒熱補瀉之別·鍼灸亦然也·故鍼灸之取穴·無異湯液之擬藥·爰將普通常用之穴·分別氣血寒熱虛實六門·言其主要切用·俾臨症時易於採取焉·

氣門

少商宣泄肺氣，左大指內側，去爪甲如韮叶，中府理肺利氣，在乳頭直上三寸，旁開一寸，雲門開胸降氣，在中府上一寸六分，經渠降肺氣，治氣逆，在腕後五分，商陽泄大腸之氣，兼泄肺氣，食指內側，去爪角如韮葉，合谷宣泄肺氣之鬱結，在虎口歧骨間，曲池行氣，在肘外輔骨之陷中，內庭疏通腸胃之氣，在次趾中趾之間，豐隆泄瀉肺氣，治哮喘，在外踝上八寸，足三里升氣降氣調中氣，在膝眼下三寸，隱白升陽氣，治嘔逆，大趾內側去瓜甲如韮葉，公孫治脾胃之氣上逆，而止嘔吐，在大趾本節後一寸，風門驅風，治嘔逆上氣，喘臥不安，在第二椎下，旁開一寸五分，肺俞專治肺病，宣泄肺氣，治咳嗽喘喘，在第三椎下，旁開一寸五分，厥陰俞治胸中膈氣，嘔吐，在第四椎下，旁開一寸五分，肝俞專治肝病，能泄肝氣，治肝氣之橫逆，在第九椎下，旁開一寸五分，膽俞泄肝膽之氣上逆，治翻胃食不下，在第十椎下，旁開一寸五分，大腸俞能疏通腸中氣化，在第十六椎下，旁開一寸五分，膀胱俞能疏通膀胱之氣化，而通調小便，在第十九椎下、旁開一寸五分，照海能引氣下行，在內踝下五分，俞府攝肺氣治欬逆上氣，嘔吐不食，在璇璣旁二寸，內關能調肺胃之氣，治嘔逆上氣，在大陵上二寸，陽陵泉舒肝氣導濁，在膝下一寸，外尖骨前之陷凹處，足臨泣泄肝氣，治胸滿氣喘，在足小趾次趾本節後，氣海通治一切氣病，振陽氣，利氣，在臍下一寸五分，建里理中焦之氣，治心痛上氣嘔逆不食，在中脘下一寸，中脘專理腸胃之氣而助消化，在臍下四寸，下脘功用同上，在建里下一寸，上脘功用同上，在臍上五寸，巨闕治咳逆上氣，胸滿氣痛，在臍上大寸，膻中治一切氣病氣喘，短氣，喘哮，咳逆，噎氣，翻胃，膈食，在兩乳之中間，天突治氣上熱咳嗽哮喘在結喉下一寸，大椎調和衛氣，在第一椎下，

血門

尺澤止血，治吐血，在肘中約紋之中心，魚際治吐血，咳血，在大指本節後，赤白肉際，太淵治咳嗽，咳血，在寸口前橫紋上，少商刺出血，能使氣血流通，商陽刺出血，功用同上，二間能治鼻衄在食指第二節之前內側，合谷治牙衄，在虎口歧骨間，曲池行血，治婦人經水不行，在屈肘橫紋頭，迎香治血衄鼻

，在鼻孔旁五分，天樞治嘔血，衝氣上逆，女子月水不調漏下，或血結成塊，在臍旁二寸，足三里破瘀血，治吐血，咳嗽血在膝眼下三寸，內庭治齒衄，衄鼻，在次趾中趾之間，三陰交通經行瘀，清血，生血，涼血，固血，在內踝三寸，地機治月事不調，在膝五寸內側，血海功用同上，在膝臏上二寸，腹哀治大便濃血，在中脘旁四寸，少冲刺出血，能通行氣血，在小指內廉之端，在爪甲如韭叶，少澤刺出血，功用同上，在小指外側爪甲旁，風門治鼻衄不止，在第二椎下旁一寸五分，肺俞治咳嗽，吐血，在第三椎下旁開一寸五分，心俞治嘔血，咳血，在第五椎下，旁開一寸五分，肝俞治嘔血，咳血，在第九椎下，旁開一寸五分，膈俞通治一切血病，凡屬血症，均宜取之，在第七椎下，旁開一寸五分，委中清血，解血中之毒，在膝膕窩之正中，合陽治女子漏血不止，在委中下二寸，照海腎氣虛寒，灸之治月事不行，在內踝骨下四分，交信功用與合陽同，在內踝上二寸，大陵治喘咳嘔血在手腕橫紋之陷中，中衝刺出血，能通行氣血，在中指之端，去爪甲如韭葉，關冲功用同上，在無名指外側，去爪甲如韭叶，大敦治血崩，漏下不止，在大趾爪甲後叢毛中、行間行瘀，破血結，在大趾次指合縫後五分、太冲通經行瘀，養血涼血，在行間後寸半，曲泉清血，涼血，養血，在屈膝橫紋陷中，中極治婦人血崩不止，或月事不通，或產後惡露不行，血結成塊，在臍下四寸，關元功用同上，在中極上一寸，氣海功用同上，在臍下寸半，陰交功用同上，在臍上一寸，

虛門 虛則補之

大淵生津液，潤肺，**天樞**灸之，治虛損勞弱，**足三里**補脾胃，益氣血，**上巨虛**，益胃**隱白**補脾益氣，**公孫**補中運脾陽，**三陰交**補三陰之虛損，益精生氣血，灸之，則補陽氣，**漏谷**益精治失精，在三陰交上三寸，**地機**補脾，益陰精，在膝下五寸內側，**少冲**養精液**肺俞**補肺，治虛勞，**心俞**補氣血之不足，**膈俞**養血，生血，**肝俞**益肝，補氣血，**魄戶**治虛勞肺痿，在第三椎下，旁開寸半，**膏肓俞**補虛損，益精氣，治虛羸瘦損，夢遺，在第四椎下，旁下三寸，**脾俞**補脾胃，助消化，在第十一椎下，旁開寸半**胃俞**功用同上，在第十二椎下，旁開寸半，**腎俞**益精，補腎陰，灸之，壯腎陽，在十四椎下，旁開寸半，

湧泉補腎，俞精，滋陰，退虛熱，在足掌心中，**關元俞**補虛，腸胃虛寒泄瀉，在十七椎下旁開寸半，**中膂俞**補腎陰，治腎虛消渴，在二十椎下旁開寸半，**太谿**益腎滋陰，在內踝後五分，**交信**補腎滋陰，在內踝上二寸，**復溜**功用同上，在內踝上二寸，**間使**治陰虛，盜汗，**支溝**生津液，潤大便，在陽池後三寸，**行間**益肝滋陰，在大趾次趾合縫後五分，**太冲**養肝陰，在行間後寸半，**曲泉**養肝補血，在膝內側，屈膝橫紋與頭陷中，**中極**治下元虛冷，在臍下四寸，**曲骨**補真氣益精，在中極下一寸，**關元**固下元，益精氣，治諸虛百損，在中極上一寸，**氣海**固下元，益陽氣，補腎陰，在臍下寸半，**神闕**灸之，益陽氣，治陽氣之欲脫，在臍中，**中脘**補胃助消化，在臍上四寸，**上脘**功用同上，在中脘上一寸，**下脘**功用同上，在中脘上二寸，**命門**補腎，益精，虛損，退骨蒸，勞熱，在十四椎下，

實門　實則瀉之

神門在腕後銳豆骨之下陷中，少冲小指內側，通里俱瀉心在腕側後一寸，湧泉在足掌心，然谷在公孫後一寸，太谿俱瀉腎，在內踝後五分，公孫在大趾本節後下一寸，商邱在內踝骨下微前陷凹中，陰陵泉俱瀉脾，在膝下內輔骨下陷中，大陵在手腕橫紋之陷中，勞宮在掌心，內關在大陵上二寸，曲澤在肘內廉下之陷凹中，中衝俱瀉心包，中指之端，中府在乳上三寸外開一寸，少商 魚際 尺澤 列缺俱瀉肺，行間 太衝在大趾節半寸，曲泉俱瀉肝，在曲膝之橫紋端，商陽 二間 合谷 曲池瀉大腸，內庭 足三里俱瀉胃，少澤 小海俱瀉小腸，在尺骨之端去肘尖五分陷中、委中瀉膀胱，關冲 外關腕後二寸，支溝腕後三寸，俱瀉三焦，竅陰在第四趾外側爪甲角，足臨泣在足小趾次趾本節後，去俠谿一寸五分，陽陵泉俱瀉胆，在膝下一寸，外尖骨前之陷凹處，膻中 氣海俱瀉氣，血海 膈俞俱瀉血，關元瀉膀胱，天樞泄胃腸，通腸逐穢，中脘瀉府濁，導豐隆瀉痰濁，通大便，上脘瀉胸膈，期門瀉肝，

寒門 寒則温之

中脘温中暖府，治腸胃有寒，及腹一切寒冷，氣海治腹中一切寒冷，温則下三焦，關元温下焦，振陽氣，温子宮，章門治臟寒積，在臍旁季肋端，心俞振陽氣，温氣血，神闕温暖腸胃而回陽，足三里治胃寒腹中寒冷，三陰交温中下焦，治血寒一切寒冷，公孫理心腹寒，陰陵泉理脾寒温中焦，隱白温脾

鍼灸治療講義　五

壯陽理中下焦寒，曲泉理血寒腹中寒冷，然谷溫下元肋腎火，命門一腎俞功用同上大椎解表寒，後谿同上陶道同上大敦溫肝治寒症，

熱門　熱則清之

少商　尺澤　魚際　肺俞俱清肺熱，列缺　經渠退表熱，商陽　二間清陽明經熱，退身熱，合谷清氣分及頭面諸竅之熱，曲池退身熱，清氣血，退諸熱，天樞清腸胃之熱，足三里清胃腑熱，豐隆降胃熱，化熱痰，解谿清胃熱，在足腕上繫鞋處，內庭功用同上，衝陽毫鍼刺出血，能退熱，在足蹈上五寸，足背最高之部，厲兌清胃熱，大都清脾，三陰交清血熱，平肝熱，陰陵泉清脾熱及胸中血熱等，血海清血熱，神門　通里　少府俱清心熱，少冲刺出血，清血熱，少澤功用同上，後谿清表熱，大杼驅表熱，風門清胸背之熱，心俞清心熱，瀉五臟之熱，膈俞清血熱，肝俞清肝熱，主瀉五臟之熱，脾俞功用同上，腎俞功用同上，小腸俞清腸中之熱，中膂俞清腎熱，委中刺出血，清血中之熱毒，主瀉四肢之熱，湧泉清腎熱治病後餘熱不解，及熱厥，大谿清熱養陰，曲澤清心包之熱，治身熱煩渴，間使清心包解胸中熱，內關功用同上，勞宮清心包，退身熱，中衝刺出血，清血熱，關冲功用同上，外關治一切外感身熱，支溝清三焦之熱，絲竹空清頭目熱在眉毛梢外端陷中，陽陵泉降肝胆熱，懸鍾清三陽及膽熱在外踝上三寸，足臨泣清肝胆熱，竅陰功用同上，行間清肝腎之熱，上脘清心胃熱，中

脘清胃熱，命門清虛熱，陶道解表熱退身熱，大椎功用同上，百會清頭部熱及腦熱，金津玉液出血清心胃熱而生津液，舌下紫絡。

氣病分門取穴

大氣者·風·寒·暑·溼·燥·火·是也·以其能病人·故曰六淫·又曰外邪·六氣之中·寒氣則於寒門中酌量取穴治療之·熱氣則於熱門中求之·燥與火可於虛門與盧門之清熱生津之穴治療之·惟風與溼則不能概括於四門中·茲再彙集治風治溼諸穴·分別二門·

風門

魚際解外感風寒之邪，列缺解外感風邪治頭風，合谷解表驅風寒，頭維驅風治頭痛，大杼解表風，風門能治一切風症，肺俞驅風邪治風寒咳嗽，風池治頭風外感風邪，環跳搜經絡之風治冷風溼痺，在髀樞之宛陷中，肩髃搜周身四肢經絡之風，曲池搜周身風邪，風市治腰腿之風，在膝下外廉兩筋中，陽陵泉舒經絡搜四肢之風，風府專治風病，凡感風邪，驚風中風等均能治之，及百會治頭風及暴中風，水溝治暴中風，及頭面風邪，在鼻下溝之正中，委中治腰腿風，足三里搜四肢風，

溼門

是三里燥溼祛溼，上巨虛祛溼在三里下三寸，下巨虛功用同上，在三里下五寸，三陰交化溼行溼，陰陵泉滲濕利小便，脾俞，化寒溼醒脾快胃，胃俞功用同上，委中利溼，承山化脾胃之溼，而助消化，在委中下八寸腨肉之間，陽陵泉行溼，崐崙功用同上，太谿利溼，然谷功用同上，復溜化溼，內關利溼，治溼痰滯於肺胃，懸鍾，祛溼，水分利小便滲溼，而治水腫，中脘化脾胃之溼，天樞功用同上，至陽化膽胃之溼，

傷寒門

難經曰・傷寒有五・曰中風・曰傷寒・曰溼溫・曰熱病・曰溫病・故傷寒者・概括外感諸症而言也・凡疾病之由外受者・謂之外感・外感之邪・由皮毛而腠理・而後傳入經絡臟腑・引起人身之內臟・血液神經等起變化・此傷寒之所由作也・漢時張仲景・將傷寒之症狀・分屬於太陽・陽明・少陽・太陰・少陰・厥陰・六經論治・三陽症中・則有表症腑症・三陰正中・則有寒化熱化・六經之中・復有合病・併病・傳變・等等・分條縷析・於所著傷寒論中・言之極詳・爲後世醫家治療傷寒之正宗・惟全書洋洋數萬言・非短期間所能研究・茲挈六經之提綱・合其湯藥之方劑・參入鍼灸之治法・分別言之・欲得其詳者・非讀傷寒論全書不可・

太陽

症狀　頸項强痛・惡寒・脈浮・如兼體痛嘔逆・無汗脈緊者・爲傷寒・如兼發熱・汗出惡風脈緩者・爲中風・

病因　傷寒有廣義狹義二種・廣義之傷寒・概括外感諸病而言・狹義之傷寒・即本條太陽病之傷寒症也・外感之邪・侵入人身之表部・名太陽病・爲風寒襲入化病之第一期也・人身感受外界之寒邪・血管收縮・故脈浮緊・血液凝固・故頭項强痛・寒邪外束・周身之毛孔閉塞・故無汗・肺氣不宣・故嘔逆・毛孔閉塞・體溫不能外達・故惡寒・如感受風邪・則風屬溫化・能使神經興奮・促進汗腺之排泄機能・故汗出・汗腺弛張・毛孔不閉・故惡風・體溫因汗出而外達・故發熱・

治療　風府　針瀉　合谷　同上　頭維　同上　風門　針灸

治理　風寒之邪・侵襲肌表・治宜解表・故針風府驅逐風寒・合谷疏表發汗・風門頭維・治頭項之强痛・以其能直達病灶・而疏通該部之凝固也・諸穴合針・則有疏解表邪・和榮諧衛之功・

太陽腑病

症狀　太陽病發汗後・脈浮・發熱・渴欲飲水・水入則吐・少腹硬痛・小便不利・此爲蓄

病因 水症・若少腹硬痛・脈微而沉・小便自利・其人如狂・此爲蓄血症・太陽之腑爲膀胱・俗稱尿胞・爲貯尿之囊・其底旁左右各有輸尿管一條・通於腎臟・人身飲食之水・由腎臟分泌後・再由輸尿管而入膀胱・貯蓄既滿・則由膀胱之排尿口從尿道泄出・若病邪入膀胱・則排尿口因病邪之刺激・而括約閉鎖・是以小便不利・愈積愈多・因而痠滿・故少腹發硬而痛・同時腎臟因膀胱不能排泄・其分泌機能・亦受障礙・既不能分泌・自不能吸收・故雖渴欲飲水・而水入即吐也・若蓄血症・則因病邪・入於血管・腎臟分泌不能得力・則熱邪并入血中・自膀胱而出・若一時盡下・則病自解・無容醫治・故傷寒論有太陽病不解・熱結膀胱・其人如狂・血自下・下之則癒之明文・若結於膀胱而不下・或下而不盡。故雖小便通利・而少腹仍硬痛也・

治療 蓄水——大椎　針　曲池　同上　陰陵泉　足三里　小腸俞　中極　膀胱俞　以上均針

蓄血——中極　三里　神門　內關　膀胱俞　以上均針

治療 蓄水蓄血・原屬二症・症雖各異・然蓄於膀胱則一也・故宜鍼中極膀胱俞二穴・以行膀胱中所結之血與水也・足三里宣洩膀胱之氣化・而使之下行也・蓄水者・則佐陰陵與小腸俞通利小便・大椎・曲池・退熱止渴・蓄血者・則加鍼神門・內關・以

二穴能安神定志・清熱以治其狂也・

陽　明

症狀　壯熱・煩燥・不惡寒・大渴引飲・大汗出・脈洪大而數・脣口乾燥・此爲陽明經病・如日晡潮熱譫語・口臭氣粗・腹痛拒按・矢氣頻轉・大便祕結・小便短少・脈沉實有力・甚則沉伏・此爲陽明府症・

病因　(經病)有由於太陽病・失於調治・轉屬陽明・或由體氣衰弱・風寒之邪・長驅直入而成・蓋風寒之邪・襲入人身・體溫不能外達・故發熱・久而不解・則體溫亢盛・故壯熱・表寒已罷・故不惡寒・臟腑受高熱薰灼・故煩躁・因其熱度過高・津液受其蒸迫・故大汗大熱・津液被奪・臟腑肌肉・失其滋潤・故脣舌乾燥・而口發渴・欲飲水以自救也・熱盛則心房張縮頻而速・故脈亦洪大而數・

(府病)陽明之腑爲胃・良由熱邪深伏於腸胃・故肌膚反不覺大熱・而爲發作有時之潮熱・胃中之迷走神經・受高熱之刺激・影響於腦・腦神經失其正常之知覺・故譫言妄語・神識糢糊・熱則灼津・腸胃枯燥・失其蠕動之能力・不能滋潤糟粕以排泄之・結於腸中・而爲燥屎・故大便不行・穢臭之氣・則由肛門泄出・故矢氣頻轉・因燥屎停滯腸中・故腹痛而拒按・津液爲大熱所劫・腎臟無從吸收水分・分泌量減

少・故小便短少・

治療　二間　三間　合谷　曲池　內庭　解谿　中脘　足三里　支溝

瀉，內針照海

治理　陽明經病・爲熱邪蘊於腸胃・其主要症爲熱・故取大腸經之二間・三間・曲池・及胃經之內庭・解谿等穴・以瀉其熱・此治經病之法也・腑病不但腸胃熱・且腸中有燥屎・則其主要症爲燥屎・仲師有急下存津之法・故取支溝照海・以通大便・佐中脘足三里・以疏通腸胃之氣・兼鍼經病各穴以清熱・此治府症之法也・

少陽

症狀　寒熱往來・胸脅苦滿・默默不欲飲食・心煩喜嘔・口苦咽乾・頭痛在側・目眩耳聾・脈眩細・或弦數・

病因　或由太陽轉變而來・或由風寒直入而成・太陽之邪在表・故曰表症・陽明之邪在裏・故曰裏症・少陽之邪・既不在表・又不在裏・而在於胸膜肋膜・及橫膈膜等處軀殼之內・臟腑之外・介乎表裏之間・故曰半表半裏症・邪在表則惡寒・在裏則發熱・少陽之邪・在半表半裏・故有表症之惡熱・復有裏症之發熱・而成寒熱往來之現

衆・因其邪在胸膜肋膜橫膈膜等處・附近之肝脾膵三臟・亦因之而腫大・氣血亦不能暢行・故胸脅部自覺滿悶・同時胃之消化機能・亦受病邪之影響・故默默不欲食・横膈膜痙攣・故欲嘔・少陽之腑爲胆・胆得熱則分泌力亢進・胆汁上溢・故口苦・胸脅部發熱・故心煩而咽乾・病邪上激・頭部血管鬱血・故頭痛・耳部之聽神經・與目部之視神經・因受邪之影響・而發生變化・故目眩耳聾・

治療
治理

足臨泣　足竅陰　期門　中渚　間使

臨泣爲少陽之兪・能治胸滿目眩・竅陰爲少陽之井・能治耳聾口乾心煩・中渚瀉少陽之氣・間使除寒熱・期門宣泄胸脅中之邪・以其位居乳下・故能直達病灶・而瀉胆中之熱・

按傷寒三陽經中・太陽陽明各有經病腑病・前人區別甚詳・惟少陽腑症獨缺・謝利恒先生謂目眩口苦・係胆火上炎・胸脅苦滿・係胆火擾胃・寒熱往來・係三焦不和・是少陽見症之目眩耳聾脅痛爲經絡病・經病腑病・往往齊見而混合・故小柴胡湯一方・亦經腑合治而不分・并非少陽無腑病也・

又按俞根初先生通俗傷寒論・則謂熱寒往來・耳聾脅痛爲經病・目眩咽乾・口苦善嘔・膈中氣塞爲腑病・二說雖略有不同・而經腑每多合病・不必爲之强分也・本篇少陽條・亦經腑合而言之・而治療條中・所取各穴・亦已概括經病腑病之治法矣・

太陰

症狀　腹滿而吐。食不下。時腹自痛。自利不渴。脈遲或微。舌苔白。是爲寒化。兼壯熱煩渴。舌焦黃。脈洪數者爲熱化。

病因　凡病邪侵入人身。正氣出而抵抗。正邪相搏而發生種種現象。是謂病症。然人之體質有強弱。年齡有盛衰。年富質強者。正氣之力有餘。與病邪相抵抗。一則成機能亢進之現象是爲陽症。即熱化也。年老質衰者。正氣之力不足。與謂邪相抵抗。一則顯機能衰減之現象。是爲陰症。即寒化也。故受病之原因雖同。而爲寒化熱化。則每因病者體質之強弱爲各異也。夫太陰者脾臟也。古人以上列諸症爲脾病。實則即腸胃病也。寒化症。乃由體質孱弱。冷氣內侵。或飲食生冷。以致腸胃受寒。飲食留滯胃中。不能消化。故腹痕滿而痛。而飲食不進也。因其爲寒化。故口不渴。血液得寒則凝泣。血行慢緩。故脈遲或細。若夫熱化。則體溫增高。故壯熱。水分因熱而消耗。故口渴舌焦。此寒化熱化之別也。致於吐利。爲寒化熱化皆有之症。蓋胃腸得寒。則血管收縮。失其吸收作用。故上逆而爲吐。下注而爲利。得熱則蠕動亢進。血管不及吸收。故亦爲吐利也。

治療　寒化　隱白　公孫　足三里　中脘　章門　熱化　少商　三陰交

治理 隱白　大都　中脘　天樞

隱白爲太陰之井・故能治腹滿・公孫與足三里・能引氣下行・以止嘔吐・佐章門直達病灶・則止嘔吐之功益偉・中脘促進腸胃之消化與分泌機能・而治自利・灸之則增加溫度之驅寒・熱化則取少商以泄熱・三陰交淸熱而養津液・隱白大都・止嘔而泄太陰之熱・中脘天樞・直泄腸胃之熱邪・而制止其蠕動之亢進・則無吐利之患矣・

少陰

症狀 目瞑蜷臥・聲低息微・不欲食・身重惡寒・四肢厥逆・腹痛泄瀉・自利淸谷・口不渴・脈細緩・舌白・此爲挾水而動之寒化症・若心煩不寐・肌膚灼燥・小便短數・脈虛數・舌光紅・少津液・此爲挾火而動之熱化症・

病因 腎虛之體・外邪侵襲腎經・腎陽虛者・則挾水而動・腎陰虛者・則挾火而動・挾水而動者・是爲寒化・爲全體機能衰減之病也・下焦虛寒・體溫減低・不能達於四肢・故惡寒而四肢厥逆・寒邪過盛　血液緩滯・心臟衰弱・故聲低息微・不欲言語・而脈細緩・四肢之神經與血管・得寒而收縮・故身痛而蜷臥・腸胃不能消化・腎臟失於吸收・故泄瀉而自利淸谷・挾火而動者・是爲熱化・則因體溫亢進・津液大傷

·故肌膚灼燥·神經因熱而興奮·故心煩而不能安寐·津液少則血管空虛·體溫高則血行迅速·故脈虛數·

治療　寒化　腎俞　肓俞　關元　太谿　復溜　各穴俱針均灸　熱化　湧泉　照海　復溜　至陰　通谷　神門　太谿

治理　寒化屬腎陽虛·故灸腎俞以溫腎·關元驅腸胃之寒·佐肓俞所以治腹痛也·太谿爲少陰之俞·復溜爲少陰之經·灸之能治身重惡寒·熱化刺湧泉照海復溜太谿以泄少陰之熱·而生津液·至陰爲膀胱之井·通谷爲膀胱之滎·鍼之以泄膀胱之熱·少陰病而取膀胱之穴者·腎與膀胱相表裏故也·

厥陰

症狀　張目直視·煩躁不眠·熱甚不惡寒·口臭氣粗·四肢厥冷·心胸灼熱·熱甚厥深·或下利濃血·或喉爛舌腐·脈弦數而洪·舌紅或紫或絳·此爲純陽症·若四肢厥冷·爪甲青黑·腹中拘急·下利清谷·嘔吐酸苦·脈細遲或沉·此爲純陰症·若腹中痛攣。四肢厥冷·吐利交作·心中煩熱·渴喜飲冷·飲下即吐·煩渴躁擾·脈象細弦·或細數不靜·舌或黃或白·舌質紅似潤而齒乾·此爲陰陽錯雜症·

病因　厥陰爲六經之極盡・陰之盡・陽之生・故有純陽症・有純陰症・又有陰陽錯雜症・純陽症・由熱邪傳變而來・純陰症爲寒邪直中而得・陰陽錯雜症・爲直中之寒邪・與傳變之熱邪・互相錯亂而成・茲分別言之・

（純陽症）熱邪傳入厥陰・體溫極高・故熱甚而不惡寒・厥陰屬肝・肝熱上激・故目開而直視・熱盛則氣血沸騰・故煩躁不眠・心胸灼熱・因其內有急劇之熱・氣血內趨以事救濟・不能充達於四肢・故四肢反覺清冷・內熱愈盛則冷亦愈甚・故曰熱深者厥亦深・喉舌爲熱邪所熏灼・而喉爛舌腐・熱邪入腸中・腸壁發炎・腸膜潰爛・故下利膿血・

（純陰症）寒邪直中厥陰・體溫之生成因之減少・不能達於四末・故四肢厥冷・與純陽症之因寒而厥者・適得其反・其辨別之法・先熱而後厥者・爲熱厥・不熱而厥者爲寒厥・寒邪盛則血行瘀滯・故爪甲青黑・傷胃得寒而不運化・故下利清谷・嘔吐酸水・陰陽錯雜症・陰陽錯雜・寒邪互見・故有陰症之吐利・厥冷・腹中痛攣等症・復有有陽症之心中煩熱・渴欲引冷等症・然非純熱・故雖飲下即吐也・

治療　純陰症　肝兪　關元　行間　中極　期門　五穴用灸治之

純陽症　大敦　中封　期門　靈道　肝兪

陰陽錯雜症　中封　靈道　關元　間使　肝兪

純陽症爲熱邪．故宜鍼以瀉之．大敦爲厥陰之井．中封爲厥陰之經．鍼之所以清泄厥陰之熱也．期門肝俞泄肝氣．靈道退身熱．純陰症爲寒邪．故宜灸以溫之．灸肝俞行間期門者．驅厥陰之寒邪也．灸中脘關元爲直接驅除腸胃之寒邪．而治下利嘔吐腹部拘急等症．陰陽錯雜症爲寒邪互見．故針中封靈道以泄熱．灸關元間使以驅寒．

溫熱

傷寒與溫熱皆外感病也．惟外邪之侵襲人身．因其所入之部位不同．或所受之氣邪各異．其所病則異焉．夫傷寒爲感受外界之寒邪．由毛竅而入．漸次傳裏．初起必有惡寒見症．入陽明始從熱化．故其發現大熱時．必在數日以後．其發也緩．而溫熱則不然．蓋溫熱之邪．從口鼻而入．初起少惡寒症狀．卽有之亦甚微而易解．旋卽大熱口渴．或神昏譫語．相繼而來．其發也暴．此傷寒溫熱辨別之大要也．茲復採戴北山廣溫熱論中．傷寒與溫熱之辨論五種．摘要錄之如下．

一、辨氣．傷寒由外入內室．有病人無病氣．間有有病氣者．必待數日之後．轉入陽明經腑之時．若溫熱之病氣．從中蒸發於外．病初卽有病氣觸人．以人身藏府津液．逐蒸而．（下略）此節言傷寒無臭氣．溫病則有臭氣也．

二、辨色・風寒主收歛・面色多光潔・温病主蒸散・面色多垢晦・或如油膩・或如烟蒸・望之可憎者・皆温熱之色也・

三、辨舌・風寒在表・舌多無苔・即使有苔・亦薄而滑・漸傳入裏・方由白而轉黃・轉燥・轉黑・温熱頭痛發熱・舌上便有白苔・且厚而不滑・或色兼淡黃・或粗如積粉・傳入陽明・則兼二三色・或白苔且燥・又有至黑不燥者・則以兼色之故・（下略）

四、辨神・風寒中人・自知所苦而神清・傳裏入胃・始有神昏譫語之時・温病初起・便令人神情異常・而不知所苦・大概煩燥者居多・且或擾亂驚悸・及問何所苦・則不自知・即間有神清而能自主者・亦多夢寐不安・閉目若有所見・（下略）

五、辨脈・温熱之脈・傳變後與風寒頗同・初起時與風寒迥別・風寒初起脈無不浮・温邪從中道而出・一二日脈多沉數・

讀藏氏文・則温熱與傷寒之辨別・已甚明了・然所謂温熱者・乃一切温病熱病之總稱・病之屬於温熱者・則有風温・暑温・温毒・温疫・溼温・秋温・冬温等等・揆其致病之原有二・一曰外感温熱・一曰伏氣温熱・外感温熱者・即感受温熱之邪・隨感隨發者是也・伏氣温熱者・乃感受外邪而不即病・潛伏人身・至相當時期而發・內經所謂冬傷於寒・春必病温・冬不藏精・春必病温等是也・夫病邪既襲人身・安可潛伏不動・相安無事・而經過此長期・始爲病貌・視之殊屬妄誕・然借證於西學・則知其爲不謬・我中醫之所謂病邪・即西醫之

所謂細菌．細菌侵襲人身．人身之體質强健．抵抗力强．則細菌亦末由施其技．而寄生於血液．或淋巴間．因而蕃殖．是謂潛伏期．發育既多．抵抗力不能支持．其病乃作．是謂發作期．伏氣溫熱之病．良有以也．

風溫

病狀 微惡寒．發熱頭痛．咳嗽胸悶．自汗出．或見鼻衄．舌黃或白．脈浮數．

病因 經云．冬傷於寒．春必病溫．良由內有伏邪．至春令時届溫暖．因受外邪之引誘而發．此乃伏邪爲病．其原因已逝於前．亦有內無伏邪．因春有氣候溫暖．人身之陽氣外泄．腠理漸疏．猝遇時感．致成此疾．夫所謂風溫者．乃風中夾熱氣．人感觸之．由口鼻而入於肺．肺氣不宣．故胸悶不舒．病邪積蓄肺部．氣管因之不利．，發咳嗽．若熱度較高．鼻部血管．乃充血而破裂．血溢於外．故鼻衄．熱量充實肌膜．故發熱．頭痛者．血中廢物內蘊腦部．毛細管鬱血．故頭部覺痛也．

治療 魚際　經渠　尺澤　二間　針瀉

治理 魚際爲太陰之榮．功能解表熱．經渠爲肺之經．能治咳嗽而除寒熱．尺澤爲肺之合．所以瀉肺中風熱之邪．肺與大腸相表裏．故取大腸之榮穴二間以泄熱．且此穴亦有宣泄肺氣之功．針之以爲諸穴之佐使也．

暑溫

症狀 面痛壯熱・煩渴引飲・昏悶喘促・甚有神志不清・汗出如瀋・脈象洪數・或虛數・舌光絳・

病因 溫病之發於正夏者・名曰暑溫・蓋炎夏暑熱蒸令・赤日懸空・酷熱如焚・人在氣交之中・感受暑熱之氣・因而成病者・是謂暑熱・暑熱之邪・侵襲人身・由肺直入・體溫增高・故壯熱・熱邪蒸迫津液外出・故汗出如瀋・煩渴引飲者・大熱傷津也・昏悶喘促者・熱聚肺・肺氣膨脹而從氣管以排泄也・熱邪激越・腦神經被刺激・故神志不清・熱盛則脈洪數・津傷則脈虛數・舌光而色絳者・亦熱重津傷之故也・

治療 經渠　神門　湧泉　委中　陶道　支溝　神志不清者加鍼人中

治理 針經渠取其能泄肺之熱邪・而治昏悶喘促也・湧泉能清熱而增津・委中刺血・以清血中暑熱之邪・支溝陶道退身熱・諸穴合針・則自清暑熱・增津液之功・神門一穴・則專治神志不清・鍼而瀉之・亦有退熱之效・如神志不清者・則加鍼人中穴・以醒神昏・以爲神門之佐使・則其功效益佳也・

溫毒

症狀　壯熱面赤・大渴引飲・口氣穢濁・咽痛喉腫・目紅・氣出如火・中心煩燥・神昏譫語・舌黃或紅・脈象洪數・

病因　溫熱之邪・兼夾穢濁之毒・觸之成病・直干心包內臟・而入血分・其熱尤甚於暑溫・故不但壯熱煩渴・神昏譫語・更覺心中煩熱・呼出之氣如火也・咽喉受熱毒之熏灼・因而發炎・熱毒上乘・目部因而充血故目赤・此症爲溫熱病中最危最重之候・正如火之燎原・非大清其熱毒不足濟也・

治療　少商　商陽　中衝　關冲　少冲　少澤　委中　俱刺出血　支溝

合谷　勞宮針瀉

治理　少商爲肺經之井・商陽爲大腸經之井・中衝爲心包絡之井・關冲爲三焦之井・少冲爲心之井・少澤爲小腸之井・刺出血・所以泄各經之熱毒也・委中出血則清血分之熱・合谷泄氣分之熱・勞宮爲心包絡之榮・鍼之以清心包之熱・支溝爲三焦之合・能泄三焦之熱・熱毒退・神志清諸恙自解・

秋燥

病狀　初起惡風寒・發熱無汗・煩躁・痰嗽胸悶・口唇渴燥・舌無苔而燥・甚則喘促咳逆・咯血・脅肋膺乳掣引而痛・不能轉側・

病因 燥氣爲病。多起秋令。蓋金風飄拂。燥烈之氣大行。人感之則成病。或素熱內伏。復感外邪而發。凡燥氣傷人。首先犯肺。次傳於胃。燥邪傷肺。故痰喘胸悶。甚則喘促咳逆。肺熱過重。肺絡破裂。血從氣管外溢。故咯血。肺臟受病而波及附近之脅肋膺乳等處。故亦牽引作痛也。

治療 少商　魚際　尺澤　內庭　金津　玉液

治理 少商爲肺之井。鍼之則泄肺之燥熱。而兼治脅肋等處之痛。魚際尺澤合谷清泄肺熱。尤能止咯血。內庭清陽明之熱。金津玉液則能生津止燥。各穴相合。大有清燥熱潤肺止血之妙用。

冬溫

症狀 身熱微惡寒自汗。或不惡寒。頭痛咳嗽。煩熱而渴。或咽痛或頰面腫。甚則神昏譫語。舌黑齒燥脈浮數。

病因 立冬以後。立春以前。所發之溫病。即名冬溫。夫冬月嚴寒。理無溫病。良田氣候反常。應寒而反溫。其不正之氣。中於人而發出。或平素嗜食溫熱之品。致內有蓄熱。兼感外邪。而發溫邪。在肺則肺失清肅。溫邪鬱結於肺。故咳嗽咽痛。溫邪上越。則面浮頰腫。溫邪在胃。則口渴引食。熱盛犯腦。則神昏譫語。津液枯涸。則舌黑齒乾．冬溫見此．則爲危篤之候．頗難調治．亟宜淸熱養津．或可挽救．

治療　魚際　合谷　液門　內庭　復溜　神門　間使．

治理　魚際合谷淸泄肺中溫邪．液門淸熱而能治咽腫．復溜淸熱而生津液．內庭則泄胃中之熱邪．如神昏譫語者則鍼神門間使以淸之．若舌黑齒乾．速宜刺金津玉液．以復津液．不然鮮不僨事也．

溼溫

症狀　初起微惡熱．繼則發熱．飲食少思．午前較輕．午後則劇．身痛頭重．脘腹胸脅痞滿．小溲短赤．面色垢濁．渴不多飲．神志糢糊．甚則言語譫妄．舌苔厚膩垢濁．口糊兩脈濡細或濡數．

病因　溼溫病多患於長夏秋初之時．蓋此時旣多暑熱．每多淫雨．暑熱與雨溼交蒸．化生溼熱之邪．人感觸之．輒病溼溫．或飲食厚味．腸胃吸收作用減退．因而生溼．復感外邪而成．夫濕溫之邪．侵襲人身．則汗液停蓄而起鬱血．故初起有微惡寒及身痛頭重等症．惟不若傷寒之惡寒重也．溼熱之邪與體溫相鬱蒸．故繼則蒸蒸發熱．熱度有時而升降．有時而減輕．有時加劇．溼熱留於腸胃．運化失職．故不思飲食．胃中之飲食腐敗發酵故脘腹脹滿．津液停滯而爲痰濁．積貯於肺．故胸脅不舒．

・凡腸胃之病・舌苔必厚・以其熱濁之氣上薰也・故溼温之舌苔亦厚膩・若舌質紅絳無苔則爲精液大傷・熱毒亢盛之症・溼温見此・勢難樂觀・若神志模糊・言語譫妄者・則爲熱毒犯腦・亦屬重候・然有溼温初起・即模糊譫語者・則爲温痰蒙蔽神經徒然・與盛熱犯腦之症・不可一例觀也・

治療 間使　太淵　期門　章門　中脘　大椎　曲池　合谷

治理 大椎曲池退身熱・太淵合谷宣泄肺中之熱・而化痰濁・期門章門治胸脅痞滿・中脘促進腸胃之消化與吸收・使溼邪不致停留・間使不但能清熱・且有治神昏之功用・故神昏譫語者・更不可不針也・

温瘧

症狀 先熱後寒・熱重寒微・或但熱不寒・口渴引飲・骨節煩疼時嘔・病以時作・起伏似瘧・舌苔黃或絳・脈弦數・

病因 古人謂此症・由於冬月感受風寒之邪・潛伏人身・至夏月因暑熱之引誘而發・實則即感受之温熱邪而成温熱性之瘧疾也・故其症狀與普通瘧相類・惟其純屬熱邪・故但熱不寒・或發輕微之寒・不若普通瘧疾之惡寒戰慄也・故有口渴引飲・舌乾或絳等等・皆爲熱邪傷津之徵・時嘔者則爲熱邪犯胃也・

治療　後谿　大椎　間使

治理　大椎爲手足三陽之會．功能瀉熱．復能除寒熱．間使後谿亦爲退熱之要穴．三穴合用則能淸瀉溫熱之邪．且通治一切瘧疾．頗具偉效．但治普通瘧疾．多加艾灸．用於本症．則單針以瀉熱．不可灸也．

溫疫

症狀　發熱惡寒．口渴心煩．頭暈咽痛．面色赤．舌上隱起紅點．胸悶身倦．甚則神昏譫語．舌黑唇焦．咽喉腫爛．爲流行性之溫病．且爲溫熱病中危亟之症也．

病因　疫．厲氣也．厲氣之結．或由天地之造成．或由人事之感招．其發也．每多各鄉各鎮．沿門闔戶．相繼而發．病狀相同．如役使然．故稱疫病．溫疫者．乃瘟疫熱性之疫病．其中於人也．由口鼻而入心肺．熱毒鴟張．血液沸騰．故初起即現發熱．口渴心煩咽腫等症．變化迅速．若不亟治．津液枯燥則舌黑唇焦．咽喉腫爛．神昏譫語等症相繼而來．可畏孰甚．

治療　十二井穴或十宣穴　俱刺出血　大椎　合谷　神門　內關　尺澤

治理　十二井穴或十宣穴．刺出血者．所以泄血分中之熱毒．以防其內陷也．大椎曲池合谷．所以退身熱也．神門內關尺澤．取其能淸心肺之熱．而療神昏譫語也．

附白痦

白痦一症。每多發於溼温病中。伏暑春温冬温等症。間或有之。然不多見。蓋溼温之邪。侵襲人身。最爲纏綿難愈。故古人有溼爲黏膩之邪。不易速愈之說也。遷延日久。則因微汗頻濡。皮膚鬆浮。若一經大汗。則汗孔之皮膚內含汗液。綻起而爲白痦。色如晶瑩小粒如粟。捫之欒欒。汗多痦密。汗少痦疏。無論其爲多爲少。皆爲病邪欲解之佳象也。毋庸調治。兼有他症未罷者。則治他症。不須顧慮白痦。玆特述其病狀以爲臨症時之參考也。

附癍

癍症多見於温毒。温疫。暑温等症中。良由熱盛或誤治而成温熱之邪。温伏血液。血液不潔。得熱而沸騰。藉肌表以爲透發之地。於是乎癍點出焉。色鮮紅。有跡無形。多發於胸腹肢體。爲熱盛之徵。色紫者熱毒更盛也。若色黑則爲熱極不治之症。古人謂斑黑胃爛者是也。治癍之法則惟清泄血熱。爲不二法門。取穴宜委中。尺澤。十二井穴等。均刺出血。庶血中之熱菲減而癍亦退也。

暑病

暑爲六氣之一・內經謂之暑・傷寒與金匱則謂之暍・暑爲陽邪・熱病居多・夏至以先天未大熱。故經以先夏至日爲病溫・後夏至日爲病溫・鍼以赤帝當令・天暑炎炎・地熱蒸蒸・人感觸之・則成暑病・然則富貴之家・避暑於深堂水閣密樹濃陰・似可不生暑病・殊不知大扇風車・任情悅性・過襲陰涼・此所謂靜而得之者爲陰暑・貧賤之軀・則雖盛暑烈日之時・農夫田野・經商長途・奔走勞役・不辭辛苦・暑病固所難免・此所謂動而得之者爲陽暑・他如口腹之不節恣食生冷・或起居失調・夜臥當風・此皆暑病之起因也・考古人之言暑・文有中暑・暑厥・伏暑等稱・茲分解之

中暑

症狀 身熱或微惡・汗出而喘・煩渴多言・倦怠少氣・面垢齒燥・脈芤・兼風・則發熱惡風・身體疼痛・兼溼則身熱疼痛・胸悶頭痛・

病因 夏月炎帝司令・暑熱高懸・爍石流金・吾人感之輒成中暑・多由太陽而入・陽明其應・故初起時・或間有太陽表症之惡寒・隨卽轉陽明而發熱也・夫暑爲熱邪・最易耗氣傷津・氣耗則倦怠少氣・津傷故口渴齒燥・津氣兩傷・血管空虛・故脈芤・兼風者名暑風・風束肌表・體溫不能外達・故惡寒較甚・兼溼者名暑溼・溼邪內阻・氣機呆滯・故胸悶頭重也・

治療　少澤　合谷　曲池　內庭　行間

治理　少澤合谷·泄暑熱而定喘·曲池退身熱·內庭清陽明之熱·行間清熱而養津液·兼風者加入風門以驅風·兼溼者·加鍼中脘以化溼·

暑厥

症狀　四肢厥逆·面垢齒燥·二便不通·神志昏迷·脈滑而數·舌光紅·或一厥而熱便得汗解·或再三厥而熱·但頭汗出·此熱深厥亦深也·

病因　暑穢鬱蒸·人感觸之則成暑厥·蓋暑熱之邪·兼夾穢氣·直入人身內部·則血內趨以事救急·不能達於四肢·故四肢厥逆·腸胃之蠕動力·與腎臟之分泌機能·受病邪之影響·失司其職·故二便不通·暑熱犯腦·則神志昏迷·若得汗出·則病邪由外透發·氣血外達·故四肢亦得不厥·若再三厥而熱者·則內熱深重故也·

治療　人中　關冲　少商　氣海　百會

治理　百會人中·能治卒中惡邪·不省人事·故本症用之以治神志昏迷·關冲瀉三焦之暑熱·少商泄肺中之熱·氣海通調下焦之氣化·氣化行則二便自利也·

伏暑

症狀　發熱頭痛脘悶。漸至唇燥齒乾。內熱煩渴。舌白或黃膩。或如霍亂。吐瀉或腹痛下痢。或寒熱似瘧。亦有暑毒深入。熱結在裏。譫語煩渴。不欲近衣。大便不行。小便赤澁。

病因　先受暑邪。潛伏於裏。繼爲風寒所閉。不能外發。或秋或冬。久而始病。有謂曝書曝衣。暑氣未消。隨卽收藏。至秋冬近之而發。則近乎附會矣。伏氣亦爲伏氣。其理已於溫熱門中言之。可不再贅。惟暑爲熱邪。且自內而發。故內熱煩渴。漸則津傷而成唇燥齒乾等症。如暑熱而夾溼者。阻滯腸胃　腸胃失運化之權。故如霍亂吐瀉。或爲下痢。夾風者則暑風相搏。故寒熱如瘧。若暑熱結於腸胃。則大便不行。小便短赤。其症狀病理。與傷寒陽明府實症同。譫語煩渴。不欲近衣等症。皆爲熱甚之徵也。

治療　湧泉　少澤　合谷　曲池　絕骨　行間　大椎

吐瀉如霍亂者。照熱霍亂條鍼治之。寒熱如瘧者。照溫瘧條鍼治之。熱結在裏。大便不行者。依照陽明府實條治之。

治理　湧泉少澤清暑熱而生津。合谷曲池泄內熱而止煩渴。大椎退身熱。行間絕骨亦能清熱生津。而爲各穴之佐使也。

霍亂

四時皆能生病。而夏秋爲尤多。百病均可傷人。而霍亂爲最烈。發多倉卒。變在須臾。治或差誤。補救莫及。考古書之記載者甚多。內經有霍亂論。傷寒有霍亂篇。後世諸子百家。頗多言及。可謂詳且備矣。按霍亂爲腸胃病也。良由飲食不節，起居不時。穢濁雜邪。傷其正氣。擾亂中焦，脾胃之升降失調。揮霍撩亂而成此症。故有霍亂之名。金元諸大家。則有乾霍亂溼霍亂之分。有清王孟英氏。復創熱霍亂。寒霍亂之說。茲申述之。

附寒熱霍亂之辨法

霍亂之症。有屬於寒。有屬於熱。患之輕者。正氣未傷。邪未深入。神識尚清。不難因症辨別。患之重者。病毒深入。則脈伏音啞。舌苔濁膩。揚手擲足。煩燥喜飲。肢體厥冷。吐瀉幷作。目眶低陷。汗出如雨。寒症有此見症熱症亦有此見症。苟非於似同中而辨其異點。則毫釐千里。生死立判。可不危哉。如同是聲啞。屬熱者則氣粗語數。或其言語有壯厲之氣。屬寒則語遲氣微。有懶語呻吟之態。同是揚手擲足。屬熱者則坦腹仰臥。甫是揭開。手不近身。惡近衣被。輾側便利。屬寒者。則每多踡臥。膝腿偎依。手或按腹。臂或附腋。喜近衣被。身體重著。同是舌苔濁膩。屬寒者。則浮白而腐。屬熱者。則糙而微黃。或舌底尖邊現絳氣。同是煩燥欲飲。屬熱則喜飲冷。飲熱則胸中似怔。入口即吐。飲冷則胸悶頓暢。嘔亦遲慢。屬寒則喜飲熱。飲冷則胸格似痛。作嘔大吐。飲熱則胸中暢適。而不作惡。同是吐瀉。屬熱者則腹痛少。痛多拒按。所出之物酸穢異常。而出亦迅速。屬寒則腹痛喜按。所出之物。不甚穢臭。而出亦稍緩。寒熱之辨。大略如此。

寒霍亂

症狀　腸胃絞痛。或吐或瀉。或吐瀉交作。四肢厥冷。汗出而冷。面唇色青。膚枯螺癟。渴喜熱飲。甚則目陷轉筋。兩目失神。音啞脈伏。舌白或黑而潤。

病因　恣食生冷之物品。倘受寒冷之風露。以致腸胃受寒而成斯症。蓋腸胃司消化食物分泌水液之職。若遇寒冷之侵襲。則不消化。不分泌。致成上吐下瀉之霍亂病。若但吐不瀉。則病灶偏於胃。若但瀉不吐。則病灶偏於腸。四肢厥冷者。寒邪在內。體溫降低。不能充達於四肢也。汗出而冷者。表部神經失括約機能。水分由汗線而排泄。所謂陽虛則自汗也。水分由汗吐下三者之消失。無以滋潤各組織。毛細管乾枯。故膚枯螺癟。眼球筋乾枯收縮。故目陷失神聲帶缺乏津液之滋潤。故聲啞。轉筋者。肌肉痙攣而筋絡抽痛也。渴者亦水分消失之故。然為寒邪。故喜熱飲。脈伏者水分消失過多。血液濃厚。血行障礙。故脈停止也。

治療　神闕　灸　中脘　合谷　太冲　委中　以上俱針

吐者加針　內關　內庭　足三里　瀉者加灸　天樞　章門　陰陵

腸骨

轉筋　加鍼　承山　絕骨　太冲

治理　灸神闕能除胃腸之寒・而振陽氣・中脘促進胃腸消化與分泌機能・益胃氣而散寒邪・合谷疎腸胃之氣・而調理中宮・委中太冲取其能清血也・吐則加針內關・取其能宣泄胸膈之氣・足三里引胃氣下行・使不上逆・且有升清降濁之功・內庭泄腸胃之穢濁・瀉則加灸天樞章門取其能除胃腸之寒也・陰陵泉崐崘法脾胃之溼・而治瀉泄也・

熱霍亂

症狀　發熱煩渴・氣喘胸悶・上吐下瀉・螺癟支冷・躁渴不安・神識昏迷・頭腹痛・舌黃糙或紅・脈沉或伏或代・

病因　本症原因・多由飲食雜進・腸胃運化失職・食物停滯於中・醞釀腐敗・更受外界之暑熱・清濁混淆・亂於腸胃而成・或體質懦弱・抵抗力衰弱・因受他人傳染而成・其見症與寒霍亂相似・已辨別於前・其所以發現種種症狀者・亦無非大吐大瀉・水分消失所致・惟其因於暑熱・故治法當用清泄・與寒霍亂不同也・若至目陷螺癟・額汗肢冷・脈伏等症・則爲至危之候・再進一層・則全身厥冷而死・故見以上各症

・不分寒霍・皆爲吐下後心臟衰弱・陽氣欲脫之候・急宜灸其神闕・以復其陽・庶可挽救・其灸法先將食鹽填滿臍孔・再將艾團置臍孔灸之・以肢溫汗止・脈起爲度・

治療　少商　關冲　委中　刺出血　合谷　大都　曲池　陰陵　中脘

絕骨　素髎　承山

治理　少商　關冲　委中　刺出血　淸血中之熱毒也・合谷大都曲池淸太陰陽明之熱・陰陵分利小便・而淸暑熱・中脘爲調腸胃之氣・且能治腹痛・素髎穴善治霍亂・其理殊難究測・絕骨承山能淸熱・復爲治轉筋之特效穴・

乾霍亂

症狀　腹中絞痛・欲吐不得吐・欲瀉不得瀉・爪甲青紫・煩躁不安・甚則四肢厥冷・舌黃脣白・脈多沉伏・

病因　暑熱穢濁之氣交蒸・壅閉中焦・邪蘊於胃・縱橫肆虐・賁門幽門・因受刺激而閉鎖・故欲吐不得・欲瀉不能・而腹中絞痛・煩躁不安之症狀見矣・較之吐瀉之溼霍亂・其危益甚・因病毒深入血分・血液中含毒素・血不淸潔・故變其正常之色或青或紫・氣機失宜・血行瘀滯・故脈沉厥・而四肢厥冷・此症俗名絞腸痧・若不亟治・

必脹滿而死。

治療 人中　少商　十宣穴　委中　刺出血　合谷　曲池　素髎　太冲　內庭　中脘　間使

治理 此症在藥物治療上。大多用探吐法。頗有效驗。蓋探吐可以宣泄氣機也。若針灸治療。則但取人中。少商。十宣。委中等穴刺出血。可以泄腸胃暑熱穢濁之氣。而清血中之毒。取合谷。曲池。中脘。內庭。宣泄暑熱之氣結而泄暑之邪。間使絕骨。等穴。佐使各穴。清暑熱。解穢濁者也。

中風

中風症素問名厥巔疾。亦曰大厥。其原又曰血之與氣。交并於上。則為大厥。厥則為暴死。氣復反則生。不反則死。又曰厥成為巔疾。至漢時張仲景。始有中頭之名。更有中經絡。中血脈。中臟府之別。以分病之深淺。後世諸家。復有內風。外風。真中。類中之分。外界風邪之中於人而病者。為外風。為真中。肝風內動。非中外風而成者。則曰內風。為類中。於是乎諸子百家有言中風盡屬內風者。有言屬內風者。亦有言北方多真中風。南方多類中風者。其論病理也。有言痰者。有言氣者。有言火者。言說多端。實難枚舉。雖各有見地。未免使後之學者有莫適從之慨。茲據西學解剖所得。方知此病屬於腦。謂係腦充血。或貧血・良以腦爲神經之總匯・吾人之知覺與運動・全賴乎神經・若腦已起變化・則神經亦隨之・故有卒然昏仆・不省人事・手足不用等等見症・然究內經命名厥巔疾者・頗有深義・巔者巔頂也・蓋謂巔頂之疾・雖未明言腦病・然已指腦之部位而言矣・但西學所言係腦病・乃不過由病者之檢驗而得・其所以致腦病者・則又不能脫離古人所言內氣外風也・茲據命賢之說・分中經絡・中血脈・中藏府・復加類中・別爲四條而言之・

中經絡

症狀　形寒發熱・身重疼痛・肌膚不仁・筋骨不用・頭痛項强・角弓反張・病起卒暴・兩脈弦浮・舌苔薄白・

病因　風爲陽邪・人身腠理不固者・則從皮毛而入經絡・刺激神經・神經受重大之刺激・直奔腦系・故卒然昏厥・同時全身之神經均受其影響・如運動性神經・失其功用・則筋骨不用・知覺性神經・失其功用・則肌膚不仁・致於項强角弓反張者・內經則曰督脈爲病・脊强反張・考中醫之所謂督脈・實則脊髓神經・發源於腦・由脊骨而下行・腦既受病・則影響脊髓神經・而發生緊張或攣急・故項强或反張如角弓之狀・頭痛者則因腦藏於頭故也・

治療　合谷　曲池　陽輔　陽陵　內庭　風府　肝兪

治理 合谷解寒熱而驅風・風府不特能驅風而又直刺脊髓神經・以治項强反張・肝主筋・筋會陽陵・故鍼肝兪陽陵・以治筋骨不用・陽輔爲其佐使也・內經曰・中於面則下陽明・中於項則下少陽・中於背則下太陽・夫風之中人・三陽經絡當其衝・故所取各穴・多屬三陽經之穴・而內庭所以泄陽明也・

中血脈

症狀 口眼歪斜・或半身不遂・或手足拘攣・或左癱右瘓・脈弦或滑・舌白或紅・

病因 中風之較輕者・爲中經絡・較重者爲中血脈・最重者爲中藏府・古人立此名目・蓋所以別病邪之深淺也・然其病因病理・初無二致・本條之種種見症・亦屬神經爲病・蓋人身運動神經分左右爲兩邊・密布周身・若一邊神經爲病・則爲半身不遂之症・病於左者名之曰癱・病於右者・名之曰瘓・所謂癱瘓者・實卽半身不遂・不過辨別左右之名稱也・

治療

口眼歪斜　地倉　頰車　斜左者鍼右斜右者鍼左或直接灸亦可

半身不遂　百會　合谷　曲池　肩顒　手三里　崐崙　絕骨　陽陵　足三里　肝兪　左癱右瘓　治法同上

足拘攣或麻木　行間　丘墟　崐崙　陽輔　陽陵　足三里

治理　手拘攣或麻木　手三里　肩髃　曲池　曲澤　間使　後谿　合谷

以上各條．皆根據其灶病而取穴．無甚深意．蓋病某部．者鍼刺某部．如手部麻木拘攣．則於手部取穴治之．足部拘攣麻木．則於足部取穴治之．若直達病灶．而恢復神經之功用．故收效偉捷．惟口眼歪斜．斜左針右．斜右鍼左者．則因斜左者右邊之神經弛緩也．故宜右邊之頰車地倉二穴．或鍼或灸．以刺激之．而使其恢復原狀．歪右者則反之．惟不宜針灸太過．不然則反向針灸之一邊歪斜矣．

中臟府

症狀　口噤不開．痰涎上湧．喉中雷鳴．不省人事．四支癱瘓．不知疼痛．言語蹇澀．便溺不覺．脈或有或無．

病因　此為中風之重症．多由其人飲食不節．起居失宜．或奉養過厚．及有煙酒等嗜好．以致生痰生溼．體氣不充．或肥胖之人．形豐質疏．每多痰溼．外邪乘虛直入臟腑經絡．夾固有之痰溼．上冲於腦．故卒然昏仆．不省人事．喉間痰聲漉漉．有若雷鳴．便溺不覺．乃因膀胱括約筋弛緩．以致尿自遺出．此為中風不良之現象．言語蹇澀．乃舌部神經痙攣．舌本強直．掉動不靈之故也．四肢癱瘓．不知疼痛．亦神經失去功用也．

治療　口噤不開　頰車　灸　百會　灸　人中　灸

痰涎繼上　關元　灸十數壯或數十壯　氣海　灸十數壯　百會　灸三四壯

言語不知疼痛　神道　灸百壯至二三百壯

言語塞澀　瘂門　針　關冲　針

治理　百會爲治中風之要穴・蓋中風爲腦病・百會位居腦部・直達病所・頗有特效・今則於昏厥時刺之・容能清醒・故亦爲中風之要穴・口噤不開者・原屬上下牀骨相接處之拘攣。適當頰車之部位・故頰車灸之有特效・痰涎上壅原屬下元虧損・故宜灸氣海關元以固元氣・而引痰濁下行・瘂門部位・附近舌本故能治舌强不語・神道關冲爲瘂門之使・亦能治言語塞澀也・

類中風

症狀　舌瘖神昏・痰壅氣逆・口開目合・髮直頭搖・脈沉或伏・

病因　此症非由風邪外襲・多由腎虛多欲之人・陰分大衰・不能涵陽・以致肝陽暴發・氣血上升・痰濁壅滯・驟然昏仆・以其形似中風・故曰類中風・口開目合・髮直頭搖・乃肝風內動・元氣欲脫之勢・近今把謂神經發虛性之興奮也・中風見此・皆爲難治・若老人精神虛竭・心臟衰弱・驟然厥脫而成類中者・則非鍼藥所能挽救矣・

治療　按照中藏府條施治然亦十中難救一二・

附中風之預兆及不治症

凡陰虛陽旺・或形豐質弱之人・易患中風・如其人覺坐臥不安・或頭痛眩昏・或噁心嘔吐・或怔忡手振・或口苦舌乾・或便祕溺赤・或四支痲木・乃中風之預兆・亟宜從事預防・若病發時而見瞳孔放大・面色皖白・口噤遺尿・目停口開・汗出淸冷・痰聲如鋸等症・衆見一二・均屬不治・

驚風

驚風之名・創於金元・實卽金匱之痙病也・蓋因小兒卒受驚恐・易成痙病・故名曰驚風・然其原因頗多・有因外感風邪者・有因內傷飲食者・若夫受驚而成・僅其一種耳・驚風之中・復有急慢之別・急驚多屬外感實邪・慢驚則屬內傷虛症・發作時症狀略似・而虛實懸殊・治扶迥異・苟非明辨・誤人多矣

急驚風

症狀　身熱面紅・煩哭手足抽搐不定・口中氣熱・喉有痰聲・大便燥結・小便黃赤・脈弦

滑數．舌苔黃或膩．鼻樑筋現青紫．虎口脈紋紅紫．甚則竄視．口噤角弓反張．不哭脈伏．

病因 本症屬腦神經病．其原因頗多．約言之．可分三種．一爲外感．小兒肌肉之組織不堅．外衞不固．故易受外邪．因而發熱．小兒之神經柔嫩．熱度稍高．則起强度之興奮．而成抽搐反張等症．且小兒有疾．不能自述其痛苦．故古人有啞科之稱．醫者不加細察．每易誤治．如外感風寒．久而不解．寒必化熱．或誤用辛熱之劑．則內熱熾炭．而影響於神經．此古人所謂熱盛生風．風生則痰動．熱度客於胸膈間．寒火相搏．故抽搐發動者是也．二爲飲食內傷．王孟英曰小兒之疾．熱與痰二端而已．蓋純陽之體．日抱懷中．衣服加溫．又襁褓之類．皆用火烘．內外俱熱．熱盛生風．火風相煽．乳食不歇．則必生痰．痰得火煉．則堅如膠漆．而乳仍不斷．則新舊之痰日積．必致痞滿．啼哭又强之食乳以止其哭．從此胸高氣塞．目暗手搐．以成驚風．三爲受驚．小兒心氣未足．若耳聞異聲．如雷霆巨響．或目驚異物．頓生驚恐．以其腦髓未實．神經易致緊張．故成抽搐反張等症．此皆急驚之原因也．

治療 少商　曲池　人中　大椎　湧泉　中脘　委中　微刺

治理 驚風之原因雖多．然總不外乎停痰宿食傳熱三者．其所現各症．亦無非神經起變化

・故鍼少商曲池以清熱・大椎清熱而鎮靜神經・以治角弓反張・委中湧泉治熱而能引熱下行・使不致犯腦・中脘泄化痰食而泄府熱・因小兒身體短小・故宜微刺之・

慢驚風

症狀　面色淡白・山根露筋・神昏氣促・四肢抽搐・或清冷・或倦怠少神・口吐沫・目直視・小便清長・大便溏薄・或完谷不化・惡寒潮熱・喉中痰響・脈虛細舌淡白・

病因　錢仲陽曰・小兒慢驚・因病後或吐瀉・或藥餌傷損脾胃・肢體逆冷・口鼻氣微・足逆冷・昏睡露睛・此脾虛生風・無陽之症也・因吐瀉脾肺俱虛・肝木所乘・或急驚屢用瀉藥・則脾損陽消・遂成慢驚・錢氏爲兒科聖手・其學說頗可取法・蓋吐瀉與病後及藥餌損傷三者・皆能使脾胃虛弱・則化力呆滯・飲食減少・化生之津液不足以營養全身・於是乎血管中之養料缺乏・而成貧血症・故病兒面色㿠白・山根露筋・同時心臟因少血而衰弱・故倦怠少神・脈虛而細弱・大便溏薄・或完谷不化者・皆因脾胃虛弱不消化・不吸收之故也・神經因缺之營養而發虛性之興奮・故四肢抽搐振動・然其爲虛性之興奮・故不若急驚之劇烈也・

治療　大椎　天樞　關元　神闕　各穴均灸

治理　大椎爲治驚風之要穴・取其能鎮靜神經也・灸天樞關元・溫補腸胃之虛寒而助運化

以治泄瀉．灸神闕所以振陽氣而强心．此穴爲治慢驚之妙穴．每見危重之慢驚病．氣微欲脫之時．單灸此穴而得甦者．舍此而外別無良圖也．

痙厥

痙

症狀 初起惡風發熱．頭痛連腦．或喘咳．或小便頻數．或嘔噁胸悶．舌白滑或膩．脈浮而急數．稍甚則項脊強痛．身體反張．臥不着席．頭汗淫淫．神昏譫語．欲起不得起．欲臥不得臥．舌苔或黃或絳．再甚則角弓反張．手足抽掣．少腹結塊．大便堅實．口噤目赤．金匱云。太陽病發熱無汗反惡寒者．名曰剛痙．發熱汗出而不惡寒者．名曰柔痙．此言其初起之症象也．又曰病者身熱足寒．頸項強．惡寒時熱．面赤目赤．獨頭動搖．卒口噤．背反張者．痙病也．此痙病之本症．又曰．爲病．胸滿口噤．臥不着席．脚拘攣必齘齒．此痙病之已甚也．痙病症狀．不外乎此．

病因 痙者頸項強直之義也．凡病而見頸項強直者．皆得以痙名之．故其原因頗多．有因外感而成者．如傷風面發熱．重復感寒而致痙．即內經所謂諸病項強．皆屬於風者此也．如感風溼之邪而致痙者．經所謂諸痙項強．皆屬於溼是也．金匱云發汗多

病因

因致痙。又曰風病下之則痙。又曰瘡家不可發汗。汗出則痙。又曰太陽發汗太過因致痙。此爲誤汗誤下以致痙。其他更有痰火痙。風痰痙。妊娠痙。產後痙。種種名目繁多。不勝枚舉。然總括之則不外乎兩端。一爲感受外邪而成。一爲諸病誤治而得。其所以發現種種症狀者。則又不外乎腦。內經曰。督脈爲病。脊强反折。夫督脈卽人身之脊髓神經。是痙病屬腦之明證也。故西醫名之爲腦脊髓膜炎。蓋其以局部病狀而取名也。外感之邪。卒入人身。體質孱弱者。抵抗力衰弱。神經不勝其刺激。發生痙攣。起强直之狀態。故成角弓反張。臥不着席。此外感成痙者也。若謂諸病誤治。如誤汗誤下或過汗以致津液虧損。神經失其營養。或誤治而致內熱太盛。神經錯亂。故爲抽掣搖戰。神昏譫語。古人所謂熱甚生風者此也。他如惡寒發熱。頭痛連腦。喘咳等症。則爲痙病之前驅期。若能預行醫治。可免於成痙也。

症狀

治療　少商　出血　曲池　人中　中脘　委中　湧泉　合谷　風府　風門　大椎　身柱　至陽　命門　肝俞　膈俞　百會　前驅期　百會　風府　風門　合谷　肺俞

治理　少商爲肺之井穴。外感之邪從口鼻入。必先傷肺。故刺之以宣肺氣解外邪。曲池清熱而止抽掣。人中合谷開口噤而醒神昏。委中清熱而止項脊强直。中脘清府熱而下燥結。湧泉引熱下行。使不犯腦。他如百會大椎等穴。則直刺病灶之局部。其功效較他處為尤著．痙病之原因雖多．其為腦神經病則一．症狀亦相類．故但立一法．足以統治之．如其見症略有不同者．是又貴乎醫者臨症時．隨機應變耳．痙病然．他病亦然也．

厥

厥病有二．四逆謂之厥．忽然暈仆．不省人事．亦謂之厥．故張介賓曰．厥症起於足者．厥發之始也．甚至卒倒暴厥．忽不知人．輕則漸蘇．重則卽死．最為惡候．後世不知詳察．但以手足寒熱為厥．又以脚氣為厥．謬之甚也．雖仲景有寒厥熱厥之分．亦以手足為限．蓋彼自辨傷寒之寒熱耳．非內經之所謂厥也．張氏之言．蓋亦分厥為四逆暈厥二種．四逆之厥有寒厥熱厥．暈厥之症．則有痰厥．食厥．氣厥．等等之不同也．

痰厥

症狀　殭仆卒倒．面白神昏．目閉不語．口吐涎沫．四支厥冷．脈多沉滑．

病因　此症多由其人素多痰濁．然痰多亦不致遽成暈厥．良由痰多之人．體質之不堅實可知．易招外界之感觸．如六淫之侵．七情暴發．而引動其固有之痰濁．蒙蔽腦經．故有昏仆卒倒之種種危象．是以痰厥一症．主因在痰．然必有其他感觸為其誘因

也・

治療　中脘　豐隆　合谷　針　靈台　灸

治理　痰濁之生・多由於脾胃不運化・以致津液停留而成・中脘能斡旋中州・使津液不致停留・以絕痰濁之來源・此爲根本療法也・豐隆爲泄降痰濁之猛將・合谷醒神昏・古人以痰厥爲痰迷心竅・故灸靈台以散心肺中之痰濁・

食厥

症狀　面黃噯氣・發熱口渴・時時痙厥・昏不能言・手不能舉・胃脘高起・脈多滑・

病因　此症多由醉飽無度・或感風寒・或著惱怒而成・古人所謂胃氣不行・陰陽痞膈・升降不通・而成暈厥者也・尤多見於小兒・良以小兒脾胃不强・消化力弱・易於食傷・痰滯鬱於中焦・化爲濁腐・故發熱口渴・胃脘高起・胃中熱濁之氣・熏蒸神經・興奮太過・而發生痙厥等症・

治療　中脘　足三里　內庭　中衝

治理　食厥之起・原屬食滯・故鍼中脘足三里助脾胃之消化而去食滯・因食滯而發熱・屬陽明經・故鍼陽明經之滎穴・內庭以退身熱・刺中衝・以醒昏厥・苟能於胃脘部按摩數百轉・則其效益佳・

氣厥

症狀 面色㿠白。氣促不語。神志雖清而不能自主。卒然暈倒。四肢厥冷。口出冷氣。

病因 此症多有氣量狹窄之人。中懷悒鬱。情志不宣。氣機鬱塞而成。或大怒大恐。大驚過悲等等而發。蓋用情太過。神經受重大之刺激而起變化。故輕者神志恍惚。不能自主。重者則卒然倒地。神昏等危候見矣。

治療 膻中　建里　內關　氣海

治理 氣會膻中。故針膻中以調氣。氣海能治一切氣病。勝玉歌曰諸般氣疾從何治。氣海鍼之灸亦宜。故二穴爲治氣厥之要穴也。建里內關能宣泄胸中鬱結。蓋氣厥者莫不心胸苦悶也。

寒厥

症狀 手足逆冷。身寒面青。爪甲冰而青紫。不渴而吐。下利清谷。　痛或不痛。脈沉遲細。舌苔淡白。

病因 此條與下條之厥。乃四肢厥逆。非昏厥也。本症之原因。多有寒邪內盛。體溫降低。故見手足清冷。腸胃受寒。故吐下兼見。古人所謂陰盛陽虛者是也。

治療　神闕　氣海　關元　俱灸

病理　灸神闕氣海關元三穴·以復陽氣·陽氣充則陰寒自除·而手足亦溫矣·且三穴皆在腹部·能直驅腸胃之寒邪·而恢復其機能·故吐下亦止·

熱厥

症狀　身熱·手足厥逆·煩渴昏譫·不省人事·譫語自汗·溺赤脈數·或伏·舌紅或乾·

病因　本症由於熱邪內盛·故煩而渴·熱邪犯腦·故神昏不省人事·津液爲熱邪之蒸迫·故自汗·津液大傷故舌紅而乾·手足厥逆者·熱盛之徵也·此所謂陽盛陰衰者是也·

治療　行間　湧泉　復溜　曲池　合谷

治理　熱厥爲熱邪內盛·故鍼厥陰之榮穴行間以瀉之·湧泉復溜清熱而生津·曲池合谷退身熱而醒神昏·熱退津復·手足自溫·諸恙亦解·

癲症

癲之與狂·皆爲神經錯亂之病·故來醫籍多分二症·良由狂則舉動剛暴·癲則不若狂之躁亂猛厲也·故有陰癲陽狂之稱·究二症之原因·故人則謂怒勵肝火·痰蒙心竅而發癲狂·

惟近今之說者・則謂二者症狀雖有差異・皆爲腦神經病也・其所以爲癲爲狂者・則因腦神經受病邪之剌激・人身之正氣足者・反應力强・故其現象亦剛暴・則爲狂症・反之則正氣弱者・則反應力亦弱・故其現象亦柔和・此爲癲疾・貌視之則狂病重而癲病輕・實則癲病更深於狂也・故狂病較爲易療・癲病則難醫治・且有狂病不愈・久則成癲・可見癲者爲狂病更進一步也・

狂

症狀 喜怒無常・歌哭無時・妄言妄詈・自高自尊・少臥不飢・兩脈洪大・甚則登高而歌・棄衣而走・踰牆上屋・

病因 經曰・狂始生先自悲也・喜忘多怒善恐者・得之憂饑・狂始發・少臥不飢・自高賢也・自辨智也・自尊貴也・善罵詈・日夜無休・狂言善驚・善笑・好歌樂・得之大恐・又曰・多食善見鬼神・善笑而不發於外者・得之有所大喜・由此以觀・則癲狂皆有七情過度而成・蓋七情太過・腦神經受重大之剌激・因而錯亂・以致發生喜怒不常・歌哭無時・行動乖妄・種種無意識之舉動・此外更有傷寒陽明熱盛發狂・良由胃中有迷走神經・若胃熱過盛・則能直接影響於迷走神經・由迷走神經傳遞於腦・而致發狂・惟胃熱發狂・則多一發卽止・且不若癲狂之狂症難治・而明於再發

也．

治療　十三鬼穴．

傷寒熱盛發狂．　曲池　大椎　絕骨　湧泉　期門

治理　十三鬼穴．卽人中．少商．隱白．大陵．申脈．風府．頰車．承漿．勞宮．上星．男子會陰．女子玉門頭．曲池．舌中縫．間使後谿針之頗有效驗．其理由殊難解釋．若因胃熱發狂．故鍼曲池以清陽明之熱．大椎退身熱．湧泉清內熱．行間期門泄氣血之熱．而鎮靜神經．

癲

症狀　或歌或笑．或悲或泣．語言巔倒．穢潔不知．精神恍惚．食不知飽．飢不知食．好靜多睡．如醉如癡．經年不愈．

病因　此症亦由用情太過．中懷悒鬱．或所希不遂．如貪名者求名．好利者圖利．或情場失戀．或時勢逼迫．終則不能償其所願．中心鬱憤．久則耗液灼津．古人謂五志之火內熾．陰分虧損．以致肝木生風而爲癲疾．蓋人身之滋養料缺乏．神經失其濡養．不能如常人靈動活潑．故如醉如癡．精神恍惚．甚者腦經錯亂．行動舉止．不能自主．故或喜或歌．或悲或泣．妄言妄動．古人謂之魂不守舍也．癲疾之由由於情

慾不遂・故治此症首重心理療法・宜先怡其耳目・暢其心志・解其所欲・然後如法施治・則事半而功倍矣・

治療 依照狂症針十三鬼穴・或加灸心俞神門・三四壯至十壯・

治理 癲狂之病理相同・故治法亦無異・本症之加灸心俞神門者・取其能振心陽而安神定志也・癲疾之起而未久者・針之頗效・己屢試之・惟年久痼疾・或發或愈・則根深蒂固・勢難爲力矣・

癇

症狀 發時卒然昏仆・瘈瘲抽搐・目上視・口眼喎斜・口吐白沫・忽作五畜之鳴・昏不知人・移時卽醒・或一日數發・或數日一發・

病因 癇症古人每與癲幷稱・亦有謂癇卽癲者・巢氏病源則謂十歲以上爲癲・十歲以下爲癇・今引徐嗣伯風眩論云・痰熱相感而動風・風火相亂則悶瞀・故謂之風眩・大人曰癲・小人則爲癇・其實則一也云云・惟癲疾則輕年累月・纏綿難愈・癇症則忽發忽醒・或一日數發・或數日一發・發則神昏・醒則動作如常・二者之病狀亳不相同・是不能混合言之也・考癇病之作・多起於病後虛怯・心腎陰虛・肝火胆火倏逆・痰涎上壅而成・近賢王愼軒氏・則爲小兒癇疾・多係遺傳性・成由其父母嗜酒・或

姙娠之時・其父母受精神之感動・皆足爲小兒癎病之素因也・先業師張山雷氏・嘗謂癎症之發・多由氣上不下・聚於巔頂・冲激腦經而成・唐宋以後有五癎之分・曰羊癎・牛癎・馬癎・猪癎・鷄癎等稱・蓋其以所作聲及發作之形狀・稍有不同而分別言之也・無甚意義・故不採取・

治療　大椎　間使　後谿　鳩尾　百會　神門　心俞　風府　豐隆　中脘

治理　豐隆泄降痰濁・中脘化痰而降氣・百會風府大椎・直刺神經之總樞・而恢復其功用・間使後谿神門等穴・瀉心經之邪・爲治神志病之要穴・鳩尾一穴・專治癲癎・且頗有効・其理殊難推測・殆因癲癎有關於心・而此穴附近於心故也・

瘧

經曰・夏傷於暑・秋爲咳瘧・又曰汗出遇風・及得之以冷浴・又曰陽勝則熱・陰勝則寒陰陽相搏而瘧以作・此內經之論瘧也・後世諸家・亦多言之・然皆以風寒暑淫之邪・及痰食阻滯等等爲瘧疾之原因・而近今之西醫學說・謂瘧疾之原因・係一種胞子微蟲・名麻拉利亞者・蕃殖於蚊體腸壁・並集合於蚊之唾腺・侵入人身血液內・而發生本症・故夏秋間小溪池沼之所・敗荷腐草之地・以及不淸潔之水等處・蚊之蕃殖最盛・故瘧疾之發生亦恒以此時

爲多・瘧菌侵入血液・新舊生滅・舊蟲滅而遺子・瘧止期也・子孵化而生新蟲・瘧發期也・然嘗見豐富之家・有夏秋不受一蚊之嚙剌者・何以亦犯瘧疾乎・故專以瘧蚊概論一切瘧疾・似亦未盡然也・考中醫言瘧・名目繁多・不勝枚舉・要不外乎寒熱之輕重・起發之遲早・而別其名稱・其主要者則爲寒瘧・熱瘧・間日瘧・瘧母四種・

熱瘧

症狀　熱多寒少・或但熱不寒・發時骨節煩痛・肌肉消爍・汗出頭痛如破・煩渴而嘔・脈弦數・舌苔黃膩・

病因　瘧疾雖四時皆有・而夏秋爲多・良由夏秋則天之暑氣下・地之溼氣上・暑溼交蒸醞釀・人感觸之輒成瘧疾・或貪涼而沐浴當風・炭酸不出・饕餮而飽飫食腥・胃積難消・凡此種種・皆瘧疾之主要原因也・致於所以成熱瘧者・則爲感受暑熱之邪・古人謂暑邪內伏・陰氣先傷・陽氣獨發・故熱多寒少・或但熱不寒也・

治療　太谿　間使　陶道　後谿　俱針瀉

治理　陶道爲治瘧疾之特效穴・太谿間使後谿清暑熱之邪・暑熱清則煩渴頭痛等症亦解・

寒瘧

症狀　發時多寒少熱。腰背頭項疼痛。始則戰慄鼓頷。繼乃發熱。逾數時汗出或不汗出而解。脈多弦滑。舌苔白。

病因　夏月乘涼沐浴。感受寒邪。伏於太陰。不能外出而與陽爭。故多寒少熱。北人謂爲脾寒病者此也。以其屬寒邪。故發時多惡寒少熱。或竟惡寒戰慄鼓頷者惡寒重也。

治療　大椎　間使　陶道　復溜

治理　大椎陶道。屬於督脈。古人謂督脈主一身之陽氣。鍼之瀉之。則能退熱。補之灸之則能除寒。故能治惡寒發熱之瘧疾。且據內經邪入風府循膂而下之說。則二穴正所以泄其邪也。惟瘧疾病灶。究在何處。尙無確定之論。二說雖可通。然後嫌無確實之證據。故大椎陶道二穴。何以能治瘧疾。其理殊難究測。而於治療上實有偉效。普通瘧疾。於未發前一二小時。或針或灸。未有不愈者。近賢王愼軒氏。謂風府脊骨。骶骨。皆是神經之要處。則瘧疾當屬神經系統之病。更引金匱瘧脈自弦之說。謂弦脈爲脈管壁纖維神經拘急之脈象。又謂砒霜金鷄納爲瘧疾之特效藥。皆有興奮神經之功用等說。以證明瘧疾屬神經系病之原理。然則大椎陶道等穴。亦爲刺激神經之要處。與砒霜金鷄納同一作用耶。惟王氏之說是否確實。則尤有可疑也。

間日瘧

症狀 寒熱往來・發有定時・頭痛胸悶納少・小溲渾黃・脈弦・隔一日作者謂之間日瘧・隔二日或三日作者・謂之三陰瘧・

病因 中醫謂瘧邪伏於淺者則日作・稍深則間日作・若深入三陰・則間二三日一發・謂瘧邪從衞氣而出入・邪在淺則出入易・故日作・邪在深則出入難・故間日或二三日而作・故日作者病輕・間日者較重・二三日發者則更重矣・西學則謂瘧蟲侵入血球・生殖蕃息・待原蟲充滿・毀此血球而入彼血球之際・人體遂發寒熱・此項原蟲約分三種・生長之期各有不侔・故有一日瘧・間日瘧・三日瘧之別・西學之說・原由檢驗而得・自不能謂其不確・惟中醫言邪氣之藏於淺深者・亦未可非・嘗見病瘧者・初起大都日作・繼則間日・治療尚易・若久延不愈・則正氣日羸・乃成二三日一發之三陰瘧・調治頗難・此非病邪深淺之明證乎・

治療 與上同・惟宜每日針灸一次・連治三次・無不愈者・若三陰久瘧・則加灸脾俞・以久瘧則面黃食減・故宜脾俞以益脾・

瘧母

症狀 面色無華・寒熱日作・或時作時止・或不作・少食痞悶・有塊結於右塊而硬痛・此症先由瘧而來・故名瘧母・脈弦細・舌苔淺黃・或光剝・

病因　金匱云·瘧疾一月不瘥·此爲結癥瘕·名曰瘧母·後世諸家·則謂瘧邪夾痰血痰涎·結於脅下·伏於肝經而成·實則脾臟腫大也·良由瘧疾發熱之時·脾臟先起充血·次則細胞增生·此時脾腫大·達平常之數倍·若遷延不治·則漸結漸固·輒從硬化而成癥瘕·名曰瘧母·脾臟腫大則消化力減退·故少食·瘧邪久留·血液日耗·赤血球減少·故面色無華彩也·

治療　章門　鍼灸　脾俞　鍼灸　有寒熱者則加鍼灸大椎間使·

治理　臟會章門故章門專主各臟之病·且其部位附近脾臟·鍼而灸之·能直達病灶·而散其血結·使其軟化·脾俞促進脾臟之運化·而補血液·此治瘧母之良法也·

瀉痢

內經曰·春傷於風·夏生飧泄·又曰邪氣留連·則爲洞泄·又謂溼勝則濡泄·此言泄瀉之病源也·又曰·飲食不節·起居不時者·陰受之·又謂陰受之·則入五臟·入五臟·則瘨滿閉塞·下爲飧泄·久爲腸澼·此言痢之病因也·夫瀉與痢·皆腸胃病·或由外感而成·或內傷由飲食而成·古人早已言之·惟二者之症狀·則不相同·瀉則大便時行而通利·所下之物或爲稀水·澄澈清冷·或稀溏黏糞·或完谷不化·有寒熱之分·痢者則大便時行·所出不多·裏急後重·滯而難下·故又名滯下·而所出之物·皆屬垢膩·或作白色·或赤色·或赤

白發作．故有白痢．赤痢．赤白痢之分．且二症治法．亦大有別焉．

寒瀉

症狀 腸鳴腹痛．大便泄瀉．所下之物．澄澈清冷．或完谷不化．小便短少．四肢厥冷．體重無力．脈多遲緩．舌多白膩．

病因 吾人飲食．入胃則由腸胃消化之．吸收而取其精華．而排泄其糟粕．此無病之人也．若腸胃失司其職．則泄瀉之病成矣．夫寒瀉由胃腸受寒．或寒邪自外侵襲．或多食生冷．以使腸胃虛寒．不能熟腐水谷．腸壁之吸收管．因受寒邪而緊束．吸收失常．遂使水分逕流．故或下稀水．澄澈清冷．或完谷不化．水分多數由大便排泄．故小便短少．更有五更泄瀉者．晝則大便如常．惟至五更．天將明時．則洞泄數次．古人謂之腎泄．良由腎司利尿之職，腎陽衰微．小便不利．則水停腸中而泄瀉．故曰腎泄．柯韻伯曰．夫雞鳴至平旦．天之陰．陰中之陽也．因陽氣當至而不至．虛邪得以留而不去．故作瀉於黎明．西醫則謂腸癆．謂此症有結核菌潛居腸中．晝則消化力强．該菌不得逞勢．若五更時．則人寐已熟．人身各機關皆安靜．腸中殺菌之力亦衰．故斯菌得肆其毒而爲泄瀉也．

治療 中脘　氣海　天樞　神闕　俱灸　腎泄加灸　腎俞　命門

治理　神闕・中脘・氣海・天樞四穴・均在腹部・灸之能除腸胃之寒邪・而具溫中逐寒・調氣止瀉之效・腎泄則加灸命門・腎俞・以溫補腎陽・腎陽振則泄瀉愈矣・

熱瀉

症狀　暴注下迫・泄瀉黃糜氣穢・肛門灼熱・口渴煩熱・腹部疼痛・或嘔噁頻作・小溲短赤・苔黃脈數・

病因　寒瀉係感受寒邪・多食生冷而成・熱瀉多由於暑熱蘊於腸胃・故恒患於夏秋之時・因腸壁之神經・受熱邪之刺激・而興奮蠕動亢進・遂使水分長驅直下・而為泄瀉・熱邪鬱蒸腸胃中之谷食・因而發酵腐敗・故所下之物穢臭不堪・而肛門亦覺灼熱・腹部因之痕痛・水分因泄瀉而消失・故口渴・更有泄瀉青色者・則因於胆熱分泌胆汁過多・故泄下青色之糞水・而以小兒多見之・

治療　太白　太谿　曲池　三里　陰陵泉　曲澤　胆熱泄青者加胆俞足臨泣陽陵泉

治理　古人以泄瀉病屬脾・蓋脾臟亦為消化器官也・故鍼太白以泄其熱・曲池・足三里・以泄腸胃之熱邪・曲澤・太谿清暑熱而治煩熱口渴・陰陵泉不特能清熱・且有通利小便之功・使水分與熱邪・由小便而分利之・胆熱泄青・則鍼胆俞足臨泣・陽陵以

瀉之·

白痢

症狀 腹痛·下痢·青白粘膩·欲行不暢·舌淡苔白或膩·脈沉或細·

病因 痢疾多患於夏秋之間·良由此時暑溼熱三氣盛行·若感受之·蘊於腸胃·則成痢·或多食生冷油膩·及腐敗之物·停留腸胃而成·張景岳謂痢疾是長熱貪涼·過食生冷·至大火西流·新涼得氣·則伏陰內動·而爲下痢·蓋飲食失宜·阻礙腸胃之消化·因而積滯其中·或暑溼之邪·或生冷飲食之刺激·而分泌多量之粘液·或夾脂油而出·故所下青白黏膩·黏液膠滯腸中·故欲行不暢·肛門重墜·此所謂氣滯不化也·因其黏液不得暢行·積滯不去·故腹中作痛·所謂痛則不通者是也·

治療 合谷　關元　脾俞　天樞　因於暑溼者則針之寒溼者則灸之

治理 合谷疏通大腸之氣滯·肛門重墜者·用之頗有效·蓋古人所謂調氣則後重自除也·關元天樞亦所以調腸胃之氣化·而宣積滯·灸之可除寒溼之邪·鍼之可泄暑熱之氣·脾俞取其能醒快胃也·

赤白痢

症狀　腹痛下痢．裏急後重．赤白相雜．腥穢不堪．肛門灼熱．日數十行．口渴舌紅．苔黃膩．脈弦數或滑．

症因　古人謂溼熱蘊於陽明．熱勝於溼．傷陽明血分．則爲赤痢．溼勝於熱．傷陽明氣分．則爲白痢．溼熱俱盛．則氣血兩傷．而爲赤白痢．夫溼熱之邪．集於腸胃．腸膜因之發炎．炎處滲出粘液．甚則腸壁血管破裂．故所下赤白．衆作直腸發脹．故後重．裏雖急於欲便．而肛門重墜不得暢行．垢濁不能儘量排泄．故日數十行．若腸膜潰爛．所下之物．或如敗醬．或如屋漏水．如魚腦．如猪肝者．皆不治之症也．

治療　小腸俞　中膂俞　足三里　合谷　外關　腹哀　復溜

治理　小腸中膂二俞．爲治赤白痢之要穴．蓋其部位附近直腸．鍼之能直達病灶．而泄溼熱之邪．合谷足三里．泄陽明之熱．而疏通腸胃之氣．腹哀治腹痛下痢．以其部位近腸胃也．外關復溜則淸溼熱．若下痢如魚腦．敗醬等者．則因熱帶深重．故不治．

休息痢

症狀　下痢．腸中微覺隱痛．每感起居飲食失調．或過勞而發．乍發乍止．經年不愈．而飲食少．神倦支疲．

病因 此症多由痢疾調治失宜．或失於通利．或兜澁太早．以致餘邪逗留腸中．若飲食調和．起居適宜．則腸胃之抵抗力強．可以不發．若飲食失調．或稍事勞動．則抵抗力衰減．餘邪得以肆虐．即發生下痢．每多經年累月．時發時愈．如休息然．故名休息痢．久痢則脾胃虛弱．故食少而面黃也．

治療 神闕　天樞　關元　小腸俞　脾俞　各穴俱灸

治理 久痢則脾虛．故宜灸脾俞以益脾．神闕天樞關元小腸俞四穴．均所以調腸胃之氣．而促進其消化機能以外．更有百會一穴．善治久痢．蓋久痢則清陽之氣下陷．灸百會則能升下陷之清陽．若與以上各穴同灸．正與東垣之補中益氣法．同一意義也．

噤口痢

症狀 胸悶嘔逆．痢下不止．心煩發熱．飲食不下．舌苔黃或燥．脈弦數．

病因 噤口者．飲食不下也．其症有二．有初起而噤口者．有久痢而噤口者．夫飲食不進．則生化之源告匱．又復下利．奪其津液．則此症之危也可知．其初起即噤口者．則因暑溼與熱邪蘊阻胃中．以致消化機能失職．故飲食不下．嘔逆頻作．然此乃病毒犯胃．去其病邪．則胃納漸甦．飲食自進．若久痢噤口不食．則為胃氣將絕之候．勢難藥救也．

治療　初起卽噤口者・依照赤白痢條針之・久痢噤口者・依照休息痢條灸之・然多不救也・

咳嗽

咳爲有聲而爲痰・嗽是有聲而有痰・二者雖有別・然多合言之・夫咳嗽肺病也・其原因多端・素問云・五藏六府・皆令人咳・非獨肺也・蓋肺主一身之氣・爲諸氣出入之道路・故咳嗽雖不盡屬肺而必借道於肺以出之・夫咳嗽之發生・如風寒燥溼等邪之外襲・痰飲之阻滯等等・以致肺中有所積蓄・乃作咳嗽以排泄之・故咳嗽乃排泄肺中積蓄物之一種作用・非病態也・可知治咳嗽・當驅除其積蓄物而咳嗽自已也・尋常之咳嗽・不外風寒痰熱・痰飲・乾咳四種・茲分條言之如下・更有虛勞咳嗽・則列入虛損門中・

風寒咳嗽

症狀　形寒頭痛・或頭暈・鼻流淸涕・咳吐痰濁・白膩而爽・或咳或嘔・或咳引脅下痛・或咳而喘滿・脈象浮滑・舌苔薄白或膩・

病因　此症由風寒自外襲入・傷及肺氣而成・古人謂肺之合皮毛・又謂肺主皮毛・蓋皮毛亦爲呼吸器・肺時在翕張・皮毛之孔亦時在翕張・以其微而不之覺也・若風寒束於

肌表・毛孔閉塞・則肺氣不宣・故發生咳嗽喘滿等症・此爲咳嗽症之最輕淺者・

治療　列缺　風府　肺俞　合谷　天突　兼吐者加鍼　太淵　經渠　兼喘者加鍼　三間　商陽　大都　兼咳引脅痛者再鍼　行間　期門

治理　本症由於風寒外束・治宜疏散表邪・故取合谷列缺風府解表而驅風寒也・佐天突以宣肺氣・咳嗽無不關於肺・故肺俞爲治咳嗽之要穴・咳而嘔者病仍屬肺・故取太淵列缺以止嘔・脅痛屬肝・故取行間期門二穴以泄之・且期門位居脅部・能直達病灶・故治脅痛之功效特佳・兼喘滿者則取三間商陽大都泄肺氣而止喘・

痰熱咳嗽

症狀　身熱・咳逆不暢・咯痰濃厚・口乾胸悶・舌紅苔黃・脈象浮數・

病因　此症多由風熱襲肺・肺中津液・爲風熱之邪所爍・鍛鍊成痰・積蓄於肺・乃爲咳嗽・厚膩之痰粘滯肺管・故咳而不爽・胸悶者・痰濁阻滯也・口乾者・肺有熱也・

治療　經渠　尺澤　魚際　解谿　陶道　豐隆

治理　經渠爲肺之經穴・能治咳逆・尺澤爲肺之合穴・能泄肺熱・魚際退身熱・解谿豐隆泄痰熱・陶道疏散風熱之邪・各穴相合・則有解表熱化痰濁之功・故能治痰熱咳嗽也・

痰飲咳嗽

症狀　形寒咳逆。每屆清晨或初更。則作甚甚劇。咯痰白膩。或稀薄白沫。胸悶或脇痛。甚或不能平臥。或胸背之間。一片作冷。舌多白膩。脈濡滑或沉濡而細。

病因　此症多由飲食生冷。或感受寒邪而發。古人所謂形寒飲冷則傷肺者是也。然必因平素脾陽不振。或老人之陽衰者。不能運化津液。以致停蓄爲痰飲。每受外邪或生冷食物之引誘。則潰入肺絡。乃爲咳嗽。清晨初更。則臟府安靜。脾胃運化之力益衰。故咳亦愈劇也。

治療　肺俞　膏肓　足三里　脾俞　俱灸

治理　肺俞膏肓。位居背部。灸之則直達肺臟。去寒邪而化痰飲。灸脾俞。所以振脾陽而助運化也。足三里則降氣逆。若老人久年痰飲咳嗽。每多下元虧損。則宜加氣海關元。以攝納下焦之氣。助治用黑錫丹最好。

乾咳嗽

症狀　咳而無痰。聲不連續。內熱口渴。甚則胸脇引痛。脈象多弦數。舌多絳無苔。

病因　此症多由感受外感之燥氣。尤多患於秋令。蓋秋時燥氣盛行。感觸之。直入肺臟。

肺失清肅而成・或多食辛熱・嗜好煙酒・致肺有鬱熱・消爍肺液而成・陳修園云・肺爲臟腑之華蓋・臟腑之火不得水制止・上刑肺金・致肺燥乾咳・有聲無痰・與寒飲作咳者・不同也・

治療 少商　列缺　肺俞　關冲　足三里　魚際

治理 魚際泄肺熱・少商關冲清肺熱而生津・列缺肺俞止咳逆・足三里降氣・諸穴同用・大有清熱潤燥・降氣止咳之功・故能治乾咳也・

肺痿

症狀 咳聲不揚・咳痰艱於上行・行動數武・氣即喘促・衝擊連聲・痰始一應・口渴・甚則半身痿廢・或手足痿軟・

病因 金樻謂肺痿之起・或從汗出・或從嘔吐・或從消渴・小便利數・或從便難・又被快藥下利・重亡津液・故得之・喻嘉言曰・肺痿其積漸已非一日・其熱不止一端・總由胃中津液不輸於肺・肺失所養・轉枯轉燥・然後成之・於是肺火日熾・肺熱日深・肺中小管日窒・欬聲以漸不揚・胸中脂膜日乾・咳痰艱於上行・觀此則肺痿原由肺中津液枯少・以致肺葉日漸乾瘪・其所以半身痿廢・手足痿軟者・亦爲津液虧損・筋失所養而成也・

治療　膏肓　肺俞　足三里　少商　列缺　魚際　太淵　中府　曲池

治理　肺痿由於肺熱傷津・故宜取少商列缺魚際太淵等穴・清肺熱而生津・膏肓肺俞爲治咳之要穴・俞府能清肺熱・而治喘促・足三里則降氣・曲池清熱生津・若至半身痿廢・手足痿軟・則爲難治・可遵照中風門半身不遂及手足不用條鍼治之・

肺癰

症狀　咳嗽・吐痰腥臭・胸中隱痛・鼻息不聞香臭・自汗喘急・甚則喘鳴不休・脣反・若咯吐膿血・色如敗滷・滄臭異常・正氣大敗・而不知痛・坐不得臥・飲食難進・爪甲紫而帶彎・手掌如枯樹皮・面白顴紅・聲啞鼻煽等症・皆爲不治・

病因　肺癰之成・多由感受風寒・未經發越・停留肺中・蘊發爲熱・或兼溼熱・痰涎垢膩・蒸淫肺臟・以致咳吐膿血・或如敗滷臭者・則不可挽救也・

治療　魚際　少商　尺澤　豐隆　足三里　風門　肺俞　合谷

治理　魚際少商尺澤・清泄肺熱・豐隆足三里降氣而化痰濁・風門肺俞合谷諸穴皆泄肺氣而治喘急・初起者鍼之可以收効・久則不能爲力矣・

痰飲

痰與飲二症也・稠膩者謂之痰・稀薄者謂之飲・二者皆津液所化也・人而無病・則津液能營養人身・有病則化爲痰飲・反足以爲害矣夫痰多藏於腸胃與肺中・故每因咳吐下而出・飲者流溢周身・無處不到・蓋痰飲雖皆屬津液所化也・而其變化之原因・略有不同也・痰者乃胃中食物之精華・或肺中津液薰蒸而成・考吾人飲食入胃・化爲乳糜・其精華則由腸胃之吸收管吸收之・傳遂於淋巴管以入血管而爲血・若腸胃之吸收作用減退・則津液停滯腸胃而爲痰・若肺爲風寒所侵襲・或大熱煎熬・則津液停滯於肺・而爲肺中之痰・此痰濁之所由生也・飲者爲胃中之水液所化・或血中水分變成・吾人飲入之水・本由腸中吸收・運行周身而爲汗爲尿・若吸收作用減退・則水分停滯而爲飲・且血中本有水・若一部分之鼓動力・輸送力減退・則停滯而爲飲・溢於內則爲內臟之飲・溢於外則爲肌膚之飲・故飲當能流溢周身・無處不到・此飲症之所由成也・古人論痰・則有濕痰・燥痰・風痰・熱痰・寒痰・之分・飲症則有痰飲・懸飲・溢飲・支飲・伏飲・之別・症狀不同・治法各異・是不可不辨也・

溼痰

症狀　肢體沉重・腹痕脘悶・脈軟滑面黃・舌淡而膩・痰多易咯・口不渴・[illegible]・並

病因　此症多飲食失調・如多食油膩厚味・或感受外界之溼邪・以致脾陽衰憊・不能運化津液・停留於胃・蘊蒸成痰・故腹痕脘悶・肢體沉重等症作矣・

治療

治療　脾俞・膻中・中脘・豐隆・足三里・各穴俱灸・

論理　古人謂脾胃爲生痰之源・故取脾俞中脘二穴促進脾胃之運化・使津液不致積蓄爲痰・灸之則具化溼之功・豐隆專化痰濁・膻中宜泄氣機・諸穴合用・則有健脾胃・運樞機・化溼痰之功・

燥痰

症狀　喉癢而咳・咳則痰少濃厚・氣短促・面恍白・咳而不爽・

病因　痰有厚薄之分・濃厚者爲稠痰・較薄者爲稀痰・大約痰之屬風・屬溼・屬寒者・精稀薄・屬火・屬燥・屬熱者・多稠膩・人之精血充足・則化力厚而成稠痰・人之少血衰弱・則化力薄而成稀痰・故暴病多稠・久病多稀・本條之燥痰・乃燥氣傷肺・鍛津成痰・故濃厚粘膩・膠滯肺管・故咳嗽不爽・呼吸斷促也・

治療　依照咳嗽門・痰熱咳嗽條針治之・

風痰

症狀　神機驟然蒙閉・神昏厥逆・四肢抽搐・痰聲如鋸・胸脅滿悶・脈弦面青・兩目怒視・

病因 此症多由肥盛之人。肌肉不堅。津液不化。古人謂肥人多痰溼。或平素嗜好烟酒。以致痰濁阻滯。陰分日衰。不能涵陽。則肝風內動。挾痰濁而犯腦。致成神昏抽搐等症。故名風痰。非外感之風邪也。

治療 大敦　行間　中脘　膻中　列缺　關元　百會　人中

治理 大敦行間。瀉熄肝風。中脘泄化痰濁。列缺膻中宣泄肺氣。而開痰濁之鬱窒。以治胸脅滿悶。人中百會醒神昏而止抽搐。關元攝納下焦之氣。諸穴合用。則具潛陽熄風。抑肝滌痰之效。

熱痰

症狀 煩熱口渴。神昏好睡。咯痰濃黃。脈洪面赤。舌黃膩或神識不靈。

病因 此症由於熱邪蹯踞肺胃。津液爲熱邪所鬱蒸因而成痰。故厚膩而色黃。煩熱口渴。若神昏好睡。神識不靈。古人則謂痰熱蒙蔽清竅。實則腦神經受痰熱之蒸灼。而失其靈動活潑也。

治療 經渠　陽谿　豐隆　間使　委中　靈道　神門

治理 經渠泄肺熱。豐隆化痰濁。委中陽谿間使清熱而治煩熱口渴。靈道神門清熱而醒神昏。

寒痰

症狀 咳痰稀薄。脈沉。面目青黑。小便短少。手足清冷。少腹拘急。舌潤有青紫色。

病因 古人謂命門眞陽衰微。不能蒸化津液。水泛則爲痰。夫命門卽腎。功主分泌水液。若失其功用。則水液停留。故少腹拘急。小便短少。腎不分泌。則腸胃之吸收管亦失吸收之功能。致水液停留而爲寒痰。所謂水泛爲痰者此也。手足清冷者。陽氣衰也。

治療 合門　腎俞　膻中　肺俞　足三里　俱灸

治理 命門腎俞。位居腎臟之外。灸之則直達腎臟。促進其分泌機能。所謂壯腎陽以制水也。膻中肺俞。則溫化肺胃之寒痰。足三里引氣下行。灸之且能運化水液。使不致停蓄爲痰也。

痰飲

症狀 素盛今瘦。咳逆稀痰。腸間水聲漉漉。頭目暈眩。足下覺冷。甚或小便不利。肌肉浮腫。脈多弦滑。舌白或紅潤。

病因 金匱有四飲之名。曰痰飲。懸飲。溢飲。支飲。惟痰飲屬痰。雖則屬痰。而所咳之痰必是粘液·或藉以微細痰屑之稀痰而已·非厚膩之痰可比也·痰飲症·古人謂爲素肥今瘦·夫昔肥而今瘦者·良由飲食所化之津液·不能運化·停留腹部腔隙·以成痰飲·故腸間漉漉有聲·體中津液因痰飲之消失·不能榮養肌肉·以致日形瘦削·故昔肥而今瘦也·若小便不利·則水飲無從排泄·勢必溢於周身故爲浮腫·阻滯於肺·則爲咳逆也·

治療 天樞·中脘·命門·膏肓·氣海俱灸

治理 天樞中脘氣海·運行腸胃之水飲·使不停留·命門溫補腎陽·以通利小便·使飲留之水分·由小便而排泄之·膏肓行肺中之痰飲·而治咳逆也·

懸飲

症狀 咳唾白沫·脅下引痛·脈多弦數細·舌多白膩甚或經年累月不愈·呼吸氣短·雙目仰視·

病因 水飲能流溢人身·古人以其停留於何部而異其命名·蓋示後學以辨別之法也·懸飲者多起於病後虛弱·渴多飲水·或暴飲過多·因中宮陽氣衰微·不能蒸化分播·以致水停脅下·金匱謂水在於肝·脅下支滿·嚏而痛·蓋肝臟爲水氣窒礙·故咳吐引痛·水飲留於脇下·懸而不降·不由小便而排泄·故曰懸飲·若久延不癒·呼吸氣

短．夢目仰視．則爲難治．

治療　大椎　陶道　俱灸　肝俞　針灸　肺俞　灸　期門　章門　針

肝俞行肝臟停留之水飲．期門章門治脇下引痛．且直達病灶．能運行脇下之水飲．

治理　大椎陶道肺俞．灸之則振陽氣化水飲而治咳唾白沫．

溢飲

症狀　肢節疼痛．筋骨煩疼．嘔逆咳嗽．喘急不得臥．脈浮弦．

病因　金匱云．水飲流行．歸於四肢．當汗出而不汗出．身體疼痛．謂之溢飲．此症之成．多由其人虛冷．多濕者飲水過多．合濕更盛．脾因濕而失其運化之力．以致水飲停留．外不能由毛竅排泄爲汗．內不能由膀胱輸出而爲小便．是以洋溢四肢．故肢節疼痛．筋骨煩疼．水飲入肺．則咳嗽喘急．停留於胃．則爲嘔逆．因其爲水飲洋溢而發生諸病．故名溢飲．

治療　水分　關元　神闕　肺俞　中脘　足三里　命門　俱灸

治理　水分專治水病．以其能分利水液也．關元神闕中脘．能運行水液．而促進脾胃運化之機能．足三里降氣逆以治喘急咳逆．命門促進腎臟分泌．使水飲從小便輸出．則無洋溢之患矣．

支飲

症狀 頭暈嘔吐．痰滿欬逆．氣短倚息不能臥．脈弦細．舌淡而潤．

病因 金匱云．咳逆倚息短氣不得臥．其形如腫．謂之支溢．夫飲之原因．必其人平素肺臟衰弱．有咳嗽之疾．間作間息．或感風寒．咳嗽痰涎較多．若因其微而忽之．久則增劇而成支飲．或由脾胃虛寒．水飲停留．支結於肺胃心下之處．故成嘔吐痰滿咳逆等症．

治療 依照溢飲條針治之．

伏飲

症狀 胸滿嘔逆．喘咳．腰背痛．心下痞．振振惡寒．身瞤劇．脈伏或滑．

病因 伏者潛而藏之之意．蓋水飲伏於人身而不病也．張石頑曰．凡水飲蓄而不散．謂之留飲．留飲者留而不去也．留飲去而不盡者．皆名伏飲．伏者伏而不動也．飲之所以伏者．必由脾腎陽虛．不能蒸散．伏於肺胃．則爲咳逆．嘔吐心下痞滿等症．伏於腰背機肉等處．則爲腰背疼痛．身瞤劇等症．此外更有癖飲．飲癖．流飲．酒客等名．癖者素有痰疾間作間息．以成癖也．癖者是水積腸中之意．流者是水飲流行

也・酒客者以嗜好飲酒每多飲病也・然其見症治法・已概括各條中故不另述・

治療　膻中　中脘　關元　腎俞　脾俞　膏肓　俱灸

治理　膻中中脘・去肺胃之伏飲・腎俞脾胃・治腰背之疼痛而振脾胃之陽蒸化伏藏之水飲・膏肓治喘咳而化痰飲・伏飲去則諸恙悉解・

哮喘

熱哮

症狀　身熱口渴・喘咳不得臥・聲如曳鋸・兩脈滑數・

病因　哮與喘二症也・哮者喉中有痰聲・其病因偏於痰・故金匱言哮・謂咳而上氣・喉中如水雞聲・喘則爲吸呼之氣急促・其病因偏於氣・故治哮者・宜治痰・治喘則宜理氣也・然哮症之中・復有寒熱之別・熱哮由於痰熱內鬱・留於肺絡・氣爲痰阻・故呼吸有聲如曳鋸・喘咳者・痰滯氣逆也・身熱口渴・痰熱盛也・

治療　天突膻中合谷列缺足三里太冲豐隆　俱針

治理　熱哮由於痰熱內鬱・故刺天突膻中以宣肺氣・而治咳逆・復取足三里豐隆之泄降痰熱・合谷列缺清泄肺熱・太冲能治諸逆上冲・諸穴合用・則有化痰濁・泄肺熱降氣

逆之功．故謂治熱哮也．

冷哮

症狀 形寒肢冷．咳嗽痰多．喉中有聲．脈細弦或細滑．舌潤不渴．

病因 此症多由素有痰飲之人．留積胸中．每遇風寒而發．蓋風寒外束．肺氣先傷．陽氣不得外泄．引動痰飲上逆．故咳嗽痰多．痰飲壅滯氣道．故呼吸時．喉中有聲也．

治療 靈台俞府乳根膻中天突豐隆肺俞足三里．

治理 冷哮原由內有痰飲．乘感風寒而發．治宜疏解風寒．溫宣肺氣．而化痰飲．故灸靈台以解表寒．灸膻中以宣肺氣．天突乳根俞府豐隆以化痰飲．表解飲除．則肺氣肅矣．

實喘

症狀 胸高氣粗．呼吸促急．兩肩聳動．聲達戶外．兩脈滑實．

病因 素問曰．諸病喘滿．皆屬於熱．又謂邪氣入於六腑．則身熱．不時臥．上為喘呼．李士材云喘者短促氣急．又謂張口抬肩．搖身擷肚．此皆指實喘而言也．夫實喘之原由於感受外邪．壅窒肺竅．氣道為之阻塞．故胸高氣粗．肺氣急於向外排泄．故呼吸促急．而兩肩聳動也．聲達戶外者．呼吸之氣粗而急．然與哮症之痰聲有別也．

治療　肺俞合谷魚際足三里期門內關．俱針

治理　喘症有虛實之分．實者宜瀉之．故取肺俞合谷魚際以泄肺氣．期門內關以泄胸中之邪．足三里降氣．若喘症而至面淡鼻冷．則不治．然速灸關元氣海．各數十百壯或可救．

虛喘

症狀　喘時聲低息短．吸不歸根．若斷若續．動則更盛．心悸怔忡．兩脈虛細．

病因　虛喘由於腎元虧損．丹田之氣不能攝納．氣浮於上而成．多患於老人．以其爲氣不足．故雖喘而聲低氣短．與實喘不同也．古人云．呼出心與肺．吸入腎與肝．腎虧則吸不歸根．故若斷若續也．心悸怔忡者．乃心下惕惕然跳．築築然動．本無所驚而心動不寧．亦由心臟衰弱．腎氣上逆而然也．

治療　關元腎俞氣海足三里　俱灸

治理　關元氣海攝納氣之上浮．而補丹田之氣．足三里引氣下行．腎俞益腎元虧損．腎氣充．丹田氣足．則無上逆之弊矣．

虛勞門

陽虛

症狀 怯寒・少氣・自汗・喘乏・食減無味・腹脹飧泄・或精氣清冷・陽痿不舉・目眩肢痠・膝下清冷・水泛爲痰・面唇㿠白・舌白無華・脈多沉細軟弱・或大而無力・

病因 經曰・陽虛生外寒・乃心臟機能衰弱・輸血力弱・皮下血管貧血・故見惡寒少氣等症・脾陽不振・則化力呆滯・吸收減退・故腹脹泄瀉・腎陽衰弱腎精冷陽痿・肢痠脚冷・故治陽虛者・宜補脾腎之火也・

治療 命門腎俞脾俞關元神闕 各穴俱灸

治理 灸命門肺俞・壯腎陽也。腎陽充則精冷陽痿等症悉解・脾俞灌溉脾臟・復佐關元神闕以振下焦之元陽而强心・脾陽振則化元强・心陽振則輸力充・斯惡寒少氣自汗泄瀉等症亦愈矣・

陰虛

症狀 怔忡・盜汗・潮熱・或五心煩熱・口乾不寐・男子遺精・女子經閉・或面赤唇紅・

咳嗽痰多。脈多數而無力。

病因 經云。陰虛生內熱。多由熱病後。及少年色慾過度。損及肝腎。精陰枯涸。不能涵陽。以至陽氣偏旺。而生內熱。至於遺精不寐等症。亦由陰虛陽旺。君相之火不寧也。面赤唇紅等症。則由陰虛於下而陽浮於上也。

治療 大椎　陶道　肺俞　膏肓　足三里　陰郄　後谿　肝俞　腎俞

說理 大椎陶道瀉陽退熱。肺俞膏肓足三里治咳嗽而益虛。肝俞腎俞益肝腎之陰以涵陽。陰郄後谿清虛熱而治盜汗。熱輕則鍼而灸之。熱重者慎勿灸也。

五　癆

症狀 潮熱盜汗。咳嗽痰多。初起多稀薄。久則漸形濃厚。胸部或背部一處作痛。或側面而臥。此肺癆也。若面色蒼白而不能行者爲肝勞。足軟弱不能久立而遺精者爲腎勞。

病因 精氣內奪。期內虛損。由虛而漸以成癆者。精氣虛憊之極也。越人謂自上損下者。一損肺。二損心。三損脾。四損肝。五損腎。自下損上者。一損腎。二損肝。三損肺。四損心。五損脾。五臟俱損。乃成五癆。夫五癆雖屬五臟。然有連帶之關係。故中醫之論癆病。每連類及之。如咳嗽吐血。久而不愈。上損於肺。肺之呼吸系病不能呼炭納養．體內之新陳代謝因而失職．能影響脾胃之消化．以及心之循環．腦之神經．腎之內分泌．各臟無不受其累．此所謂自上損下也．又少年斵傷．損及腎臟．精液枯涸．遂生虛熱．引起肝陽．肝旺乘脾．消化失職．血無資生．則心之循環無由供給．神經及各組織均失營養．至末期可連累及肺．此所謂自下損上也．古人又謂上損及中．過脾不治．蓋肺病第一期．病專在肺．咳嗽痰多．連及神經循環．謂之第二期．潮熱．顴紅．至壞至消化機能飲食不進．則為末期．已屬不治．又謂下損及中．過脾不治．蓋腎陰虛而生內熱．以至飲食不進者．亦為不治也．惟西醫論癆病則謂為結核菌為患．然必因臟器先弱．失却抵抗能力．故適合於結核菌之滋長發育也．

治療 四花　腰眼　肺癆加肺俞膏肓足三里　心癆加陰郄後谿　脾癆加脾俞胃俞
肝癆加肝俞　章門　腎癆加精宮三陰交

治理 四花腰眼專治五癆及一切虛損．肺癆則加肺俞膏肓足三里以治咳嗽而降氣．心癆則加陰郄後谿養陰退熱而治盜汗．脾癆則加胃俞脾俞補益脾胃而治泄瀉．肝癆則加肝俞以益肝．章門以治脅痛．腎癆則加腎俞精宮三陰交以補益腎臟．而治遺精．癆病之初起者．醫治得法．尚可挽救．若久延不愈．則非鍼藥所可圖收也．

吐衄門

吐血

症狀 吐血或從吐出．或從嘔出．傾盤盈碗．或鮮散中雜紫黑大塊．吐後不卽凝結．面色㿠白．脈多虛芤．

病因 吐血出於胃．方書所謂府血是也．其原因多由胃熱逼血妄行．因而上溢．或暴怒火逆傷肝．古人謂怒則氣上．以致血向上迫．或肝火昌熾．鼓激胃中之血上溢．故從嘔吐而出．或飲酒過多．傷胃而吐血．然皆屬胃中之血．有謂肝心脾皆能吐者．非也．失血過多則成貧血之現象．故面色㿠白而脈虛芤也．

治療 魚際 尺澤 足三里 膈俞 中脘 內庭 嘔血加肝俞 行間

治理 吐血出於胃．故針足三里內庭以瀉降胃氣之上逆．蓋氣逆然後血逆也．鍼膈俞以寧血．魚際尺澤能止血．中脘淸胃熱而降衝氣．嘔血屬肝火．故取肝俞以抑肝．行間以瀉肝．然肝氣上逆而嘔血者．多雜胸脅痠痛．則宜加鍼期門陽陵以治之．

咳血

症狀 因咳嗽而見血．或乾咳．或痰中雜血咳出．氣喘急．然所出之血．不如吐血之多也

•脈多微弱•

病因 咳血出於肺•方書所謂臟血是也•其原因多由於外感風熱•鬱於肺而嗆咳•傷肺•故血從咳嗽而出•或陰虛火動上逆而咳血•或肥盛酒客輩•痰中有血•凡此皆肺中之血也•惟咳血久而成癆•或因虛癆而咳血者•則見肌肉消瘦•四肢倦怠•五心煩熱•咽乾顴赤•潮熱盜汗等•當依照虛癆治療之•

治療 肺俞•百勞•足三里•膈俞•陰虛火動者加三陰交•肝俞•痰中帶血者•加豐隆中脘•風熱襲肺者•加風門列缺•

治理 咳血屬肺•故肺俞百勞爲治咳血之要穴•足三里降氣•陰虛火動者則加鍼肝俞三陰交以養陰•酒傷痰中夾血者•則加中脘豐隆以降氣化痰•風熱傷肺者•故加鍼風門列缺以宣泄風熱之邪•

衄血 鼻衄眼衄耳衄牙衄皮膚出血

症狀 鼻衄卽鼻中流血•亦名紅汗•耳衄牙衄卽耳中與牙齒出血也•眼衄目中出血也•皮膚出血又名肌衄•

病因 衄者血從經絡滲出•而行於清道也•良由風熱壅盛而發•或煙酒惱怒刺激而出•古人謂陽絡損則血外溢•血外溢則爲衄血也•

治療　(鼻衄血)合谷禾髎大椎魚際列缺少商上星鼻衄原由風熱・魚際列缺清肺熱・禾髎位居鼻旁・故能治鼻衄也・少商能清肺且爲鼻衄之特效穴・

(眼衄血)睛明太陽行間曲泉・眼衄乃積熱傷肝・或誤藥擾動陰血・以致血從目出・故宜鍼行間曲泉以清泄肝熱・睛明太陽以其部位近目・故能泄局部之熱而止血也・

(耳衄)足竅陰刺出血・俠谿・陽陵泉・行間・翳風・此症多由飲酒過多・或多怒之人・肝胆之火上激・以致血從耳出・故鍼竅陰俠谿陽陵行間以泄肝胆之熱・翳風以泄病灶局部之熱而止血・

(肌衄)膈俞血海・此症亦血熱沸騰而從毛竅溢出・故取膈俞血海以清血熱而止其血也・

(牙衄)合谷內庭手三里足三里・牙衄乃陽明蘊熱上乘・故鍼合谷內庭手三里以泄陽明之熱・足三里清熱而引下行・

嘔吐

實熱嘔吐

症狀　口渴發熱・食入則吐・所出之物多兼穢臭・或苦或酸・頭目暈眩・舌黃脈數・

病因 嘔者。有聲而有物。吐者。有物而無聲。二者雖略有不同。然皆胃病也。嘔吐之屬於爲者。由胃有鬱熱。火勢上炎。胃氣不能下降而成。或怒激肝氣。肝太橫逆。或肝胆風熱上炎。皆致嘔吐。經曰諸逆上衝。皆屬於火。諸嘔吐酸。皆屬於熱。是也。夫吐出之物。或苦或酸者。則因胃酸與胆汁。因熱而分泌過多上溢也。

治療 內庭　合谷　內關　中脘　上脘　足三里　肝胆之氣上逆者。加陽陵泉　太冲。

治理 實熱嘔吐。由於胃熱。故鍼內庭足三里以清熱而降氣。嘔吐之病灶在胃。故鍼中脘上脘以直泄脘中之熱而止嘔吐。合谷內關宣泄胸部之氣而清熱。肝胆之火上亢者。則加鍼太冲陽陵以泄之。若經症之嘔吐。則單鍼三里留撚稍久。其效頗著。

虛寒嘔吐

症狀 嘔吐稀涎。面青肢冷。胃脘不舒。口鼻氣冷。不渴。苔白脈細。

病因 嘔吐之屬於虛寒者。乃由脾胃之陽不振。運化失職。或飲食生冷。以致寒溼濁邪。留滯中宮。乃上逆而作嘔吐。故覺當胃不舒。四肢厥冷也。

治療 中脘　內關　氣海　胃俞　三陰交　膻中　脾俞　足三里　俱灸

治理 嘔吐皆由氣上逆。故足三里爲要穴。內關膻中宣泄胸中之氣。脾俞胃俞振脾胃之陽。而化寒溼濁邪。三陰交亦能溫脾化溼。氣海理腸胃之氣。氣調則無上逆爲吐之患

矣・

乾嘔

症狀 乾嘔不止・有聲無物・與噦相似・惟不若噦聲之惡濁而長也・但覺胸膈不舒・口渴或不渴・甚則四肢厥冷脈絶・

病因 乾嘔亦屬胃病・蓋由清濁之氣・升降失常・阻拒於胸膈之間・乃脾胃虛弱・運化失職・氣機失調而成・亦有因於胃熱者・濁熱之氣上攻・則乘發熱口渴・

治療 中脘 足三里 內關 脾俞 胃俞 章門俱灸・胃熱者改灸爲針・加針內庭・厲兌

治理 脾虛寒者・則單用灸法・以溢補脾胃・如脾胃俞中脘章門等穴是也・餘如三里內關亦無非降氣行氣・而具升清降濁之功・因胃熱者則鍼以泄之・復加內庭厲兌以清陽明之熱・

噎膈

寒膈

症狀 脘腹痕滿・嘔吐清水・四肢厥冷・食不得入・或食雖可入・而良久反出・面色皖白

．兩脈遲細．

病因　膈者膈塞不通．飲食不下也．若食入反出．謂之反出．二者皆膈間受病．故通名爲膈也．寒膈由於中宮陽氣衰微．寒邪凝聚．脾氣不能升．胃氣不能降．故飲食不下．反胃亦由脾胃虛寒．運行失職．不能熟腐五谷．變化精微．故食雖可入．良久復出也．王太僕曰．食入反出．是無火也．古人謂朝食暮吐．是胃虛寒也．

治療　膻中　灸　膈俞　灸　中脘　足三里　公孫　脾俞　胃俞　針灸

治理　膻中膈俞宣展胸膈之氣．足三里公孫降氣逆．中脘脾胃俞振脾胃之陽．而理寒邪．

熱膈

症狀　胃脘熱甚．口苦舌燥．煩渴不安．嘔吐酸臭．食入即吐．或前後閉澀．脈多大而有力．

病因　素問曰．三陽結謂之膈．夫所謂三陽者．即腸胃膀胱也．蓋腸中積熱．則後不圊．膀胱結熱．則小便不利．故前後眞祕．胃有鬱熱．則胃津枯耗．食道液燥．故食不得下．且下既不通．勢必上逆．故食下亦仍出．是火上行而不降也．因其三陽結熱．故口渴舌燥．煩躁不安也．

治療　內庭　中脘　足三里經支溝　合谷　大陵　內關　委中　大腸俞．

治理　內庭中脘泄胃熱・足三里降氣逆・且與支溝合用則有導府之功・合谷大腸俞清腸中之熱・委中清膀胱之熱・大陵內關清熱而治煩渴不安・

氣膈

症狀　噫氣頻頻・中脘滿痛・痛行脊背・胸悶氣熱・食不得下・大便不利・

病因　素問曰・膈塞閉絕・上下不通・則暴結之疾也・此言噎膈之起於鬱結不舒者也・內經曰憂則氣聚・蓋中心抑鬱・憂結不解・則氣鬱於中・運化不利・肝氣上逆・故食不得下・而成氣膈・

治療　中脘　膻中　氣海　列缺　內關　胃俞　三焦俞　足三里　俱針灸・期門　鍼

治理　氣膈以調氣爲主・故取膻中氣海理氣之鬱結也・足三里降氣之上逆也・列缺內關宣泄胸膈之氣・期門泄肝氣・鬱結不舒・則胃氣不能敷布・故取胃俞三焦俞・以運行胃氣・氣調鬱解・膈症自愈・惟憂結爲情志病・苟病者能達觀・則易於收效也・

痰膈

症狀　咳嗽氣喘・喉間痰聲・胸膈痞滿不舒・飲食不能下咽・舌多膩苦・兩脈滑實・

病因　此症多因憂思悲恚・脾胃受傷・血液漸耗・鬱氣生痰・痰濁滯留於肺胃・阻塞氣機

・飲食下咽・每有所阻・如礙道路・膈而不得下・噎膈所由成也・痰滯氣逆・故咳嗽氣喘・

治療 膈俞 灸 天突 針灸 肺俞 灸 豐隆 針灸 下脘 灸 大都 灸 足三里 針灸

治理 肺兪天突治咳嗽氣喘・膈俞理胸膈之氣・豐隆泄化痰濁・三里大都降氣・下脘旋運中州以行痰濁・

食膈

症狀 胸脘脹痛不得安・食難下咽而痛・甚或氣塞不通・危殆不堪・

病因 此症多患於老人・良由脾胃衰弱・每於過飢之後・猝然暴食・壅滿胃之上口・閉塞脾胃之氣機・而成噎膈・食滯於胃・故胸脘部脹滿作痛・老年患此・多難救治・

治療 中脘 脾俞 胃俞 膻中 氣海 足三里 巨闕

治理 中脘三里巨闕・化食滯而兼導六腑・脾俞胃俞・助脾胃之消化・膻中氣海則調氣而宣氣機之閉塞也・

虛膈

症狀 飲食不下・肌膚乾燥・或嘔吐白沫・糞如羊屎・兩脈虛澀・體倦神疲・

病因　此症多有脾胃津液枯燥．不能化納．以致飲食不下．蓋人身藉飲食之精微以營養．若飲食不進．則滋養料之來源告匱．故肌膚乾燥．古人謂噎而白沫大出．糞如羊屎不治．若胸腹疼痛如刀劃者．死期迫矣．

治療　膈俞　合谷　大包　太冲

治理　灸膈俞數十壯以治膈氣．針合谷以宣大腸之氣．針灸大包以補胃．針太冲以降逆．然多不救也．

臌脹門

水臌

症狀　初起四肢頭面腫痕．漸延胸腹．皮膚黃而有光．脹大繃急．按之窅而緩起．甚則臍突露筋．口渴煩躁不寐．胸悶氣喘．皮膚日粗．面色灰敗．鼻出冷氣．則為危候．

病因　此症多由水腫之甚以變成者．水腫之原多為飲冷過度．或著寒邪．以致脾腎陽衰．脾不運輸．腎不分利．體中水分無所發泄．水氣泛濫．溢於皮膚．膨痕而成水腫．日久月深．水質蓄積不消．肢體脹大滿量．遂成腫體．即變水臌．水鬱於內．猶溝壑之積水．積久不消．化而為毒．則難施治．若腹露青筋．面色灰敗．則為水毒深

重之候・者口渴煩躁・則水毒化熱・煎熬血液・腎中之龍水上騰也・凡此皆爲水針垂危之候・雖有華扁之能・亦將束手矣・

治療 腎俞 灸 膀胱俞 灸 三陰交 針 陰陵 針 水分 灸 人中 脾俞 灸

治理 腎俞膀胱俞・以宣膀胱之氣化・而促進腎臟之分泌・陰陵通利小便・脾俞振脾陽以行水・水分爲治水臟之特效穴・以其能分利水分也・三陰交運化脾之溼・人中可用粗針泄水

氣臌

症狀 腹大而四肢瘦削・皮色不變・按之窅而即起・喘促煩悶・或腸鳴氣走，漉漉有聲・二便不利・脈弦鬱・

病因 氣臌與水臌・原屬二症・以手按之・成凹而不隨手起者・水臌也・按之成凹而隨手起者・氣臌也・氣臌之原因・多由七情鬱結・氣化凝聚・留滯中焦・腹部乃爲之脹滿・用情太過・傷及脾胃・脾胃失運化之能・血液無從產生・肌肉失所營養・故四肢漸形瘦削也

治療 膻中 氣海 關元 脾俞 胃俞 中脘 足三里 各灸數十壯

治理 氣臌原屬氣積・治以理氣爲主・故取膻中氣海關元調氣而開鬱結・脾胃俞中脘足三

里則助脾胃之運化・氣調則痞滿自除・脾胃强則化力足・斯諸恙均得而解矣・

實脹

症狀　腹脹堅硬・大便秘結・小便黃赤・行動呆滯・吸呼短促・或胸高氣粗・脈沉滑有力・

病因　此症多由七情之傷・脹起於旬日之間・或多感受寒溼之邪・多食生冷之物・以致脾陽不振・失其旋轉・溼濁阻滯・因而痞滿・

治療　依照氣臟各穴針灸之・以調其氣・大便祕結者加針支溝內庭・幷瀉足三里以化結滯・而導六腑・

虛脹

症狀　容形枯槁・脹起於經年累月・腹部脹滿・朝寬暮急・或暮寬朝急・大便溏薄・或小便清白・脈細少氣・面淡舌白・

病因　虛脹多起於久瀉・或飲食起居不善攝養・或病後飲食不愼・中氣受傷・脾胃虛弱・不能運化・濁氣滯塞於中・以致痞滿・若痢後成痞・久病羸乏・臍心凸起・喘急不安者・此爲脾腎俱敗・則難調治・若咳嗽失音・青筋橫絆腹上・及爪甲青或頸面蒼

黑・嘔吐頭重・上喘下泄者・皆不治之症也・

治療 關元　中脘　下脘　神闕　脾俞　胃俞　大腸俞　各灸三五壯

治理 虛脹由於中氣虛損・脾胃衰弱・故灸關元神闕中下脘各穴・以益中氣・大腸俞以鼓舞腸中氣化・以治大便溏薄・脾俞胃俞則調補脾胃・扶加正氣・脾胃健則運化復常而脹消矣・

癥瘕門

癥

症狀 面黃肌瘦・飲食減少・神疲體倦・胸脘腹間有塊硬痛・按之有形・牢固不動・舌光脈濇・

病因 積聚之有形可徵者曰癥・故人謂癥者眞也・然有食癥・痰癥・血癥・之分・食癥者因食積而成癥也・多由多食生冷黏膩之物・脾胃虛弱不能消化・膠滯脘間・與氣血相搏・積聚成塊・日漸長大・堅固不移・痰癥由於痰濁鬱滯・多積於脇下・血癥乃血積而成也・多由臟府虛弱・寒熱失節・或風寒內停・或閃挫跌撲・氣血停滯・壅瘀經絡而成血癥・多積於少腹部・

治療　(少腹有塊)關元・太沖・行間・三陰交・膈俞少腹有塊・多屬血積・故所取各穴皆屬血分之穴・如灸太沖能行血・行間三陰交能破瘀・膈俞開胃調氣・

(臍上脇下有塊)神闕中脘下脘章門脾胃俞・臍上脇下有塊・多屬食積・故取中脘中脘之化積滯・脾俞胃俞健脾胃以助運化・神闕調氣・章門能直達病灶・消脇下之塊・

(脇下兩旁有塊)章門期門行間肺俞豐隆陽陵・此症多由痰積・故取肺俞豐隆以化痰・章門期門以消積・行間陽陵以疏胆肝之氣・因脅下屬肝膽二經也・更宜於塊之中央及上下左右針而灸之・不問其爲何積・均可如法施治・直達病灶・收效尤易・

瘕

症狀　發生胸脇臍腹・或痛・或噯氣・或嘔吐・甚則氣逆神昏・腹中有塊攻衝・遊走無定・聚散無常・推之則動・按之則走・脈多沉細・舌苔薄白・

病因　積聚之或聚或散者曰瘕・古人謂瘕者假也・難經曰聚者陽氣也・其始發無根本・上下無所留止・其痛無常處・蓋指瘕症言也・多由肝脾之氣失和・肝氣橫逆・脾失健化・水飲痰液・凝聚成瘕・隨氣之順逆運滯・而時形時散・故起伏不時・游走無常也・

治療 氣海 關元 脾俞 肝俞 各灸十數壯 嘔逆噯氣者．加鍼灸內關足三里

治理 積症多爲氣滯而發．故取氣海關元以調氣脾俞肝俞調和肝脾之氣．嘔逆噯氣則鍼灸內關以宣胸膈之氣．足三里以降氣逆．更須調攝得宜．可收全功．

五積門

心積

症狀 此症起於臍旁或臍上．大如手臂．形如屋樑．由臍至心下．縈繫於中．伏而不動．久則令人心煩心痛．夜眠不安．身體尫．股背尫．不可移動．困苦異常．脈沉細或芤．舌絳．

病因 難經曰．心之積名曰伏梁．起臍上．大如臂．上至心下．有若屋樑．故名伏梁．此症多由心經氣血不行．凝聚而成也．

治療 上脘 針灸 大陵 針 心俞 針灸 膈俞 針灸 行間三陰交．

治理 上脘直刺症灶．散氣血之凝滯．心俞膈俞大陵活血通結．而泄心經之積氣．足三里調氣行血．行間三陰交行血而破血結．苟能心曠神怡．可冀漸以向愈．

肝積

症狀　左脇下有塊．狀如覆杯．有足似龜．久則寒熱如瘧．或喘咳嘔逆．脇下脹痛．脈弦而細．

病因　難經曰．肝之積名曰肥氣．在左脇下如覆杯．有頭足．久不愈．令人咳逆瘖痎．此症多由肝臟氣逆．與瘀血積合而成．

治療　章門　灸　行間　針灸　期門　針　膈俞　針灸　寒熱嘔逆加針灸大椎足三里

治理　章門期門化脇下之塊．肝俞調肝氣．膈俞行間行血破瘀而化積．中脘爲諸穴之佐使．位近病灶．能理氣消積．寒熱者則鍼灸大椎以除之．咳逆者則取足三里以降氣．

脾積

症狀　當脘脹痛．如覆大盤．面黃肌瘦．飲食不爲肌膚．胸悶嘔．脈多沉細．

病因　脾積者．脾之積氣也．難經曰．脾之積名曰痞氣．在胃脘如覆大盤．久不愈．令人四肢不收．此症由於脾胃衰弱．氣少運行．寒邪痰飲．積聚不化而成積．脾胃衰弱不能運化津液．故面黃而肌瘦也．

治療　痞根穴　脾俞　中脘　內庭　足三里　隱白　行間俱灸　塊之上下左右針而灸之．

治理　痞根爲經外奇穴．專治痞積．凡屬積聚．用之皆效．脾俞中脘益脾胃之衰弱．而助運化．內庭隱白足三里行脾胃之積氣．行間破積聚．復於塊之上下左右針灸之．其

效盛著·

肺積

症狀 微寒微熱·咳嗆氣促·呼吸不利·嘔逆頻作·右脇下覆大如杯·胸痛引背·脈弦細·

病因 難經曰·肺之積名曰息賁·蓋因肺氣積於脇下·喘息上賁也·此症多由肺氣不利·痰濁不化·積聚脇下而成·

治療 巨闕 期門 肺俞 經渠 章門 豐隆 內關 足三里鍼而灸之·

治理 息賁治法·宜降氣開痰散結·故取期門章門巨闕直達病灶以散結·內關經渠宜肺氣而開痰濁之積聚·豐隆足三里降氣而化痰濁·

腎積

症狀 先於小腹右角起一小塊而微痛·塊漸大·痛漸劇·時上時下·痛引腹部·寒熱不時·甚則痛攻心下·坐臥不寧·困苦萬狀·積則漸漸不衝·塊漸小·痛亦漸止·而至於無·起伏不時·

病因 腎積曰奔豚·因其發作時·有物如豚之奔走故名·金匱曰·奔豚病從少腹起上衝咽

喉・發作欲死・復還止・皆從驚恐得之・經曰恐則傷腎・蓋大驚猝恐・腎藏之分泌乖常・尿毒穢氣結而上逆・故自少腹上衝於心胸・甚則欲死・古人所謂水氣上逆凌心也・然亦有由腎氣虛而寒溼積聚・或房勞不節・復感寒涼・而成斯疾也・

治療　中極　章門　腎俞　湧泉　三陰交　關元　俱用灸法

治理　奔豚由於腎氣虛寒・水氣上泛・故灸腎俞湧泉以益腎陽・而排除水氣・關元中極行氣而通利水道・章門三陰交・祛腎臟之寒邪・他如氣海期門各穴・均可酌取也

三消

上消

症狀　心胸煩熱・咽如火燒・大渴引飲・飲不解渴・小便清利・食量減少・大便如常・舌上赤裂・脈多細數・

病因　內經曰・心移熱於肺・傳爲鬲消・鬲消即上消也・多由嗜慾過度・爲過食辛熱之物・或感受燥熱之邪・以致心肺鬱熱・故飲食多而易消也・

治療　內關　神門　魚際　尺澤　肺俞　人中　然谷　太谿　金津　玉液　俱針

治理　上消由於心肺鬱熱・故針內關神門以清心熱・魚際尺澤以清肺熱・然谷太谿清熱養陰・金津玉液清心熱而生津液・針人中以泄陽邪・且此穴亦能治消渴多飲水也・

中消

症狀　口渴引飲・多食善飢・不爲肌膚・肌肉瘦削・大便秘結・小便頻數・自汗口臭・甚或面赤・唇焦・關脈滑疾・舌紅苔黃・

病因　經云・二陽結謂之消・又曰大腸移熱於胃・善食者瘦・謂之食㑊・又曰邪在脾胃・陽氣有餘・陰氣不足・則熱中善飢・此症乃脾胃鬱熱・津液枯燥・故渴飲多食・而不能化生津液・以滋養肌肉・以致漸形瘦削也・

治療　中脘　胃俞　脾俞　內庭　曲池　三里　支溝　陽陵　金津　玉液　俱針

治理　中脘胃俞內庭泄胃熱也・曲池清大腸之熱・脾兪陰陵清脾熱・金津玉液清熱而生津液・三更支溝清熱而通大便。

下消

症狀　初起便溺不攝・溺如膏淋・煩渴引飲・漸至腿膝枯細・面色黧瘦・耳輪焦黑・小便

多而渾濁・或上浮如脂・或如燭淚・脈細數舌絳・

病因 下消又名腎消・多因色慾過度・肝腎陰虛・虛則火旺而津液爲之消爍・故煩渴引飲・而小便渾濁也・

治療 湧泉 然谷 腎兪 肝兪 肺兪 曲泉 中膂兪 俱針

治理 下消由於肝腎陰虧・虛火上炎・故針肺俞以清上焦之虛火・腎兪肝俞以益肝腎之陰而制陽光・湧泉然谷曲泉以清虛熱而養津液・中膂俞清熱而養腎陰・此皆治腎陰虛而成渴消者・然亦有命門火衰・火不歸元者・則宜灸腎俞中膂俞中極命門關元氣海以振下焦之陽・而納上浮之火・

黃疸門

陽黃

症狀 一身盡黃・色明如橘子柏皮・身熱煩渴・或消穀善飢・小便赤濇・大便祕結・脈滑數・舌黃厚・

病因 黃疸有陽黃陰黃之分・陽黃屬熱・陰黃屬寒・陽黃多由脾胃溼熱鬱蒸而成・喻嘉言謂夏月天氣之熱・與地氣之溼交蒸・人受二氣・內結不散・發爲黃疸・惟近今之說

者・則爲胆熱・膽口炎腫・汁不下於小腸・溢於血管而發黃色也・

治療　中脘　足三里　委中　至陽　胆俞　陽陵泉　公孫　三陰交　俱針

治理　中脘足三里清胃熱而導府・委中清熱而利溼・胆俞陽陵泉・泄胆中之熱・公孫三陰交清脾熱・至陽化溼熱而退身熱・

陰黃

症狀　身目皆黃・黃色晦黯・有若薰煙・形寒胸痞・腹滿踡臥・四肢痠腫・或自汗自利・小便亦少・渴不欲飲・甚則嘔吐・舌淡而白・脈濡而細・大便白色・

病因　陽黃色明屬溼熱・陰黃色晦屬寒溼・亦有因陽黃服寒涼藥劑過多・而成陰黃者・陰黃之成多由過食寒冷之物・或感受寒溼之邪・蘊於脾胃・越於皮膚而成・

治療　脾俞　氣海　足三里　至陽　中脘　陽綱　俱用灸法

治理　陰黃屬寒溼阻於脾胃・故灸脾俞中脘以化脾胃之溼邪・氣海除腹中之寒溼而治腹滿・至陽陽綱化寒溼・足三里行溼而治嘔吐・

酒疸食疸

症狀　身目均黃・心下懊憹・胃呆欲吐・脛腫溲黃・面發赤色・小便短少・足下熱・舌苔

黃膩．脈弦實．此酒疸也．若寒熱不食．或食畢卽頭暈．脘腹滿悶．二便秘結．舌膩脈滑實者．此食疸也．

病因　酒疸者．疸病之由於酒傷得之者也．如飢時食酒．或酒後當風而臥．入水浸浴．以致酒溼之熱．遏而不宣．蒸發爲黃．食疸又名穀疸．乃食傷所成之疸也．多由胃熱大肌．過食停滯．致傷脾胃而成．夫所謂酒疸食疸者．均屬陽黃病．不過因其病因疸同．而易其名稱耳．胡廉臣先生謂．凡人消化不良．不論因酒因食．妨礙胆汁之排泄者．均成黃疸也．

治療　酒疸依照陽黃條針之．(食疸)中脘足三里胃俞內庭至陽

治理　酒疸雖由酒傷．亦屬溼熱爲病．故與陽黃同治．食疸由於食積．故取中脘足三里以運化食滯，胃俞內庭以泄胃實而清熱．至陽清熱而退黃．他如陽綱腕骨等穴俱可採用．更宜與陽黃條互相參看．

女勞疸黑疸

症狀　額上黑．皮膚黃．微微汗出．手足心熱．或薄暮發熱．然必以少腹拘急．小便自利．大便黑．爲女勞疸之的症．

病因　女勞無度．或醉飽入房．或小腹蓄血．或脾中溼濁下趨．古人謂爲脾腎之色外現．

則良黄而額黑・黑疸多由酒疸女勞久疸延・或誤下・以致脾腎虛弱而成・初起則面部發黑・甚則周身漸黑・大便亦黑・若腹脹如水臌・或心中如噉蒜狀・皮膚不仁者・則爲危候・

治療 公孫　然谷　中極　脾俞　腎俞　至陽　陽綱　俱用灸法　血瘀者加關元膈俞・

治理 女勞與黑疸・均由脾腎虛弱・故灸脾俞腎俞以益脾腎・佐公孫然谷以宣脾腎之氣化・至陽陽綱專退身黄・爲治疸症之要穴・若小腹有瘀血者・則加針灸關元膈俞以行瘀・

汗病門

自汗

症狀 不因勞動・不因發散・濈然汗自出・或每至天明時汗自出・惡寒身冷・脈象虛微・舌多淡紅・

病因 自汗屬陽虛・陽者衛外而固表者也・陽氣內虛・陰中無陽・蓋陽虛陰盛而表不固・腠理疏・則汗隨氣泄・經謂陰勝則身寒汗出・即其候也・若過服汗劑・汗出不止・

則爲亡陽危候。

治療　合谷　鍼　復溜　灸　大椎　灸

治理　瀉合谷補復溜以止汗。大椎以固表而振陽。并可參用下條盜汗各穴。若自汗欲脫。亟宜灸神闕。不論壯數。但以汗止爲度。蓋汗出過多。則心藏衰弱。神闕爲强心之大也。

盜汗

症狀　寐中汗竊出。醒後倏收。氣虛神倦。脈虛細。舌多紅而光。仲景云。男子平人脈虛弱細微者。善盜汗也。

病因　盜汗屬陰虛。陰者內營而歛藏者也。陰氣虛弱則生內熱。而迫液外泄。若兼咳嗽。顴紅。潮熱。等症。則已入損門爲難治。若汗出如珠不流者。此爲絕汗。死不可治。

治療　間使　後谿　陰郄　肺俞　百勞。

治理　盜汗屬陰虛內熱。故鍼間使後谿陰郄以養陰退熱。肺俞百勞退熱而益陰。若婦人產後脫血過多。孤陽無依。大汗不止者。則宜本條各穴改鍼易灸。并加灸氣海關元等穴。以固眞元。

黃汗

症狀　身重而冷・狀如周痹・胸中鬱塞・不能食・煩躁不眠・汗自出而口渴・汗出沾衣・色正黃・如柏汁・脈象多沉・

病因　黃汗爲疸症之一・身黃而汗出沾衣作黃色也・乃脾家溼熱蘊蒸・由毛孔泄出・多由汗出用水浸浴・水入毛孔・經鬱蒸而爲黃汗・仲景所謂黃汗得之汗出・入水中浴・水從汗孔中入得之是也・

治療　脾俞　陰陵　三里　中脘　公孫　至陽

論理　黃汗屬脾家溼熱・故取脾俞公孫以清脾熱・三里中脘至陽以清熱化溼・陰陵滲利濕邪・此外如三焦俞人中等穴・均可佐使・幷宜酌量鍼黃疸門陽黃條各穴・

寤寐門

不眠症

症狀　精神恍惚・忡怔健忘・輾轉不寐・四肢懈怠・甚則心煩焦急・頭旋眼花・少氣不支・

病因　此症多由思慮太過．傷及心陰．神不守舍．或病後血虛火旺．心神不安．乃成煩而不寐．怔忡健忘等症．然亦有胃中有積有熱．或痰濁阻滯．則心煩不寐．內經所謂胃不和則臥不安是也．他如邪念叢生．慾火上衝．雜念交感．致成心理之失眠者．則惟靜養可以奏功．鍼藥所難及也．

治療　三陰交　神門　間使　心俞　內關

胃有積熱者則鍼中脘　三里　內庭　天樞

痰濁阻滯　豐隆　中脘　足三里　肺俞

治理　失眠之由於心陰不足．神不守舍．與血虛火旺者．則鍼三陰交間使內關以滋陰養液．心俞神門以安神定志而養心陰．若因積因熱因痰者．則但去積清熱化痰．積滯去．熱邪退．痰濁除．則神志安靜自得酣臥矣．

多寐寤

症狀　四肢倦怠無力．胃呆食減．呵欠頻頻．精神萎靡．反復昏睡．脈則虛緩．

病因　此症多由大勞大病之後．脾陽虛憊．精神不振．以致怠倦多寐．或溼邪內戀．壅蔽清陽．神志不清．昏迷好睡．則必兼舌膩口糊等症．

治療　脾陽虛憊者．大椎　至陽　脾俞

治理 淫邪內戀者・中脘　足三里　脾俞　胃俞・大椎至陽・振陽氣・脾俞益脾・艾灸三穴・則能興奮精神而治陽虛多寒・屬淫者則取中脘　三里　脾俞　胃俞　以斡旋中樞・而化淫邪・

疝氣門

衝疝

症狀 氣從少腹上衝心・疼痛異常・甚則冷汗淋漓・飲食不進・二便祕塞不通・古人所謂不得前後爲衝疝也・

病因 疝症均屬於肝・與衝任爲病・良由衝任循腹裏・肝脈過腹裏而環陰器・故疝氣雖有衝疝・厥疝・瘕疝・狐疝・㿗疝・瘕疝・癩疝・等之區別・終不外乎此三經也・衝疝之原因・多由寒淫之邪・久鬱於內・化鬱爲熱・客寒觸之・以致少腹疼痛・掣引睾丸・甚則氣上逆衝心作痛・歲久不癒・漸變衝心疝氣・則難調治矣・

治療 關元・太冲・獨陰・臍三角灸法・

治理 衝疝乃衝任與肝三經之氣滯而成・故用臍上三角灸法・以宣通氣結・關元太冲疏肝任二經之氣・獨陰爲經外奇穴・專治疝氣・

㿗疝

症狀 少腹控卵·腫急絞痛·甚則陰囊種大如斗·如栲栳。或頑癲不仁·

病因 此症由太陽寒溼之邪·下結膀胱·因而陰囊腫痛·經曰三陽爲病·發寒熱·傳爲㿗疝·三陽即小腸·膀胱胆·小腸膀胱居下體·而肝與胆爲表裏·故皆能致疝也·

治療 曲泉　中封　太冲　大敦　氣海　中極

治理 肝脈循陰器·故疝病皆宜取肝經之穴·曲泉中封泄肝氣·太冲大敦疏肝氣·且二穴治疝氣·每有特效·可謂治一切疝氣之主要穴·復針灸氣海中極·以調氣·而化寒溼之邪·

厥疝

症狀 脈大而虛·少腹疼痛·上下左右·攻衝無定·甚則四肢厥逆·

病因 肝氣素有鬱熱·寒邪外鬱·肝氣乃不條達·因而橫逆遂成此症·

治療 太冲　大敦　獨陰　石門　氣海

治理 太冲大敦疏泄肝氣·石門氣海行氣而治少腹疼痛也·

狐疝

症狀 睾丸偏有大小。臥則入腹。立則下墜，時上時下。脹緊攻痛。久則正氣日衰。病氣日盛。以致不能坐立。坐立則脹墜欲絕也。

病因 經曰。肝脈生病爲狐疝。多由寒溼之邪。襲入厥陰。沉結下焦。邪挾肝風而上下也。

治療 依照癩疝條治療之。并於臍下六寸。兩旁一寸。灸三壯。

瘕疝

症狀 腹有瘕瘩。左右有塊。痛而且熱。時下白濁。女子不月。男子囊腫。

病因 此症多由於脾經溼氣下注於衝任交會之處。以致結爲瘕瘩作痛。衝爲血海。任爲氣海。脾溼下注。衝任失調。故女子爲不月。男子則陰囊腫痛也。

治療 氣海　中極　陰陵　陰交　大敦　太冲

治理 陰陵化脾經之溼氣。大敦太冲治陰囊腫痛。氣海中極陰交宣衝任之氣而消瘕瘩。

㿉疝

症狀 肝脈滑甚。卵核腫脹。偏有大小。堅硬如石。痛引臍腹。甚則膚囊因腫脹而成瘡。時出黃水。或成癰潰爛。或下膿血。

病因 此症稱之爲擴疝者。以其必蓄瘀血。甚則下瘀血也。多由肝不條達。血凝氣滯而成。蓄肝脈環陰器。故結於陰囊而爲擴疝。

治療 依照癥衝條治療之。再加鍼氣衝中極。以行氣血之凝滯。而治臍腹部之痛。

癃疝

症狀 少腹滿痛。腎囊腫大。小便秘塞。甚則脹緊欲絕。

病因 癃者小便不通也。疝病而小便秘塞。故名癃疝。此症多由脾經溼熱下注膀胱。溼熱鬱結。故小便不通。腎囊腫大。少腹滿痛等症見矣。

治療 關元　陰陵　三陰交　水道　大敦　太冲

治理 癃疝治法。當通利小便。故取關元宜膀胱之氣化而治少腹滿痛。陰陵水道化脾經之溼熱。而通調水道。大敦太冲則治陰囊脹腫也。

遺精門

精溢 康健之體。氣盛精旺。淡色慾。節房勞。其有偶然遺者。非病也。乃盈滿而遺也。謂之精溢。若每日一遺。或三五日一遺。以致疲勞倦怠。耳鳴頭眩者。則病矣。若非有良好之調治。久則漸入虛勞。而成不治。然遺精一症。則又有有夢無夢之別。有夢屬心病。無夢屬腎病。有夢曰夢遺。無夢曰滑精。二者之治法。略有不同。述之於後。

夢遺

症狀 精泄時每夢與女子交合。或每夜一遺。或數日一遺。久則神志恍惚。脈多弦數。舌紅。有時黃薄。

病因 夢遺屬心病。多由好色之人。見美色觸於目而起淫心。印入於腦。夜乃成夢而遺精。古人謂心為君火。腎為相火。慾念妄動則君火搖於上。相火熾於下。水不能濟。而精隨以泄。或陰虛之體。不能涵養。陽事易興。而致遺泄。若失於調治。久則漸入損門。為患不淺也。

治療 心俞　白環俞　腎俞　中極　關元　三陰交　針

治理 心俞　白環俞　腎俞三穴。清君相之火而滋陰。三陰交則養陰以涵陽。所謂壯水以制火也。三極關元益虛損而固精。惟由於慾念妄動者。則為心理所造成。尤宜恬淡性情。清心寡慾。庶可收效。不然則無情之鍼灸可救生理之變化。不能治情慾之妄動也。醫者病者。宜注意之。

精滑

症狀　每在睡中。無夢自遺。或慾念一動。陽舉而精自滑下。不分晝夜。甚則一日數度。精神萎頓。耳鳴目眩。腰痛頭昏。漸則潮淫盜汗。而成虛癆。脈虛弱或細數。

病因　此症多由幾慾無度。或誤犯手淫。斲喪太過。以致腎氣不藏。精關不固。不能攝精。每因慾念一動。即不禁而滑出。漸至神經衰弱。而潮熱盜汗等症作矣。調治殊難治療。此症首宜使病者定心志。節嗜慾。然後施以治療之法。古人云。服藥百顆不如獨臥一宵。此症最相宜也。

治療　精宮腎俞關元中極。俱用灸法。

治理　精宮能固攝精氣。專治遺精。關元中極固精益元氣而補虛弱。腎俞。補益腎藏。若兼潮熱盜汗等症。則加鍼灸膏肓足三里。

淋濁門

淋與濁二症也。淋者小溲數而且澀。淋瀝不暢。故謂之淋。仲景云淋之爲病。小便如粟狀。少腹弦急。痛引臍中。大抵淋病之起。多由胞熱之故。與濁懸異。濁者小便時下濁液。綿綿如醬水狀態。多由溼熱下注。然淋病有石淋。勞淋。血淋。氣淋。熱淋之分。濁則有赤濁。白濁之別。症狀各有不同。宜分別述之。

五淋

症狀 (石淋)臍腹引痛・小便艱難・輕則下沙・甚則下石・或黃赤或渾濁・色澤不定・便時刺痛・激於心肺・令人難受(勞淋)小便淋瀝不通・遇勞而發・身體疲憊・溲時數痛・腹脹牽引谷道・勞之微者・其淋亦微・勞之甚者・其淋亦甚・(血淋)溺痛帶血・血色鮮紅・脈數・(氣淋)少腹滿痛・溺有餘瀝・(熱淋)肥盛之人・溼熱流於下焦・多發於夏季溼令・瘦削之人・陰虛津枯・熱甚而淋・然皆莖中熱痛・小便爲赤・口渴喜飲水・或煩熱・

病因 (石淋)由於膀胱蓄熱・失其氣化之職・結成沙石・從尿道而出・惟此症非其人陰陽太虛・而曾患生殖器病者不易得此・故五淋中當以石淋爲最少。然一經患此・頗難治癒・故爲淋病中最重之症・(勞淋)由於本能衰弱・元氣不足・膀胱不能輸送水道・苟一過勞事・溺竅因此淤塞不通・而爲淋病・(血淋)此症亦由膀胱蓄熱・熱甚搏血・失其常道・與溲俱下・(氣淋)由於氣化不及州都・胞中氣脹・故使小便點滴・小腹滿堅・(熱淋)熱淋有虛實之分・屬於實者・如與不潔之婦人交合・或好食辛辣煎炒厚味・積熱太甚・流注下焦・膠秘而爲熱淋・虛者如好色縱慾・陰精枯燥・相火猖，熾熾灼津液・腎氣爲斲喪・致水道不利・而成熱淋・

治療　腎俞・三焦俞・小腸俞・膀胱俞・陰陵・中極・中谷・尺澤・石淋加鍼行間・太谿・委中・勞淋加鍼關元・血淋加鍼血海・三陰交・氣淋加針氣海・熱淋加鍼湧泉・

治理　淋雖有五・然皆爲小溲澀痛・屬腎與膀胱熱邪鬱結・不能滲泄故也・故針腎俞・膀胱・宣通氣化・三焦俞・小腸俞・以清熱・中極以鼓下焦氣化・佐陰陵以通利小便・合谷・尺澤開肺氣而調水道・石淋加行間・太谿・委中・以清熱養陰・勞淋加灸關元・以益下元・血淋加血海・三陰交以清血・灸氣加灸氣海以調氣・熱淋加湧泉以清熱・

赤白濁

症狀　初起口渴・小便時莖中熱痛・如火灼・刀割・穢濁之物・淋瀝不斷・隨溲衝出・不便時・自流濃液・白濁則色白・如眼之眵・如瘡之膿・赤濁溷赤・濁亦赤・經過相當日數・則莖中不灼痛・小便則頻數・濁液日滴・脈多滑大・或澀滯・

病因　白濁赤濁多由入房太甚・或交媾不潔・忍精不泄・以致敗精瘀腐・蘊醞而成・或溼熱下注而成溼熱濁・然由敗精瘀腐者十中六七・由溼熱下注者十常二三・古人云色白如泔・如或腐化腐醬・而馬口不乾結者爲溼・色黃赤而馬口乾掩者爲火・然間有失於調治・久則脾氣下陷・而成脾腎虛弱之症・則當求脾腎而舉之固之・不能與普

遺之赤白濁一例觀也．

取穴 三陰交　關元　腎俞　膀胱俞　陰陵　脾虛下陷者．脾俞　腎俞

關元　中極　章門　針而灸之

說明 濁與淋雖屬二症．然其治法則相近．本症取腎俞膀胱俞關元等穴．鼓舞下焦之氣化．佐三陰交陰陵清熱而分利小便．蓋小便通暢．則氣自除．脾腎虛者則針灸脾俞腎俞章門關元中極．以益脾腎而固下元．

癃閉門

小便癃閉

症狀 閉者則小便閉無點滴下．癃者淋瀝點滴而出．一日數十行．或勤出無度．屬實熱者則煩悶舌赤．大便閉．小便不通．莖中疼痛．屬虛寒者．惜寒喜煖．手足逆冷．小腹如冰．言語輕微．裏無熱候．口不渴．舌淡紅．然皆少腸瘕急．脘腹痞滿．甚則胸悶氣喘．

病因 屬實熱者．則多因溼熱之邪鬱阻膀胱．以致小便閉塞．少腹痕滿．屬虛寒者．則由腎陽衰弱．不能分佈水液．以致小溲滴點．日數十行．然亦有敗精瘀血．阻塞溺道

・以致小便閉塞・更有因肺氣不宣者・古人謂肺主通調水道・肺氣閉塞・則小便不通也・

治療　氣海・關元・中極・屬實熱者加鍼陰陵・三陰交・曲泉・屬虛寒者・加灸腎兪・膀胱兪・肺氣不宣者・加合谷尺澤・

治理　氣海・關元・中極・宣下焦之氣化・氣化行則小便暢下・屬實熱者・則佐陰陵等穴清熱能利小便・屬虛寒者・則佐腎兪等穴以振腎陽・肺氣不宣者・則佐合谷等穴以開展肺氣・上竅開則下竅自利・若因敗精瘀血者・則多屬鬱熱之症・可依照實熱條鍼治之・

大便閉

症狀　大便閉結・腹部脹痛・疼痛拒按・內熱煩燥・口渴・溲赤・此屬實閉・若形枯神衰・肌肉消瘦・內無實熱・大便秘結・此屬虛秘・

病因　實閉症・多由食積與熱邪阻滯腸中・以致便塞腹痛・故必兼煩熱口渴等症・虛祕者則因血虛液枯・腸中失所濡潤・不能輸送糟粕外出・故內無實熱見症・肌肉消瘦者・血津枯而榮養缺乏也・

治療　大腸兪・支溝・足三里・氣海・實熱者加中脘・內庭・三間・陰虛者加太冲・太

治理 谿•大便不行•病灶在腸•故取大腸俞氣海以宣腸中氣化•足三里•照海•支溝•降陽胃之氣而通大便•實熱症加鍼•中脘內庭•以化積滯而淸熱邪•陰虛則加太冲•太谿•以滋養津液•津液充則大便潤下•

便血門

症狀 小便溲血•脈多無力•神疲眼倦•若溲血日久•形枯色痿•癃閉如淋•二便引痛•喘急虛眩•行步不能者•與死爲鄰矣•

病因 經曰胞移熱於小腸•則癃溺血•可知溺血之由•無不本諸熱者•蓋血得熱則妄行•從小便而出•多慾之人•腎陰虧損•下焦結熱•血隨而出•然亦有肝腎兩虛•血室之血•失於統攝而成此症者•

治療 膀胱俞•關元•三陰交•湧泉•肝腎虛者•加肝俞•腎俞•

治理 膀胱俞•淸溺中之熱•佐關元以固血•三陰交與湧泉•淸熱以甯血•肝腎虛者•加肝俞腎以益肝腎•

溼脚氣

症狀　浮腫先見於足部·軟弱光亮·漸延兩股兩髖·不便行走·甚則破之流水·痠重難動·因寒而發者·面黑·惡寒·足冷如冰·是爲寒溼脚氣·溼鬱化熱者·面黃·口渴·便閉·熱赤·足如火熱·是爲溼熱脚氣·若噁心嘔吐·煩渴異常·氣短喘息·胸悶·心跳·或腹部衝脈動跳震手·則爲脚氣衝心之危候·若脈短促·舌紫黑·或苔焦·其人昏厥不語·兩鼻孔煽者·則不治

病因　脚氣病·內經名厥·分痺厥·痿厥·厥逆三症·頑麻腫痛爲痺厥·即溼脚氣也·縱緩不收爲痿厥·即乾脚氣也·厥氣衝胸爲厥逆·即脚氣攻心也·溼脚氣之原因·多由處居低溼之地·溼邪襲入足脛經絡皮肉·而致腫脹·或飲汚穢之水·及腐敗食物·化生溼熱·下注兩足·而得之溼毒上攻·則成脚氣衝心之症·

治療　足三里　三陰交　絕骨　陰市　陽輔　陽陵　犢鼻　商邱　崐崙

脚氣攻心加鍼關元　氣海　大敦

治理　脚氣病所取各穴皆病灶之局部·且各穴之功效爲陽輔陽陵風市等之通經絡·三里崐崙導之化溼行氣·故能治脚氣頗有效驗·惟寒溼脚氣則宜針而灸之·若溼熱脚氣·腫處發熱者·愼不可灸·若脚氣攻心則宜加取關元氣海大敦以泄氣之上逆·

乾脚氣

症狀　兩脚乾瘦・不腫而痛・或萎弱攣急・或日見枯細・步履維艱・面色枯燥・舌多紅・脈弦數・或弦細・甚則亦能衝心・而成悸氣促・腹部震動等症・

病因　本病多起於病後營養缺乏・或暑熱傷足三陰・津液爲熱所灼・以致枯細瘦弱・而爲乾脚氣・

治療　湧泉・至陰・太谿・崑崙・陰陵・陽陵・三陰交・絕骨・三里・

治要　本症所取各穴・均能直達病灶・而具養陰退熱通經活絡之功・若攻心症・則與溼脚氣之脚氣攻心條同治・

痿痺門

痿症

症狀　腿膝手足不利・或不能伸屈・或血弱而不能履行・或冷痲而失其知覺・

病因　痿者四肢無力・舉動不能・如委棄之狀也・此症多由熱邪爍傷精血・而皮毛筋骨爲之軟弱無力・或病後精血大虧・筋骨失所營養而成・內經所謂大經空虛・營衛之氣不足也・

治療　陽陵・絕骨・大杼・　灸　參看手足各病門・

治療　痿症乃筋骨爲病．故灸陽陵大杼絕骨三穴．以恢復筋骨之用．並參觀手足各病門以治療之．

痺症

症狀　筋骨二部分作痛．或拘攣．或遊行走痛．而無定處．

病因　經云風寒溼三氣雜至．合而爲痺．風氣勝者爲行痺．血氣勝者爲痛痺．溼氣勝者爲著痺．都爲經絡受風寒溼各邪之襲擊而發生疼痛拘急等症．

治療　依照痿症治療各穴．改灸爲鍼．或鍼且灸之．幷參觀手足胸背各病門．

婦人門　經病

經水先期

症狀　末及經期而經先至・腹不甚痛・身熱而色紫・脈洪數・此屬實症・亦有腹痛身不熱而色鮮紅者・此屬虛症・

病因　女子經水・以三旬而一至・月月如斯・經常不變・故謂之月經・又謂之月信・一有不調・則失其常度・而諸病見矣・素問曰天地溫和則經水安靜・天寒地凍則經水凝泣・天暑地熱・則經水沸溢・可矣經水先期・屬血熱者為多・蓋血熱內壅・能使神經與細胞起非常之興奮・於是血液運行・亦同時超過常度・而經乃先期至矣・然亦有因於氣虛不能攝血・而不由血熱者・更有因於憂鬱忪怒過度・血液之循環乖度・遂致血不涵肝氣橫逆・而經先期來者・此在乎臨症時細察也・

治療　血熱氣海三陰交行間關元針・肝氣橫逆者・加曲泉期門肝俞・氣虛者灸氣海，中極，三陰交，

論理　血熱而經先期至者・則當清血熱・故取血海，三陰交・行間等穴・以清熱・關元位居子宮・鍼之則能直達子宮・故為經病之要穴・鍼而泄之・以清熱・肝氣橫逆則加鍼曲泉，期門，肝俞，以泄肝氣・虛者則灸氣海・中極，三陰交，以益氣固血・

經水後期

症狀　經水後期而來・少腹綿綿作痛・而色淡不鮮・脈大無力或濇細・惡寒喜煖・此虛也・然亦有色紫或成塊者・脈細數・此血熱乾枯也・

病因　方書謂經水後期・屬血室虛寒・或生冷凝滯・蓋血室虛寒或誤服生冷・其血因寒邪而凝結・於是血液之循環濇滯・運行之能力減退・遂致經行後期矣・間亦有血熱乾枯者・蓋血熱內熾之人・因高度熱量之薰灼・遂致血絡燥結・血液乾枯・血行瘀滯・而致經水後期而至者・然不常見也・

治療　虛寒者關元，氣海，血海，地機，歸來灸，血熱內熾者，依照血熱而經水先期條針治之・

治理　虛寒而經水後期・治當驅寒邪・溫下焦・而調氣血・故灸關元，氣海，歸來，以煖子宮而益氣除寒・灸血海地機散血液之凝滯・而促進血行・庶乎寒邪去・氣海通暢・斯無後期而來之患矣・

月經過多或減少

症狀　婦人經水一月一行・其排泄量・須月月平均・若經來過多・或過少・則爲病矣・

病因　方書以經多屬實・經少屬虛・此言其常也・然經來過多・有由於氣虛者・有由血熱妄

行者・有由鬱怒傷肝者・蓋氣虛則不能攝血・血熱則血液妄行・鬱怒則肝氣橫逆・凡此種種・皆足以造成・經水過多之病・經來過少・有由於瘀熱內蓄者・有由於脾胃虛弱者・有由於血室虛寒者・蓋瘀熱內蓄・則血液乾枯・脾胃虛弱・則飲食減少・健運失常・經血乏生化之源・血室虛寒・則血液之運行力衰微・因而凝泣・凡此種種・皆能使月經減少也・

治療 經水過多或過少・屬氣虛者依照經水先期氣虛條治療之・屬瘀熱者依照經水先期血熱條針之・血室虛寒者依照經水後期虛寒條治療之・脾胃虛弱者則於虛寒條中・加灸脾俞・胃俞・以補益之・

經閉

症狀 經閉有虛性・實性・兩種・虛性之症狀・爲頭眩心悸・面色㿠白脈細・初則經行減少・漸至經閉不行・或神疲氣短・肢冷脈微・經行乍多・漸至經閉・或食少便溏・面黃脈虛・經期紊亂・漸至經閉。如見少腹硬痛・肌膚甲錯・脈象沉細・月事不來・或腹滿脹痛・胸悶噯噫・脈象弦細・而月事不來・此實性之經閉也・

病因 經閉之原因頗多・本條所言・不過舉其大略耳・實性之經閉・多由瘀血停積・瘀血積於子宮・新血不得下行・故致經閉而少腹硬痛・或由氣化鬱結・血滯不行・經閉而滿

腹痞痛。如胸悶噎噫等症。皆氣鬱之徵也。虛性之經閉。多由血液貧乏。或消耗衰弱。子宮不能分泌經水。故致經閉而成頭眩心悸。氣短。肢冷等。氣血虛弱之現象。或脾胃虛弱。消化不良。飲食減少。缺乏產生經水之原料。亦成經閉之病。而現食少。便溏。面黃等症。然有由生理異常者。則月經終身不來。所謂暗經是也。又有二月一行者。謂之並月。三月一行者。謂之居經。一年一行者是謂避年。其經水雖不按月而來。然亦能受姙。身無疾病。此生理之異常。不能作疾病論也。

治療　實性經閉。膈俞。血海。氣海。中極。行間。曲泉。三里。俱用針法。虛性經閉。三陰交。膈俞。肝俞。關元。脾俞。胃俞。俱用灸法。

治理　經閉之屬實者。原由經水瘀結。或因氣結之阻滯。以致閉而不下。則當去其障礙。而經自通。故宜鍼瀉膈俞。血海。以去血積。氣海。中極。直達子宮。調氣而行血。其他如三里。行間。曲泉。俱有破血行血之效。若虛性經閉。其根本爲血液缺乏。無瘀可破。無積可通。法宜補之。益之。則水到渠成。血液充而經自下。故灸膈俞。肝俞，關元，三陰交等穴。補血液益下元。脾胃二俞。則培養中土。滋其化源。經閉之由於脾胃虛弱者。尤爲主要穴也。

經期腹痛

症狀 經期腹痛。有經前腹痛。經來腹痛。經前與經來而少腹作痛者。大多拒按。或經水成塊。脈多沉實。經後而少腹作痛者。則多爲空虛之痛。痛而喜按。脈多虛細而弱。

病因 凡經前經來而腹痛者。多屬血瘀氣滯。經盡之後其痛卽止。經後而腹痛者。多屬氣血虛弱。然其原因頗爲複雜。如屬於血瘀氣滯者。則有因胞宮陰寒自結。經水不得陽氣之溫化而暢行。遂致少腹綿綿作痛。經水濇少。甚則四肢厥冷。或行經之期。感受風寒。或內傷生冷。氣血凝泣。不得暢行。而腹痛惡寒。或熱客胞宮。以致行經劇烈之疼痛。所下經血臭穢異常。他如經期不愼。誤犯房事。或誤食酸鹹過度。皆足以使血凝氣滯。而造成經前經來之腹痛也。若經後腹痛。則由於血衰少。供不應求。日經臨期。勉强下血。以致血管中之血液缺乏。遂成空虛之痛。痛多喜按。來亦少。或經後血室空虛。寒邪客之以致腹痛。然更有先天不足。發育不全。室女初次經來。卽感經痛。以後每行必痛。經期尚準者。此陰道狹窄。經水不得暢行。鍼灸所難爲治。必待育之後。自行痊癒也。

治療 血瘀氣滯者。地機。血海。氣海。中極。足三里。合谷。交信。經後腹痛由於寒客胞宮者，關元，氣海。灸之。由於血虛者。依照經閉門。虛性經閉條治之。

治理 經前與經來腹痛。由於血瘀氣滯。治宜行血調氣。故取地機血海交信等穴。以行血。而治瘀積。氣海，中極，以鼓下焦之氣。合谷。三里。以宣氣滯。因於寒者。則灸以

溫之・因於熱者・鍼以泄之・經後腹痛之由於寒容胞宮者・則灸關元氣海二穴以散寒邪・

經漏

症狀 經來不斷・淋瀝無時・所下不多・或時行時止・或少腹綿綿作痛・神疲肢倦・飲食減少・脈沉細或數・

病因 經漏者・淋瀝不斷也・此症多由房勞之人・氣虛不能攝血・衝任不固・以致月事淋瀝不斷・色多淡而不鮮・或因行經未淨而行房事・致傷胞宮而成・則多少腹疼痛・此外如寒熱邪氣客於胞中・或憂思鬱結氣滯不宣・皆足致此・臨症時宜細辨之・

治療 氣虛不能攝血者・關元，氣海，百會，腎俞，命門，俱用灸法・

治理 氣海，關元，益氣而固血・腎俞・命門補益下焦之元氣・百會則從高而升舉之・故能治淋瀝不斷・經期行房與氣滯不宣者・依照經來腹痛條治療之・寒熱之邪客於胞中者・依照經來腹痛條治療之・寒熱之邪客於胞中者・依照經水先期血熱條與經成後期虛熱條治療之・

血崩

症狀 突然下血不止・婦人因成貧血狀態・全身皮膚成蒼白色・口唇爪甲尤甚・心虛忐忑・

四肢發麻。眩暈耳鳴。甚則不省人事。脈孔或沉或伏。

病因 血大至謂之崩。是急病也。其原因亦有多端。素問曰。陰虛陽搏謂之崩。張石頑曰。崩之爲患。或脾胃虛損。不能攝血。或肝經有火。迫血妄行。或怒動肝火。血熱沸騰。或脾經鬱結。血不歸經。凡此皆足造成血崩。此外復有悲哀過度。尤爲血崩之大因。蓋吾人平日暇逸。氣和平而血安靜。若猝遇不如意事。而起悲哀。則氣機鬱結。神經乃起變化，以致血行之秩序凌亂。甚則血管破裂而成血崩之患。雖然。血崩之原因固多。當血崩不止。生命之虞在指顧間。危險殊甚。若不亟爲制止。而欲探本求原，未有不誤事也。故不論其病原如何。當以止血爲要務。遏止急流。庶可救急於當時。然後因症施治。以善其後。

治療 血崩不止，關元，中極，百會，三陰交，隱白，大敦，以上俱灸，用直接灸法，不論壯數以血止爲度。

治理 關元中極，益下元而固血，百會固精止血。三陰交養血。隱白，大敦，爲治血崩之特效穴。直接灸之可以立止。其原理如何。莫能解之。舊說所謂大敦屬肝。隱白屬脾，肝藏血，脾統血，故二穴能治血崩。然其確實之理由。或有不然者。缺之以遺知者。

帶下

白帶赤帶

症狀　女子下部流出粘液。似水似膿。或稀或稠。色白者名白帶。色赤者名赤帶。赤白相間者爲赤白帶。或子宮疼痛。尿意頻仍。或穢臭不堪。失於調治。則變爲久病。粘液愈多。體質衰弱。皮膚黃白。全身倦怠。食慾不振。腹痛頭眩。因之孕育無望。或月經不調。且易致血崩。及全身衰弱症。

病因　醫云。十女九帶。可知婦女多帶病矣。王孟英曰。帶下爲女子生而即有。津津常潤。本非病也。但過多則爲病矣。夫所謂帶下者。謂其綿綿如帶而下也。前賢言此有主冷入胞宮者。巢元方。孫思邈。嚴用和。婁全和善。諸人是也。有主濕熱者。劉河間，張潔古，諸人是也。有主脾虛氣虛者。趙養葵。薛立齋。諸人是也。有主痰濕者。朱丹溪是也。有主脾胃虛者。張景岳是也。立說多端。總而括之。不外寒熱二端而已。其病灶則在子宮也。張子和曰。赤白痢者。是邪熱客於大腸。赤白帶者是邪熱客於胞宮。英國合信氏曰。子宮流白帶。與肺傷風則流清涕，大腸病則下痢，其理相同。蓋傷風流涕爲鼻膜分泌出之粘液。下痢爲大腸分泌出之粘液。帶下則爲子宮分泌出之粘液也。子宮蓄熱。或子宮有寒。皆能分泌多量之粘液。或黃或白。其色不一。夾血者則爲赤血。屬熱者少腹隱隱作痛。所下之物或夾穢臭。陰道灼熱。因其子宮炎腫故也。屬寒者則不痛不穢臭。所下之物。白色爲多。惟帶下。除上列原因外。更有思想無窮。慾火中燒。或手淫太過。房事不節。以致損傷子宮而成此症。帶下由此而成者。更爲多數矣。

治理 帶脈專治帶下。歸來中極位近子宮。能直達病灶。驅除障礙。三陰交鍼之則清熱養陰。灸則能溫煖下焦。用之以爲各穴之佐使。屬熱則鍼瀉以清熱。屬寒則艾灸以除寒。赤帶係子宮炎腫。粘滯夾血而下。故針血海以清血。三焦俞少腸俞以清下焦之火。若帶病久延體質羸衰。食減面黃者。則當加鍼灸腎俞命門關元脾俞以補脾腎而固下元。

附不孕之治療法

生育一事。男女雙方均有密切之關係。苟雙方發育健全而無疾病。則兩性相交。未能不生育者。反之。若雙方有疾病。或生理異常。則不能成孕矣。夫生理之異常。屬女性者。則有騾，紋，鼓，角，脈，五不孕。及子宮歪斜之類。屬男性則有發育不全。陽物短少。精宮不正等。凡此種種。皆非鍼藥所能療。其因於疾病者。則可得而治矣。然其原因頗多。女子則月經不調。氣血虧損。子宮虛寒。皆不受孕。男子則陽痿不舉。精薄。精冷。或早泄等。

亦不能生育也。

月經不調　視其或先或後。辨其虛實寒熱。遵照經病門中各條治療之。

氣血虧損　宜取膈俞，氣海，肝俞，心俞，三陰交。鍼而灸之。以益其氣血。

子宮虛寒　宜取關元　中極，腎俞　三陰交，以振下焦陽氣。而養眞元。幷宜多灸之。

陽痿不舉（或早泄）。腎俞，命門，關元，宜多灸之。取其能補精氣。而振腎陽。精足陽充。則陽興矣。

精薄精冷　依照女子子宮虛寒不孕條治療之。尤宜節制性交。庶克有效。

頭部門

頭痛

症狀　外感頭痛。多屬三陽經絡。太陽頭痛在正中與項部。少陽頭痛多在兩側。陽明頭痛多在額部。內傷頭痛多見氣怯神衰。遇勞卽發。或如痛如破。或時常牽引作痛。昏腫不安。

病因　外邪襲入三陽經絡。頭部血管或充血或鬱血。皆致頭痛。以頭部屬三陽經也。然有因風，因寒，因溼，因熱，因暑等之差別。感受風寒而痛者。則多兼惡風惡寒。因於溼者則頭痛而重，或倦怠，無力，口糊。因於熱者只見發熱，心煩，口渴。因暑者或有汗或無汗，身惡熱。如血分不足，陰火攻冲，則痛連魚尾，善驚惕或五心煩熱。因七情惱怒，肝胆火鬱上冲而痛者，則頭痛如破，或痛引脇下。因痰飲而痛者，則昏暈而痛。憒憒欲嘔。頭痛自有多因。不可不辨也。

治療 腦頂痛上星，風池，百會，正頭痛上星。神庭，前頂，百會。額角眉稜骨痛。攢竹，合谷，列缺，眉心，偏頭痛，頭維，太陽，風池，臨泣。

治理 以上各穴。皆根據病灶而取。頭痛之屬實熱者。鍼以瀉之。屬虛屬寒者。鍼而灸之。更宜究其病因何屬，而加用其他穴俞。如因外感風寒者。當加鍼風門，風府，大椎等穴，以驅風寒。因溼者。則加取中脘，三里，陰陵，等穴以化溼。因暑熱者。則加鍼委中，尺澤，合谷，曲池，間使，等穴以清暑熱。內傷血分不足，陰火上冲者。加後谿，間使，三陰交，肝俞，腎俞，等穴以養陰退熱。肝胆之火上冲者。加肝俞，期門，行間，等穴以泄肝。因痰飲者。則加豐隆，肺俞，三里，等穴以化痰飲。此皆貴乎醫者臨症時。隨機而應變之。

附頭風 雷頭風

頭風與頭痛。并非二症。凡頭痛之久而不愈。起伏不常。時發時愈者。乃頭風也。故其症狀與治法與頭痛一也。惟有因痰飲停留胃脘。其人嘔吐痰多。發作無時。甚則停痰上攻。口吐清涎。暈眩不省人事。飲食不進者。則爲醉頭風。若頭痛而起核塊者爲雷頭風。多由痰濁阻滯。若頭中如雷之鳴者。風客所致也。治療之法。醉頭風宜取豐隆，肺俞，三里，中脘，等穴以化痰濁。佐風池，腦空，頭維，合谷，等穴。以治頭痛。雷頭風宜取百會。風池，風府等以驅風而治頭痛。因痰者佐以化痰之穴。更宜辨其寒熱。於核塊之上屬寒者。則灸之。屬熱者。刺出血。則收效更易也。

眩暈

症狀　眩謂眼黑。暈爲頭旋。俗稱頭旋眼花是也。由於內風者。多兼耳鳴。心悸。或夜間盜汗。五心常熱。屬外風者則多兼寒熱骨節疼痛。或頭眩而兼頭痛額痛。

病因　經云。諸風掉眩。皆屬於肝。故眩暈之病。多屬於肝腎陰虛。不能涵陽。而虛陽上越。致成頭旋眼花。五心發熱。等症。其因於外風者。間亦有之。蓋風邪外襲。激痰動涎上干而成眩暈。然屬內風者爲多也。

治療　屬內風者，百會，頭維，太陽，攢竹，上星，肝俞，腎俞，湧泉，行間，三陰交，屬外風者，風池，風府，頭維，攢竹，豐隆，三里，中脘，

治理　內風眩暈。原肝腎陰虛。而虛陽上越。法當滋塡肝腎。故取肝腎二俞及湧泉行間。三

陰交等穴。以益肝腎而納虛陽。佐百會攢竹穴。以治頭部之眩暈。標本兩顧。庶克有效。外風則取風池，風府，以驅風邪。頭維攢竹以治頭暈額痛。復佐豐隆三里中脘等穴以化痰濁。風邪解痰濁平。則眩暈自已。

附大頭瘟蝦蟆瘟

大頭瘟。此症多由風熱之邪。襲入三陽經絡。初起於鼻額延至面目。紅腫如火灼熱。面有光澤。或壯熱氣粗。口乾舌燥。咽喉腫痛不利。或寒熱往來。甚則大便不通。若不急治。腫處必致腐化成膿。更有傳染之可能。

蝦蟆瘟　則腫於頸項部。亦屬風熱為病。其兼見之症狀。與大頭瘟相類。亦能傳染。治此二症。急宜於太陽穴之紫絡。用三稜鍼刺去惡血。委中尺澤之靜脈。及少商，商陽，中冲，少冲，少澤，等穴。均刺出血。以清熱而解毒。復鍼合谷。曲池。等穴以退熱而消腫。如大便不通者。更宜鍼中脘。足三里。支溝等穴以通大便。

目疾門

目赤　兩目紅赤。或色似胭脂。或赤絲亂脈。或赤脈貫睛。怕日羞明。甚則淚下。此症之因。多屬風熱上乘。或火鬱於上。以致目球充血。故目赤而疼痛。若因於肝熱上凌者。則多赤而不甚痛也．

治療　太陽，睛明，攢竹，頭維，屬風熱火鬱者，加風池委中，合谷，以疏風而淸熱．屬肝熱者加鍼臨泣，行間肝俞等穴．以泄肝熱．

目腫脹　此症之起因有二．一爲外因．一爲內因．外因者．乃感受外界風熱之邪而成者也．其症眼胞壅脹．輕則如杯．重則如蝦式．必然多淚而珠痛不甚治之易愈．內因者．多由龍雷之火．自上攻擊．其球必疼．而脾方急硬．重則疼滯閉塞．血滯睛中．頗爲難治而變症不測也．

治療　外因，刺風池，頭維，合谷，以驅風熱之邪．刺瞳子髎．及太陽穴（靜脈刺出血）以泄局部之熱而治眼胞內膜充血．內因亦宜刺太陽，攢竹，睛明，頭臨泣，等穴以淸熱而退腫．復宜鍼肝俞．足臨泣，光明，行間，湧泉等穴以引上逆龍雷之火．然每多不治也．

青盲雀目　青盲者瞳孔如常．無損無缺．略無變態．惟視物不見．其原因多由七情內傷．損其精血．以致目失所養．最爲難治．若高年及病後，或心腎不充．而成斯症者．雖治不愈．雀目俗稱雀盲，亦稱雞盲，目科爲之高風內障，其狀至晚不見．至曉復明．乃由血虛所致．內經曰，目得血而能視．血虛則不能視也．

治療　靑盲與雀目．均由陰血虧虛而成．治當滋補肝腎之陰．故宜取肝俞，命門，三陰交，以益肝腎之陰。陰充目得所養而光自復。復取瞳子髎，攢竹，以恢復視神經之功用。

目昏 初起時。但昏如雲霧中行。漸覺空中有黑花。又漸則覩物成二件。久則尤不收。遂成廢疾。此症多由血液虛少。光華虧損而成。如七情太過六慾之傷。以致肝血不足。則成此症。亦有目疾失治。耗其目光而昏者。則難醫治也。

治療 依照青盲與雀目條治療之。因三者皆屬肝陰不足。而成之症也。

翳膜 此症先感視物不明。繼則生膜如蠅翅。其象各有不同。故名稱多端。有所謂圓翳，冰翳、滑翳，濇翳，散翳，浮翳，沉翳，偃月翳 劍脊脊，棗花翳 白翳，黃心黑花翳等等。圓翳者黑睛上一點圓。先患一眼繼傳兩目。日中看之差小。陰處看之則大。或明或暗。視物不明。冰翳如冰凍堅實。陰處及日中看之。其形相同。疼而淚出。滑翳如水銀珠子。微含黃色。不痛無淚。遮繞瞳神。濇翳微如赤色。或聚或散。濇痛無淚。散翳形如鱗點。乍青乍白。疼痛流淚。浮翳上如冰光。白色環繞。瞳神不疼不痛。沉翳白藏在黑珠下。向目細視方明。疼痛夜重。偃月翳白輪上半。氣輪交際。隱隱白片。薄薄蓋下。其色粉青。劍脊翳亦稱黃翳。色白或如糙米色者。或微焦黃者。狀如劍脊。棗花翳薄甚而白。起於風輪。從白膜之內。四圍環布而來。白翳黃心。四邊皆白。中心一點黃。大小皆頭微赤。團圓在黑珠上。黑花翳凝結青色。大小皆形皆濇。頻頻下淚。此皆翳膜之名稱。與症狀之大略也。欲知其詳。則當讀專書也。其原因多由肝氣盛而發在表也。亦有因勞慾過度。或涼藥過多而成者。

治療 取睛明，四白，太陽，攢竹，等穴以退翳膜．取肝俞行間光明．以泄肝．更可刺少商出血．用血點目．以退翳膜．陽氣衰少者．鍼而灸之．

目淚 目淚之症有二．一爲迎風流淚．一爲目淚自流．迎風而流淚者多患於老年婦人．蓋年老則淚腺硬化．一遇風寒．伸縮力減退．則淚外流．且婦人善哭泣．以致淚腺弛張．亦成斯症．目淚自流者．多由感受熱邪或肝熱上激淚線．分泌目淚過多．而向外溢也．

治療 迎風流淚．宜鍼灸太陽．及鍼頭維，攢竹，以恢復其功用．并直接灸大小骨空．每有特效．目淚自流取太陽風池頭維後谿睛明等穴．以泄熱．肝熱者加肝俞臨泣以泄肝．

耳疾

耳聾 此症有二．一爲耳聾．一爲重聽．耳聾則兩耳無所聞．重聽則較耳聾爲輕．但聞之不眞也．按腎開竅於耳．少陽之脈絡耳．故肝胆之火上逆．則爲耳聾．腎氣虛弱則爲重聽．亦有風熱之邪襲虛而成耳暴聾者．

治療 耳門，翳風，聽宮，耳聾者加肝俞，行間俠谿，臨泣等穴以泄肝胆之火．重聽者則肝俞，腎俞，大谿，以補益肝腎．耳暴聾者加風池．合谷，等穴以疏散風熱之邪．

耳鳴 耳鳴有虛實二種．耳中如蟬噪不休．以手按之愈鳴者屬實．乃肝胆之火上逆也．若時鳴時止，以手按之則不鳴，或少減者．屬虛．乃肝腎之陰不足也．虛者依照重聽條治療之．實者依照耳聾條治療之．

鼻疾

鼻塞　鼻爲肺之竅．風冷傷肺．津液凝滯．則鼻塞不通．或風熱襲肺．鼻膜炎腫．亦成鼻塞之病．

治療　宜取迎香，通天，以宣鼻塞．復取風府合谷上星以疎解風邪．

鼻流清涕或濁涕．鼻流清涕不止．名曰鼻鼽．多由感受風寒．鼻膜分泌粘液過多．而向外流溢也．鼻流濁涕名曰鼻淵．亦曰腦漏．鼻涕時下如白帶．有時或黃或紅作腦髓狀．氣甚腥臭．亦由風寒化熱．鼻膜因炎腫而成此症也．

治療　鼻鼽宜取上星，風池，大椎，鍼而灸之．以驅風寒．鼻淵宜於以上各穴．單用鍼法以驅風熱，復加鍼迎香，百會，合谷，以泄熱而去鼻膜炎腫．

牙齒門

牙痛　齒爲骨之餘．而屬腎．其部位則屬陽明．故陽明鬱熱．或腎陰虛而虛陽上亢．則爲齒痛．若風熱外襲．亦成此症．然屬陽明鬱熱者．則舌黑，口渴，紅腫疼痛，多兼發熱．虛陽上亢者，則不腫不渴，舌多無苔．若因風熱者，則多發熱而兼惡風寒．其有因於虫痛者，則齒上有蛀孔也。

治療 合谷。頰車。刺病灶之局部。以止痛。上牙痛則加鍼人中。下牙痛加鍼承漿。陽明有熱者則加鍼內庭以泄之。虛陽上亢者。加鍼呂細以濟之。屬風熱者。加列缺以驅風熱。

口舌門

口乾唇腫 唇屬脾胃。脾開竅於口。故口乾唇腫。皆屬脾胃有熱。若唇腫而起白皮皺裂。如蠶繭者。名曰繭唇。亦屬心脾之火上逆也。

治療 宜取合谷。二間。足三里。三陰交。少商。商陽。刺出血以清脾胃之熱。繭唇加刺大陵。神門。尺澤。等穴以清心熱。

舌瘡舌出血 舌瘡者。舌疼痛而有瘡。甚者發生糜爛。舌出血者。舌破而有血流出。按心開竅於舌。故舌病屬心。心經火盛則舌瘡糜爛。或舌破而出血也。

治療 取金津。玉液。刺出血。以清心火。復鍼合谷。委中。人中。太冲。內關。等穴以泄熱。

重木舌木 重舌者。舌下焮瘇於舌形。木舌則舌瘇滿口。而語蹇。亦屬心經鬱熱而發於外也。均是急症。宜速治之。

治療 宜速以三稜鍼，於舌上兩邊刺出血，以清熱退癀，（舌正中不可刺）爲刺金津，玉液，十宣等穴出血以泄熱，

咽喉門

喉痺 喉裏痛塞，痺痛痰多，不能咽物，甚則水漿不得下也，其原因甚多，有由於風熱者，則兼壯熱惡寒，有由於熱毒者，則兼面黃目赤目暗上視，有由於陰毒者，則喉間腫如紫李，微見黑色，惡寒身瞤，腰痛肢疼，更有由於飲酒過度而成，或七情所傷而成喉癰喉痺等，非數言可盡，然多屬痰火，及風熱抑遏而已，

治療 宜刺少商，合谷，頰車，關冲，等穴以閉鬱泄熱，復鍼尺澤，神門，湧泉，豐隆，三里等穴，以清熱而化痰，

喉風 咽喉癰痛，痰涎壅塞，口噤不開，不能言語，或面赤腮腫，涵水難下，多由痰火而成，惟所起之根源，有所不同，如忿怒失常，而動肝火，勞傷過度而動心火，膏粱炙煿而動胃火，謳歌憂惱而動肺火，房勞不節而動肝火，凡此種種皆足以使火上痰升，而成喉風，其名稱亦有多端，有所謂鎖喉風，啞瘴喉風，弄舌喉風，纏喉風，殮食喉風，撮口喉風，陰毒喉風，走馬喉風，纏舌喉風，連珠喉風，落架喉風等，不勝備舉也

治療 宜急刺少商，商陽，關冲，出血，以清熱開鬱，再鍼合谷，尺澤，魚際，神門，內關

・豐隆・以清熱化痰・

喉瘇喉痛　普通之喉瘇或喉痛・皆屬風熱・宜取少商・合谷・液門・等穴以疏散之・

乳蛾　乳蛾生於帝丁之旁・形如乳頭・紅腫疼痛・妨礙飲食・有單蛾雙蛾之別・單蛾生於一邊・雙蛾生於兩邊・其因有二・一屬實火・二屬虛火・屬實火者則起於猝暴・象有形寒發熱・頭痛等症・虛火則發生緩慢而無寒熱之見象也・

治療　宜刺金津・玉液・廉泉等穴・以清熱退腫・復佐合谷・少商・以泄熱・

小兒疳門

疳症　多因小兒氣血虛憊・腸胃受傷所致・有因孩提闕乳・早食粥飯・或乳食不節而成者・有恣食甘肥香炒生冷而成者・其症多見頭皮光急・毛髮焦稀・顋縮鼻乾・口臊唇白・兩眼昏爛・揉鼻・揉眉・脊聳體黃・鬥牙咬甲・焦渴自汗・尿濁・瀉酸・腹脹鳴・癖積・潮熱・嗜喫瓜菓・鹹酸炭米泥土等物・此皆疳症之現狀也・張石頑謂疳者・臟腑虫疳也・良以此症原由寄生蟲・潛居藏府而成・又謂疳者乾也・因脾胃津液乾涸爲患・在小兒爲五疳・在大人爲五癆・蓋小兒之疳症・即大人之癆病也・名稱頗多・姑舉其要・以資參考・

肝疳　面目爪甲皆青・眼生眵淚・隱澀難睜・搖頭揉目・耳瘡流膿・腹大而露青筋・身體瘦

驚・頰青如著・

心疳　身體壯熱面赤・唇紅・口舌生瘡・胸膈煩悶・五心煩熱・盜汗發渴・

脾疳　面色發黃・肌肉消瘦・心下痞硬・發熱喜睡・好食泥土・頭大頸細・有時吐瀉・大便腥粘・

肺疳　面白氣逆・咳嗽・毛髮焦枯・肌膚乾燥・增寒發熱・常流清涕・鼻頰生瘡・

腎疳　面目黧黑・齒齦出血・中氣臭・足冷如冰・腹痛泄瀉・啼哭不已・

無辜疳　腦後項邊有核如彈丸・按之轉動・輭而不痛・其中有蟲如米粉・身熱弱瘦・或便利膿血・

丁奚疳　手足極細・腹大臍突・面白潮熱往來・顱顖開解・頸項小而身黃瘦・

脊疳　身熱羸瘦・煩渴下利・拍背有聲若鼓鳴・脊骨如鋸齒・十指皆瘡・頻嚙爪甲・

蛔疳　皺眉多啼・嘔吐清沫・中脘作痛・口唇或紅或白・腹痕露筋・肛門溼癢・

哺露疳　虛熱往來・頭骨分開・翻胃吐蟲・煩渴嘔噦・此外更有腦部生瘡・謂之腦疳・潮熱・五心煩熱・盜汗嗽喘・謂之疳勞・手足虛浮者・謂之疳腫・然皆同一疳症・以其症狀稍有差異而別其名稱也・

治療　四縫穴・用粗針刺之・擠去白色之水液・至見血乃已・或用斜交叉灸法・或於中食二指劃脂・按此症頗爲難治・藥物治療・不易見功・惟此三法擇一用之・頗有捷效・其

理則不可解。惟疳症之較輕者。則用四縫穴。重者則宜用斜交叉灸。或割脂法。

胸腹門

胸痛　多由傷寒表邪未解。下之太早。內陷胸中。或六淫之邪傷肺。肺氣鬱結不宣。胸亦爲之作痛。惟痰凝氣結。或血積於內。亦成胸痛。惟多隱隱作痛。其痛緩。其來漸。久久不癒。飲食減少。此內傷胸痛也。

治療　外感胸痛。表邪內陷者。支溝。間使。行間。內關。針之以開泄表邪。六淫傷肺者。氣戶。肺俞。中府。列缺。少商。針之以宣肺氣。

內傷胸痛。期門。天突。中脘。膻中。以調氣。痰凝者加足三里豐隆以化痰。血積者加膈俞。行間以行血。

胸中痞滿　此症心下阻滿。而無實質可指。多由脾胃虛弱。運化不及。以致痰凝食滯。或憂思鬱結。氣滯不宣。致成胸中痞滿不舒也。

治療　陰陵。中脘。足三里。承山。內關鍼而灸之。以宣展氣機而助運化。

脇痛　古人謂肝胆藏於內。外應乎脇。且厥陰少陽二經。均行脇部。所以脇痛無不屬於胆肝之病。然有內傷外感之不同。內傷者如暴怒感觸。悲哀氣結。或飲食失節。冷熱欠調。或痰積流注於脇。與血相結。皆能爲痛。惟因於怒氣或怨哀而作痛者。則痛而且膨

・得矮則緩・其痛有時而息・因痰積者則痛無已時・或脇下高起作痛・此內因爲脇痛・然多兼寒熱頭痛等症・此外更有跌仆鬥毆・內傷乎血・積於肝經・則脇部亦作痛・惟痛而不膨・按之則劇・綿綿無已時

治療 一切脇痛・以期門・章門・陽陵泉・爲主穴・如由於暴怒・或悲哀過度者・加針灸膻中・氣海・以調氣・痰積流注者・加中脘・足三里・以化淡行積・血積者加鍼膈俞・行間・太冲・以行血・部寒襲入少陽・參閱肝寒少陽病條・

中脘痞痛 此症多由中州陽氣衰微・脾胃虛弱・以致氣滯不運・或食滯不化・或痰溼互阻・更有七情內傷・木不條達・或肝氣橫決・而影響於脾胃・亦成中脘痞病之症・

治療 中脘・建里・內關・足三里・針而灸之・以旋運中宮・開宣氣鬱・惟由肝氣失於條達・或橫逆者・則宜加鍼期門・行間・以泄肝・

腹痛 腹部疼痛・其症甚多・古人謂臍以上屬火屬實・臍以下屬寒屬虛・然亦不能執一而論也・究腹痛之原因・有外感寒邪而痛・有脾虛氣滯而痛・有食滯而痛・有血凝而痛・其他如溼熱陰寒等・皆足以致腹痛也・凡外感寒邪・多食生冷・以犯腸胃而痛者・其腹柔軟而不拒按・脾胃虛弱・冷氣凝滯不通・因而致痛者・其痛綿綿不己・喜熱手按揉・面白神疲・小便清利・飲熱惡寒・或得食稍安・脈多微弱・如口腹不謹・强食過飽・或食後坐臥・以致停滯不化・則胸腹痞滿・痛不欲食・矮氣作酸・或痛而欲利・利

後稍減・脈多滑實・若惱怒太過・憂思鬱結・或跌仆傷損・以致血液瘀滯而痛者・則不痕不滿・飲水作呃・過夜更痛・痛于一處・定而不移・如痢疾腹痛・霍亂吐瀉而腹痛・則多溼熱或陰寒之阻滯也・各詳本門・茲不再贅・

治療 中脘・天樞・氣海・足三里・虛寒者灸之・實熱者針之・脾胃虛弱者・加鍼灸脾俞・胃俞・三陰交・以溫補之・食滯不化者・加鍼內庭・大腸俞・以化積滯・血凝作痛者・加針肝俞・膈俞・行間・以行血破瘀・或於痛處針而灸之・其瘀自散・

肝胃氣痛 此症多由脾胃虛弱・肝氣乘之・以致當脘痕痛・或口泛清涎・或嘔吐頻作・飲食不進・甚則二便不通・手足厥冷・脘沉或伏・時發時痛・每多爲痼疾・

治療 宜針期門・行間・陰陵・以疏泄肝氣・中脘・氣海・以調脾胃之氣・內關・足三里・行氣而止嘔逆・若疼痛過劇・而致脈伏支冷・二便不通者・則可於尺澤・委中・各部靜脈刺出血・

腰背門

腰痛 腰者腎主之・腰痛屬腎病・故入房過度・損其真氣・腎藏虛弱・則腰部作痛・惟多腰支痿弱・隱隱作痛・身體疲倦・脚膝痠軟・此外更有風溼寒溼・溼熱・閃氣・瘀血・痰積等之不同・風溼者腰部重痛不能轉側或痛無定處・牽引腿足・或兼寒熱・多由

感受風溼之邪而成之也・寒溼者其腰如冰・拘緊疼痛・得熱則減・得寒則增・或兼頭痛身痛等症・多由感受陰寒雨溼之邪而成者也・溼熱者腰部疼痛沉重・小便赤澀・或兼發熱口渴等症・多由感受溼熱之邪而成者也・閃氣者・閃挫跌仆・勞動損傷・忽然腰部疼痛不可俯仰・瘀血者・日輕夜重・痛有定處・不能轉側・痰積痛部重滯・一片作痛・或一片如冰・喜得熱按・凡此種種・皆腰痛之原因也・

治療 環跳・委中・承山・腎虛者則針灸腎俞以益腎・風溼者加針灸風市・陽陵・以逐風溼・寒溼或溼熱者・加針三里・陰陵・以化溼・溼熱則針・寒熱則灸・瘀血及痰積者則於痛處針而灸之・以行血滯而化痰積・

腰痠 腰痛有風寒溼熱之異・腰痠悉屬房勞腎虛・惟有峻補・依照腎虛腰痛條治之・

脊膂强痛 督脈之經・與膀胱之經・均取道脊膂・若風寒等邪之侵襲・或經氣凝滯・則脊膂乃作强痛・或打撲損傷・從高墜下・惡血內留・則疼痛不可忍・或不能轉側也・

治療 人中・委中・白環・風府・以宣通督脈膀胱二經之氣・而驅風寒之邪・惡血內留者・加鍼肝膈二俞以行血破瘀・

背痛 背部屬太陽經・如風寒溼等邪襲入太陽・或經氣滯則背部作痛經云背者胸中之府・肺中有邪・則背部亦能作痛・若背部一片作冷而痛・此多由痰飲內伏・或寒邪凝結也・

治療 大杼・膏肓・崑崙・肺俞・風門・人中・以疏太陽之氣・且直達病灶・而通治一切背

痛。其有彙見他症者。則加取適當之穴治之。若背部一片冷痛者。更可於痛處針而灸之。則直搗其巢。驅其障礙。收效益速也。

手足病門

四肢之病不外乎腫痛痠麻。不能伸屈行動等。多由風寒溼侵襲經絡。或痰飲流入四肢。或血凝氣滯。或挈重傷筋。跌仆損傷。或血液虧損不榮經絡等等。治療之法。則視其病處之部位屬於何經。而針之。灸之。如久年宿恙。或痠麻重而疼痛少者。宜灸。新病邪犯或疼痛甚劇者宜針。腫而不痛不熱者宜灸。腫而熱痛者宜鍼。屬虛則灸之。屬實則鍼之。此治手足各病之大法也。明乎此庶無誤治之弊矣。

肘臂或麻木　前廉或外廉者。肩髃。曲池。合谷。陽谿。三里。列缺。外關。後廉或內廉者。大陵。內關。尺澤。陽谷。曲澤。肩外俞。肩中俞。

手不能舉　肩髃。曲池。不能向前或向後。巨骨。肩貞。

肘臂强直不能伸屈　尺澤。曲池。手三里。手腕不能伸屈。大陵。陽谿。陽池。

五指麻木或不能伸屈　合谷透勞宮法。中渚。後谿。

兩手厥冷　曲池。太淵。

手臂紅腫　合谷。曲池。手三里。中渚。尺澤。肩背腫者加鍼肩髃。

手掌腫痛　勞宮曲澤。

腿痛　環跳。風市。居髎。如紅腫而痛者加鍼委中。血海。

腿膝無力　風市。陰市。絶骨。條口。足三里。

膝痛　陽陵泉。內外犢鼻。膝關。鶴頂如紅腫而痛者。加針委中行間。

脚胻痛　陽陵。絶骨。條口。三里。三陰交。陰陵。

脚轉筋　然谷。承山。金門。絶骨。陽陵。

足不能步或不能伸屈　環跳。白環跳。陽陵。絶骨。足三里。曲泉。陽輔。

足跗腫痛　解谿。崑崙。太谿。商丘。行間。

足心腫脹或脚跟痛　湧泉。崑崙。僕參。

足冷如冰　腎俞灸再鍼厲兌。

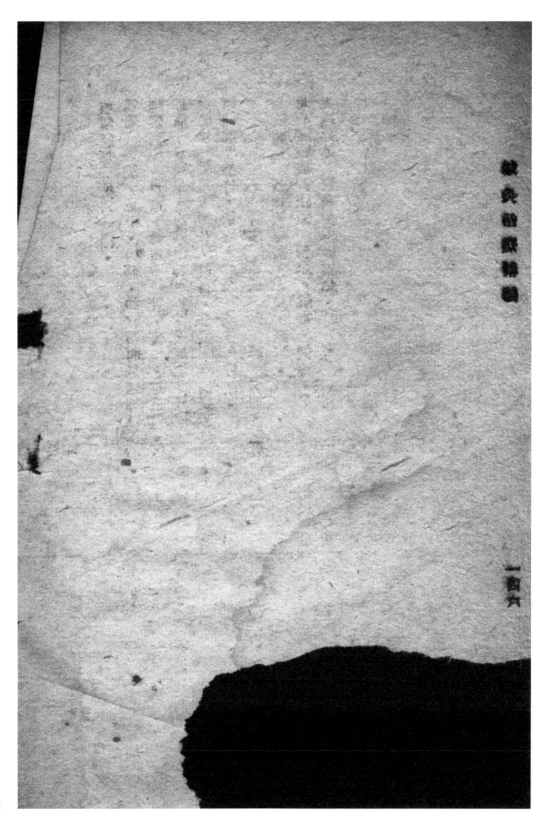

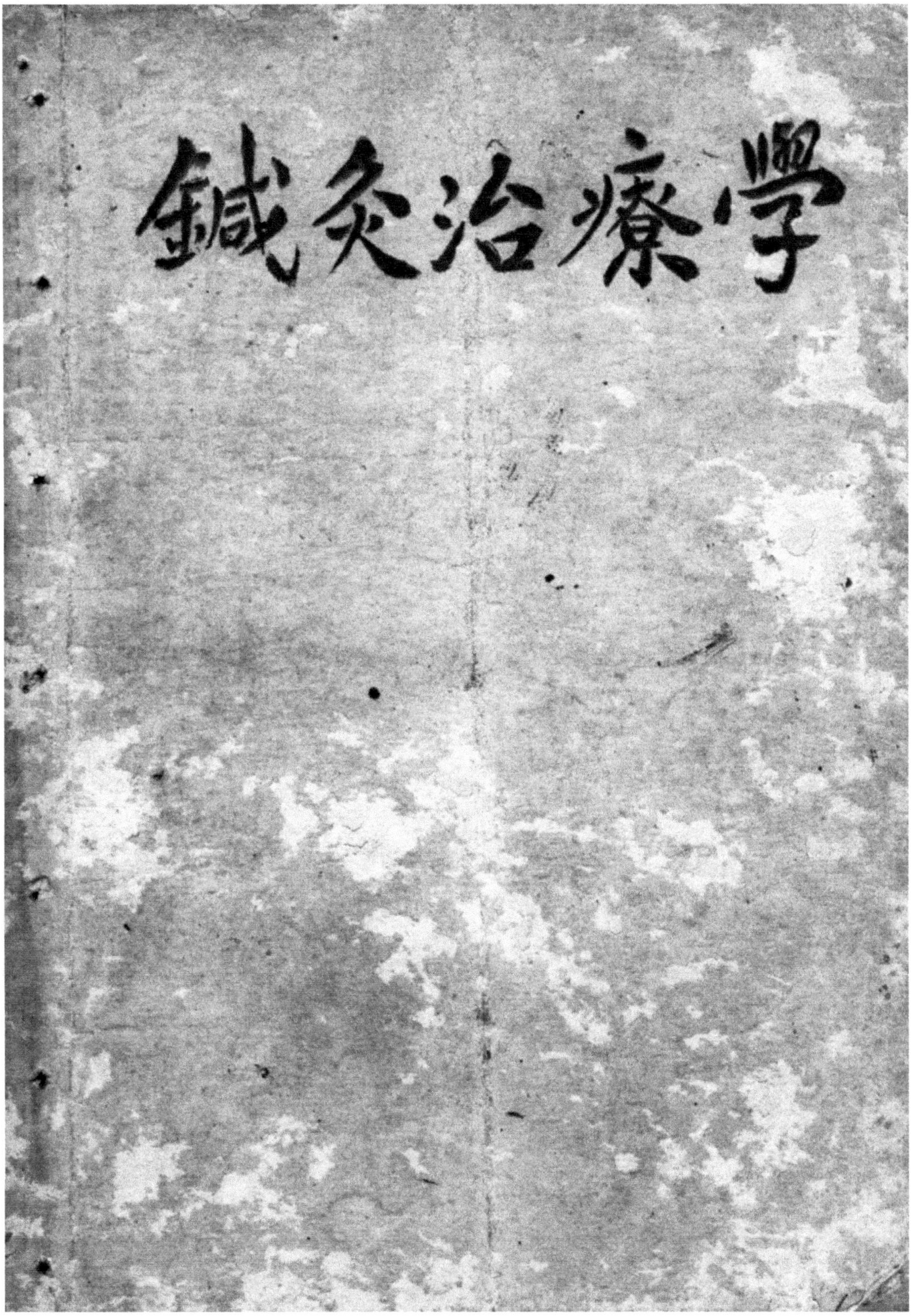
鍼灸治療學

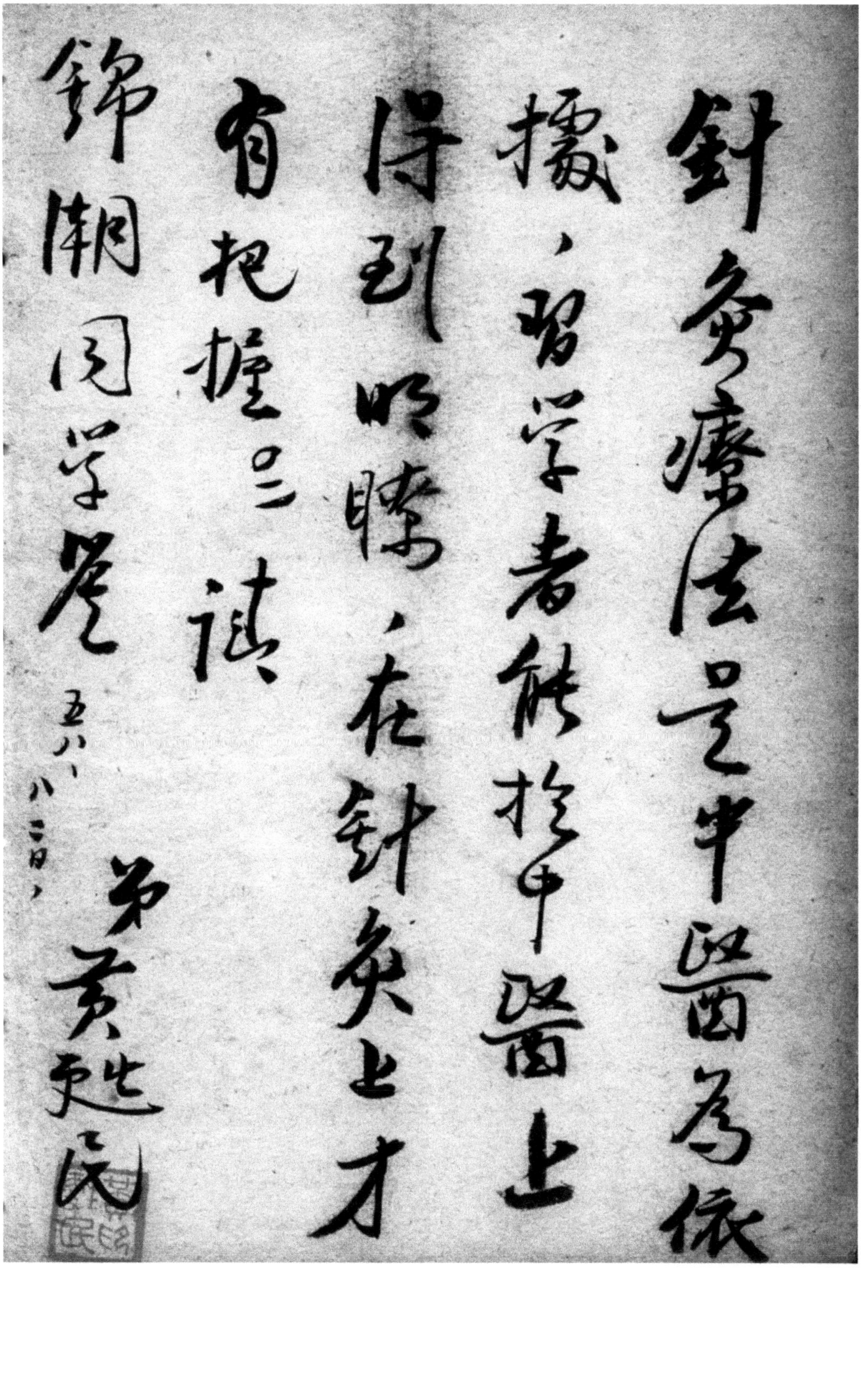
針灸療法是中醫為依據，習學者能於中醫上得到明瞭，在針灸上才有把握之談

錦湖同學屬

五八、八、二日，弟黃超民

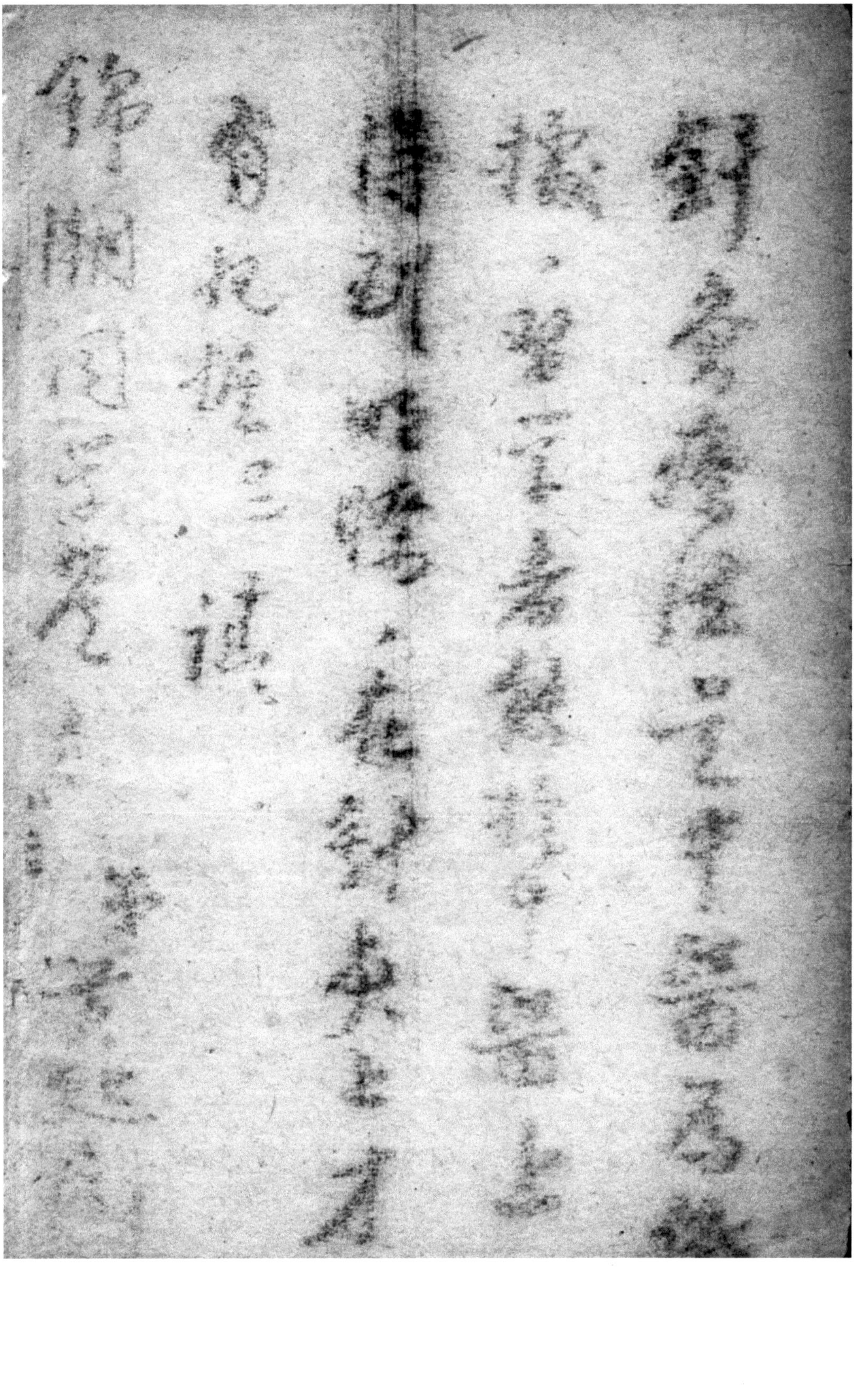

針灸治療學目錄

針灸治療學

第一章　傷寒門

第一節　太陽經病

症狀：頭項強痛，惡寒脉浮，如兼体痛、嘔逆、無汗、脉緊等則為傷寒，如兼發熱、汗出、惡風、脉緩者為中風。

病因：体氣衰弱、風寒從皮毛侵入，毛孔閉塞，風寒薄而為病，此為傳入病之第一步也。

治療：傷寒取大椎、大杼、風門、列缺、合谷。中風取風池、風府、頭維、列缺。

治理：太陽病為風寒外束，治宜解表。傷寒則惡寒無汗，故用大椎合谷驅風寒而發汗，且大椎穴在項部，針之兼治項強，大杼風門驅太陽之邪而止嘔逆，列缺治頭痛。中風自汗而惡風，故無庸發汗，但取風池風府以驅風頭維列缺治頭痛而解表。

第二節　太陽腑病

症狀：太陽病發汗後，脉浮發熱，欲飲水，水入則吐，小腹硬痛，小便不利，此為蓄水症。若小腹硬痛，脉微而沉，小便自利，其人如狂，此為蓄血。

病因：病邪侵入膀胱，括約肌因刺激而閉鎖，是以小便不利，而為蓄水症。若熱結膀胱，迫血妄行，而致下焦蓄血，則為蓄血症也。

治療：蓄水，取大椎、曲池、陰陵泉、足三里，小腸俞，中極，膀胱俞。蓄血取中極，足三里，神門，內關，膀胱俞。

治理：蓄水蓄血原屬兩症，症雖各異，然當於膀胱則一也，故皆宜針中極，膀胱俞二穴，以疗膀胱中所結之血與水也，足三里宣泄膀胱之氣化而引其下行，蓄水者則佐陰陵泉、小腸俞，通利小便，大椎、曲池退熱止渴，蓄血者則加針神門，內關，以安神定志而清熱以治其狂。

第三節　陽明病——

症狀：壯熱煩燥、不惡寒、大渴引飲，大汗出、脉洪大而數，舌口乾燥，此為陽明經病，如潮熱譫語，口鼻氣粗，腹滿拒按，矢氣頻轉，大便秘結，小便短少，脈沉遲有力，甚則沉伏，此為陽明腑病。

病因：風寒之邪自外侵入，內以体氣衰弱，無力抵抗，外邪長驅直進，或病在太陽未及表散而深入也。

治療：陽明經病取二間，合谷曲池，內庭，解谿。陽明腑病加針中脘，足三里，支溝，照海。

治理：陽明經病為熱邪內蘊，其主要症為熱，故取二間三間，合谷曲池，及內庭，解谿，等穴以瀉其熱。陽明腑病不但腸胃熱，且腸中有燥屎，則其主要症為燥屎，故取支溝照海以通大便，佐中脘，足三里以疏通腸胃之氣，兼針經病各穴以清熱。

第四節 少陽病

症狀：寒熱往來，胸脇苦滿，默不欲飲食，心煩喜嘔，口苦咽乾，頭痛在側，目眩耳聾，脈弦細或弦數。

病因：風邪襲入於人体腠理之間，留着胸脇之中，居於半表半裡地位。

治療：取臨泣，竅陰、中渚、期門、間使。

治理：臨泣為少陽之俞，能治胸滿目眩，竅陰為少陽之井能治耳聾口乾心煩，中渚泄少陽之氣，間使除寒熱期門宣洩胸脇之邪，其位居乳下，故能達病灶而清膽中之熱。

第五節 太陰病

症狀：腹滿而吐，食不下，肚腹時痛，自利不渴，脈遲或細舌苔白者為寒化，若壯熱煩渴，腹痛下痢，舌苔黃糙或乾，脈洪數者為熱化。

病因：冷氣內侵或生冷飲食，或腹受寒濕之邪，或邪由陽明傳入，或與太陽同病。

治療：寒化取隱白，公孫、足三里、中脘，章門。熱化取少商，三陰交，隱白，大都、中脘、天樞。

治理：隱白為太陰之井，故能治腹痛滿，公孫，與足三里能引氣下行以止嘔吐，佐章門直達病灶，亦能止嘔吐而調中焦之氣，中脘能促進腸胃消化與分泌機能，灸之則增加溫度以驅寒。熱化則取少商以泄熱，三陰交以清熱。隱白大都治嘔而泄太陰之熱以治煩渴。

中脘、天樞、直泄腸胃之熱邪而制止蠕動亢進則嘔吐痢之患矣。

第六節　少陰病（腎臟病）

症狀：目瞑踡卧、聲低息微，身惡寒，四肢厥逆，腹痛泄瀉，自利清谷、口不渴，脈細微，舌白，此為挾水而動之寒化症。若心煩不寐，肌膚灼燥，小便短數、舌光紅，少津液，此為挾火而動之熱化症。

病因：腎虛之体，外邪最易侵襲腎經，陰虛者每挾火而動，陽虛者則多挾水而動。挾火動者則為熱化，挾水動者則為寒化。

治療：寒化取腎俞、肓俞、關元、太谿、復溜（各穴均灸），熱化取湧泉、照海、復溜、至陰、通谷、大谿、神門、間使。

治理：寒化偏虛，故灸腎俞以溫腎，關元治腸胃之寒，灸肓俞以治腹痛自利，太谿為少陰之俞，復溜為少陰之經，灸之以除腎之陰寒也。熱化刺湧泉照海復溜太谿以泄少陰之熱而生津液，至陰為膀胱之井，通谷為膀胱之滎，針之以清下焦之熱，神門、間使、清熱而治心煩不寐。

第七節　厥陰病

症狀：張目直視、煩燥不眠，熱甚不惡寒，口臭氣粗，心胸灼熱，熱深厥深，或下痢膿血，或咽喉爛舌腐，脈弦數而洪，舌紅或紫或絳此為純陽症。（附）：「純陽症：熱邪侵入厥陰，体溫熱度極高，故熱甚而不寒，厥陰屬肝，肝熱上激，故角弓反張而直視，熱甚則氣血沸騰，故煩燥不眠，胸心灼熱，因其內有急劇之熱，血氣內趨以事救濟，不能充達於四肢反覺清冷。內熱愈甚則厥冷亦愈甚，故曰熱深厥亦深。熱邪向上熏灼，故喉爛舌腐，邪熱深入腸中致腸壁發炎，腸膜潰爛故下痢膿血」。若四肢厥冷，爪甲青黑，腹中拘急，下痢清谷、嘔吐酸苦，脈細遲或沉，此為純陰症，若腹中痛響，四肢厥冷，吐利交作，心中煩熱，渴起冷飲，飲下則吐，煩渴燥擾，脈象弦細，或細數不定，或舌黃或白、舌質紅似爛而齒乾，此為陰陽錯雜症。

病因：厥陰為六經之極裹，為陰之盡陽之生，故邪之入也，有純陽症、有純陰症，有陰陽錯症，大概外邪直入為純陰症，熱邪由傳經而入為純陽症，直中之寒邪轉变為熱之交雜是為陰陽錯雜症。

治療：純陽症取大敦○中封●期門○靈道●肝俞○天樞○中脊俞●足三里●純陰症取肝俞●行間○期門○中脘○關元●陰陽錯雜症取中封●靈道●間使●關元●肝俞●

治理：純陽症為熱邪故宜針以瀉之，大敦中封以清厥陰之熱，期門、肝俞，以泄肝熱，靈道退身熱，天樞中脊俞足三里泄腸熱而治下痢膿血。純陰症為寒邪，故宜灸以温之。肝俞、行期、期門驅厥寒邪也，灸中脘關元為直接驅除腸胃之寒邪而治下痢嘔吐腹部拘挛等症。如陰陽錯雜寒熱互見，故針中封靈道以泄熱，灸關元間使以驅寒。

第二章　温熱門

第一節　風温

症狀：微惡寒發熱，頭痛、咳嗽、胸滿、自汗出，或見鼻衄，舌黄或白、脉浮數。

病因：春令温暖、陽氣外泄，腠理漸疎，猝遇時感，因而致病。或内有伏氣，因感時邪而發。

治療：取魚際、經渠、尺澤、二間。

治理：魚際功能解表熱，故取大腸之二間穴以泄熱而宣肺氣也。

第二節　暑温

症狀：頭痛、壯熱、煩渴引飲，督滿喘促，甚者神志不清、汗出而渴、脉象洪數或虚數，舌光滑。

病因：夏為暑熱當令，赤日懸空、火傘高張，勞力奔走，氣液消爍，每為熱傷，所謂中暑中暍也。

治療：取經渠、神門、湧泉、委中、陶道、支溝。神志不清者加針人中。

治理：針經渠能泄肺之熱邪而治喘促，湧泉能清熱而生津，委中（出血）以清血中暑熱之邪，支溝陶道退身熱，神門一穴專治神志不清，針而瀉之亦有退熱之效，如神志昏迷則加針人中，以治之其效甚佳。

第三節 温毒

症狀：壯熱面赤，大渴引飲，口氣穢濁，咽喉腫，目紅，氣出如火，心中煩熱，神昏譫語，舌黄或紅，脈象弦數。

病因：温邪兼挾穢濁之氣触之成病，直入於心包內臟。

治療：取少商、商陽、中冲、關冲、少澤、委中（俱刺出血），支溝、合谷、勞宮、針瀉之。

治理：少商、商陽、關冲、少冲、少澤為各該經之井穴，刺之出血能泄各經之熱毒，委中刺出血以清血分之熱，合谷泄氣分之熱，支溝為三焦之合，能泄三焦之熱，勞宮為心包之滎，針之清心包之熱，熱毒退則神志清而諸症自解。

第四節 秋燥

症狀：初起惡風寒，發熱無汗，煩燥咳嗽胸悶，口渴唇燥，舌無苔而燥，甚則喘促咳逆、咯血、脇肋膺乳等痛，不能轉側。

病因：秋令金風飄拂、燥氣大行，感之成病。或暑熱內伏，復感外邪而發。

治療：取少商、魚際、尺澤、內庭、金津、玉液、合谷。

治理：少商，能泄肺之燥熱，兼治脇肋等處之痛，魚際、尺澤、合谷清泄肺熱止咯血，內庭清陽明之熱，金津玉液生津止燥。

第五節 濕温

症狀：初起微惡寒，繼則發熱微汗出，飲食少思，午前較輕、午後則劇，身痛頭重，脘腹胸脇痞滿，少溲短赤，面色垢濁，渴不多飲，神志模糊，甚則譫語，舌苔厚膩垢濁，兩脈濡細或濡數。

病因：暑熱與雨濕交蒸化為濕熱，人感受之蘊留脾胃二經醞釀而成。

治療：取間使、太淵、期門、章門、中脘、大椎、合谷、曲池。

治理：大椎、曲池、退身熱，太淵、合谷、宣熱而化痰濁，期門、章門，治脇胸痞滿，中脘促進腸胃消化與吸收，使濕邪不致停留，間使不但可以清熱且有治神背之功，故神昏譫語者不可不針也。

第六節　温瘧

症狀：先熱後寒，熱重寒微，或但熱不寒，口渴引飲，骨節煩疼，時嘔吐，病以時作，起伏似瘧，舌苔黄或絳，脉弦數。

病因：先傷於風，邪鬱於裏，不即發出，或心經觸發暑熱，陰氣先竭而陽氣獨張也。

治療：取後谿、大椎、間使及十二井穴刺出血。

治理：大椎功能泄熱，復能除寒熱，間使、後谿，亦為退熱要穴，三穴合用則能清泄温熱之邪，復刺十二井穴以泄熱邪則收效尤易。

第七節　冬温

症狀：身熱微惡寒自汗、頭痛、咳嗽、煩熱而渴，或咽痛，或面潮紅甚則神昏譫語，舌黑齒燥，脉浮數。

病因：冬時温暖反常，陽不潛藏，腠理不固，因感而發。

治療：取魚際、合谷、液門、內庭、復溜、神門、間使。若舌黑齒乾加針金津、玉液。

治理：魚際合谷，清肺中温邪，液門清熱而治咽腫，復溜清熱而生津，內庭泄胃中清熱邪，如神昏譫語則針神門、間使，以清之，若舌黑齒乾則加針金津玉液。

第三章　暑病門（先夏至為病温、後夏至為病暑）

第一節　中暑

症狀：身熱或微惡寒，汗出而喘，煩渴多語，倦怠少氣，面垢齒燥，脉芤遲或芤細，兼風則寒較甚，身体疼重，兼濕則身体疼痛，胸滿頭重。

病因：夏日炎帝司令，暑熱高懸，爍石流金，人當之則氣耗液傷而為病矣。

治療：取少澤、合谷、曲池、內庭、行間，兼風加風門。兼濕者中脘。

治理：少澤、合谷，泄暑熱而定喘，曲池，退身熱，內庭清陽明之熱，行間清熱而養津，兼風者加風門以驅風，兼濕者加中脘而化濕。

第二節　暑厥

症狀：四肢厥逆，面垢齒燥，二便不通，神志昏迷，脉滑而數，舌光紅、或汗出或不出。

病因：暑穢鬱蒸，清竅閉塞，神識糊模，因而為逆。

治療：取人中、關冲、少商、氣海、百會。

治理：人中、百會，能治卒中惡邪不省人事，故本症用之以治神志昏迷，關冲瀉三焦之暑熱，少商泄肺中之熱，氣海通調下焦之氣化而通利二便。

第三節　伏暑

症狀：發熱頭痛，脘悶，漸至唇燥齒乾、內熱煩渴，舌白或黃膩或如霍亂吐瀉，或腹痛、下痢，或寒熱似瘧，甚者暑毒深入，熱結在裡，譫語煩渴，不欲近衣，小便赤澀，大便不通。

病因：暑熱之邪潛伏於裡，因風寒所閉不即外發，遷延久至秋後而始發。

治療：取湧泉、少澤、合谷、曲池、絕骨、行間、大椎。吐瀉如霍亂者，應照霍亂條針治之。寒熱如瘧者照溫瘧條針治之。熱結在裡大便不利照陽明腑實條針治之。

治理：湧泉、少澤，清暑熱而生津，合谷、曲池，泄內熱而除煩渴，大椎退身熱，行間絕骨能清熱生津而為各穴之佐使也。

第四章　霍亂門

第一節　寒霍亂

症狀：腸胃絞痛、吐瀉交作，四肢厥冷，汗出而冷，面色青，肌枯螺癟，渴喜熱飲，甚則目陷轉筋，兩目失神，音啞脈伏，舌白或黑而潤。

病因：恣食生冷物品，能受寒涼風露，陽氣為之抑遏，中焦因之不和，正氣不守，邪於腸胃而為病矣。

治療：（灸）神闕，（針）中脘、合谷、太冲、委中。吐甚者加針內關、內庭、足三里，瀉甚者加灸天樞、章門、陰陵泉、崑崙。轉筋加灸承山、絕骨、太冲

治理：灸神闕能除腸胃之寒而振陽氣，中脘促進腸胃消化與分泌機能，益胃氣而散寒，合谷疏腸胃之氣而調中宮，委中、太冲，取其能清血。吐甚加針內關，取其能宣泄胸膈之氣，足三里能引胃氣下行，使不

上逆，且有升清降濁之功，内庭泄腸胃穢濁，瀉甚則加灸天樞、章門以除胃中之寒，陽陵泉、崑崙以調脾胃而治瀉也。

第二節　熱霍乱

症狀：發熱煩渴，氣喘胸悶，上吐下瀉，螺癟肢冷，煩燥不安，神色昏迷，轉筋腹痛，舌黃糙或紅，脉沉或伏或代。

病因：恣意飲食，暴挾暑熱，清濁混淆，氣機窒塞，腸胃機能失常，吐瀉交作而霍乱成矣。

治療：取少商、関冲、委中（刺出血）、合谷、大都、曲池、陰陵泉、中脘、絶骨、素髎、承山。

治理：少商、関冲、委中三穴俱刺出血能清血中熱毒，大都、曲池、合谷，清太陰陽明之熱，陰陵泉以利小便而清暑熱，中脘通調腸胃之氣，且能治腹痛，素髎善治霍乱，絶骨承山功能清熱，俱為轉筋之特效穴。

第三節　乾霍乱

症狀：腹中絞痛，欲吐不得，欲瀉不得，爪甲青紫，煩燥不安，舌黃或白，脉沉伏。

病因：暑熱穢濁之氣交蒸，閉塞中焦，陰陽之氣不通，升降機能失常。

治療：取人中、少商、十宣、委中，（刺出血），合谷，曲池、素髎，太冲、内庭、中脘、間使。

治理：人中、少商、十宣、委中（出血可以泄胃腸暑熱穢濁之氣而清血中之毒，合谷、曲池、中脘、内庭、直泄胃腸熱結而除暑熱之邪，間使、絶骨則佐使各穴以清暑熱而辟穢濁。

第五章　中風門

第一節　中經絡

症狀：形寒熱，身重疼痛，肌膚不仁，筋骨不用，頭痛項強，角弓反張，病皆起於猝暴，而脉弦浮，舌苔薄白。

病因：風為陽邪，每從表入，由皮膚而入經絡，刺激神經而為病也。

治療：取合谷、曲池、陽輔、陽陵泉、内庭、風府、肝俞
治理：合谷解寒熱而驅風，風府驅風兼治頸強反張，肝俞陽陵泉、陽輔以治筋骨不用，内經曰：「風之中人三陽經絡當之衝」，故所取各穴多屬三陽經絡之穴而内庭所以泄陽明也。

第二節　中血脈

症狀：口眼喎斜，或半身不遂，或手足拘攣，或左癱右瘓脉弦或滑，舌白或紅。
病因：風邪入中經絡，血脉為之痺阻不通，熱則弛緩，寒則筋急，因是症成。
治療：①口眼喎斜取地倉、頰車，（斜左針右，斜右針左，或灸之亦可）。②半身不遂取百會、合谷肩髃曲池手三里、崑崙絕骨陽陵泉足三里肝俞。③左癱右瘓治法與上之半身不遂穴同。④足攣拘或麻木取行間、丘墟、崑崙、陽輔、陽陵泉、足三里。⑤手攣拘或麻木取手三里肩髃、曲池、曲澤間使後谿合谷。
治理：以上各條皆根據其病灶而取穴，以恢復神經之功用惟口眼喎斜者則因斜左者係右邊之神經弛緩，故宜針灸右邊之頰車地倉穴以治之，而歪右者則反而以左邊治之，惟不宜針灸太過，否則反向針灸一邊歪斜矣。

第三節　中臟腑

症狀：口噤不開，痰涎上壅，喉中雷鳴，不省人事，四肢癱瘓，不知疼痛，言語蹇澀，便溺不不覺，脉或有或無。
病因：素多痰濕，体氣不充，或常嗜烟酒，或多惱怒，外邪乘虚直入臟腑，則今之所謂腦充血症。
治療：①口噤不開取頰車、百會、（灸）人中。②痰涎上壅取灸關元氣海（數十壯）百會。③不知疼痛不溺取神道（灸數十壯）。④言語蹇澀取啞門關冲。
治理：百會為治中風要穴，蓋中風為腦病，百會位居腦部能直達病所，頗有特效，人中則於昏厥時刺之立能清醒，故亦為中風之要穴，口噤不開者原屬上下牙骨相接處之筋拘攣，適當頰車部位，故頰車灸之有

特效、痰涎上壅原属下元虧損，故宜灸氣海關元以固元氣而引痰濁下行、啞門部位附近舌本，故能治舌強不語。神道關冲為啞門之佐使，亦能治言語之蹇澀。

第四節　類中風

症狀：舌痿神昏、痰壅氣逆、口開目合、髮直頭搖、脈沉。
病因：腎虛多慾之人，陽氣不固，虛陽易動，每挾風痰上壅，驟然跌仆，類似中風。
治療：神闕中脘俯俞施治、然亦十中難救一、二。

第六章　驚風門

第一節　急驚風

症狀：面紅頰赤，手足抽搐不定，或角弓反張，不哭直視脈弦數或滑。
病因：小兒陰氣不足，陽氣有餘，腠理疏散，以感風邪，或痰食積滯，發生蘊熱，膽怯猝受外物震驚，皆能致此病。
治療：取少商、曲池、人中、大椎、湧泉、中脘、委中、（俱微刺）。
治理：驚風原因雖多，然總不外停痰宿食鬱熱三者致之，其各症亦無非神經起變化，故針少商、曲池以清熱大椎清熱而鎮靜神經以治角弓反張，委中湧泉清熱而能引熱下行，使不致犯腦，中脘以化痰食而泄熱因小兒身体短小故宜微針。

第二節　慢驚風

症狀：面色淡白，神昏氣促，四肢清冷，眠慢易驚。小便清白，大便溏薄，或完谷不化，惡寒潮熱，喉中痰鳴，脈數虛細，舌苔淡白，（附：此症亦有抽搐有時亦自緩，）
病因：小兒稟賦薄弱，每在瘧疾痢疾熱病痘疹之後，元氣不復，遷延所致。
治療：取大椎、天樞、關元、神闕（各穴俱灸）。
治理：大椎為驚風要穴，取其能鎮靜神經也，灸天樞關元溫補胃腸之虛寒而助運化，以治泄瀉，灸神闕以振陽氣而強心、此穴為治慢驚之妙穴，每見危重之慢為風病氣機欲脫之時灸之恒有效者。

第七章 痙厥

第一節 痙

症狀：初起惡寒發熱，頭痛連腦，或咳嗽，或小便數，或嘔惡胸悶，舌白滑或膩，脈浮或數，稍甚則項脊強痛，身體反張，卧不着席，頭汗淋漓，神昏譫語，舌苔或黃或絳，再甚則角弓反張，手足抽掣，小腹結塊，大便堅實，口噤目赤。

病因：或為感受外邪（風或濕）而成，或由諸病誤治而得。

治療：取少商（出血）曲池、人中，中脘、委中、湧泉、合谷、風府、風門、大椎、身柱、至陽、命門、肝俞、膈俞、百會。前驅期取百會、風府、風門、合谷、肝俞。

治理：少商功能宣肺氣，解外邪，曲池清熱而止抽掣，人中、合谷開口噤而醒神昏，委中清熱而止項脊強直，中脘清腑熱而下燥結，湧泉引熱下行，其餘百會、大椎各穴直刺病灶局部其效甚著，痙病原因雖多其為腦神經病則一，病狀亦相類，故立一法以通治，如見症略有不同，是又貴乎醫者臨症之變通耳。

第二節 痰厥

症狀：喉間痰声，面白神昏，目閉不語，卒倒肢厥而脈沉滑。

病因：素多痰濁，偶因感觸，痰阻中宮，因而厥逆。

治療：中脘、豐隆、合谷（俱針）、靈台（灸）。

治理：中脘功能助脾胃之運化以驅痰濁，豐隆亦泄降痰濁之捷術，合谷能醒神昏，靈台灸之以散心肺中之痰濁也。

第三節 食厥

症狀：面黃噯氣，發熱口渴，時將痙厥，昏不能言，胃腹高起，脈多滑。

病因：多見於小兒，感冒發熱，復傷飲食，鬱於中焦，阻滯氣機而成。

治療：取中脘、足三里、內庭、中冲。

治理：中脘、足三里能助脾胃之消化而去食滯，內庭以退身熱，中冲以治昏厥，如能於胃脘部按摩數百轉則功效益佳。

第四節 氣厥

症狀：面色恍白，氣促不語、神志雖清而但不能自立，卒倒脈厥，脈遲或伏。

病因：中心悒鬱，氣量狭窄，寡歡多怒，遇有不如意事神經猝受刺激而厥逆。

治療：取膻中、建里、内關、氣海。

治理：氣會膻中，故針膻中以調氣，氣海能治一切氣病，故二穴為治氣厥病之要穴，建里内關以宣泄胸中之苦悶。

第五節 寒厥

症狀：手足逆冷，身寒面赤，爪甲淋而青紫，不渴而吐，下痢清谷，腹痛或不痛，脈沉遲細，舌苔淡白。

病因：多由寒邪内盛，体温降低所致，即古人所謂陰盛陽衰者是也。

治療：取神闕、氣海、關元（俱灸）。

治理：神闕、氣海、關元三穴均在腹部功能直驅腸胃寒邪，恢陽氣。陽氣充而吐下自止，自手足自温矣。

第六節 熱厥

症狀：身熱手足厥逆，煩渴昏冒，譫語自汗，溺赤，脈數或伏，舌紅。

病因：本症由於熱邪内盛，即古人所謂陽盛陰衰者是也。

治療：取行間、湧泉、復溜曲池、合谷。

治理：行間以泄内熱，湧泉復溜清熱而生津，曲池、合谷、退熱而醒神昏。

第八章 癲狂癇門

第一節 狂

症狀：喜怒無常，歌哭無時，妄言妄語，自高自尊，少卧不飢，脈多滑大，其因傷寒陽明熱盛而發狂者，則見登高而歌，棄衣而走，越垣上屋之象。

病因：七情過度，五志之火内熘，爍津縛液，凝成為痰蒙閉心胞，神志癎狂暴戾，無所不為，亦有因傷寒症陽明熱極而發狂者。

治療：取十三鬼穴，陽明熱盛發狂，取曲池、大椎、絶骨、湧泉、期門。

治理：十三鬼穴，即人中、少商、隱白、大陵、風府、頰車、承漿、勞宮、上星、會陰、曲池、舌中縫、並間使，後谿、二穴針頗效，其理殊難解釋。若因胃熱發狂針曲池，以清陽明之熱，大椎以退身熱，湧泉清內熱，行間期門泄氣血之熱而鎮靜神經。

第二節　癲

症狀：或笑或歌，或悲或泣，語言顛倒，穢潔不知，精神恍惚，如醉如痴，經年不愈。

病因：情志抑鬱，所望不遂，以致氣痰鼓塞心包，神不守舍，發為無意識言動。

治療：針十三鬼穴和灸心俞、神門三至十壯。

治理：癲與狂之病理相同，故治法亦無異，本症之加灸心俞神門者，取其能振心陽而安神定志也。

第三節　癇

症狀：發時卒然昏仆，瘈瘲抽搐，目上視，口眼喎斜，口吐白沫，忽作五畜之鳴，昏不知人，移時則醒，或一日一發，或數日一發。

病因：多起於病虛怯，心腎陰虛，肝風膽火濟逆，痰涎上壅心包而發。

治療：取大椎、間使、後谿、鳩尾、百會、神門、心俞、風府、豐隆、中脘。

治理：豐隆泄降痰濁，中脘化痰降氣，百會、風府、大椎，直刺神經之總樞而恢復其功用，間使、後谿、神門等穴瀉心經之邪為治神志病之要穴，鳩尾一穴專治癲癇特效。

第九章　瘧疾門

第一節　熱瘧

症狀：熱多寒少，或但熱不寒，發時骨節煩痛，汗出頭痛，口渴而吐，脈數，舌苔黃膩。

病因：暑邪內伏，陰氣先傷，陽氣獨發而為病也。

治療：取太谿、間使、陶道、後谿。

治理：陶道為治瘧之特效穴，太谿、間使、後谿清暑熱之

·13·

邪，熱除則瘧自解。

第二節　寒瘧

症狀：發時寒多熱少，始而戰慄頭痛，繼乃發熱煩渴，逾數時汗出或不汗出而解，脈多弦滑，舌苔白。

病因：寒內伏脾經與陰陽之氣爭，而寒熱作。

治療：取大椎、間使、後溪、陶道。

治理：大椎、陶道能治寒熱之瘧，後溪、間使、亦具治瘧之功，故能奏效。

第三節　間日瘧

症狀：與寒瘧熱瘧相同，惟隔日發作為異。

病因：邪伏三陰則須間日，或三四日作一次，因病潛伏較深，故發作較緩。

治療：與上同，惟宜每日須針灸一次，連治三次無不愈者。若三陰久瘧（即二、三天一發者），則加灸脾俞，以久瘧面黃食減，故宜灸脾俞以益脾。

第四節　瘧母

症狀：面黃白無華，寒熱互作，或致時作時止，食少，脇痞悶有塊，脈細弦，舌苔黃膩或光彩。

病因：瘧發時多飲食生冷之品，或挾痰濕結於脾臟，按之似有積塊。

治療：取章門、脾俞、（均針灸），有寒熱者則加針灸大椎、間使。

治理：章門穴近脾臟能散病灶之血結使其軟化，脾俞促進脾臟之運化而補血液，此治瘧母之良法也。

第十章　瀉痢門

第一節　寒瀉

症狀：腸鳴腹痛、大泄瀉，所下之物澄澈清冷或完谷不化，小便短少，四肢厥冷，體重無力、脈遲緩、舌苔白膩。

病因：寒濕內蘊、脾乃失其健運，水谷因是不分，糟粕不化，清濁混淆、久留腸間而泄瀉也。

治療：取中脘、氣海、天樞、神闕、（俱灸），腎泄加灸腎俞命門。

治理：中脘、氣海、天樞、神闕四穴灸之能除腸胃之寒邪而具溫中調氣止瀉之效。腎泄則加灸腎俞命門以溫補腎陽，腎陽展則泄瀉止矣。

第二節　熱瀉

症狀：泄瀉黃糜、氣穢，肛門灼熱，腹痛口渴煩熱，小便短赤，舌苔黃，脈數。

病因：暑濕熱邪直逼大腸，清濁不及分散，乃暴注下迫而出矣。

治療：取太白、太谿、曲池、足三里、陰陵泉、曲澤、膝熱泄瀉青者加膈俞、足臨泣、陽陵泉。

治理：太白功能泄脾熱，曲池、足三里，能泄胃腸之熱，曲澤、太谿，以清暑熱而治煩熱口渴，陰陵泉不特能清熱且有利小便之功，使水份熱邪由小便而分利之。膈熱致泄則針膈俞等穴以清之。

第三節　白痢

症狀：腹痛下利，青白粘膩，欲行不暢，舌苔白或膩，脈沉細。

病因：內臟虛寒，復進生冷，寒濕鬱滯大腸，氣機不宣，而成痢疾矣。

治療：取合谷、關元、脾俞、天樞。

治理：合谷能疏大腸之氣滯，肛內重墜者用之頗效，關元、天樞，善調腸胃之氣化而宣積滯，灸之可除寒濕之邪，針之能泄着中之氣，脾俞取其醒快脾胃也。

第四節　赤白痢

症狀：腹痛下痢，裡急後重，赤白相雜，腥穢不堪，日夜十行，痛苦萬狀，脈弦數或滑，舌紅而苔黃膩。

病因：由於暑濕熱蘊釀腸中，且壁腐敗膿血雜下而為赤白。

治療：取小腸俞、中膂俞、足三里、合谷、外關、腹哀、復溜。

治理：小腸俞、中膂俞，能泄直腸濕熱之邪，合谷、足三里泄陽明之熱而疏通胃腸之氣，外關、復溜能清濕熱，腹哀則治腹痛下痢也。

第五節　休息痢

症狀：下痢腸中微覺隱痛，乍發乍止，面黃食少，神倦肢冷。

病因：暑毒濕熱留於腸中曲折之處，藥力難至之所，每感飲食失調即發，數日自愈，過後再發，為休息痢。
治療：灸神闕、天樞、關元、小腸俞、脾俞。
治理：久痢則脾虛，故宜灸脾俞以益脾，神闕、天樞、小腸俞、關元四穴，均調腸胃之氣，而促進其消化機能，若久久不愈可加灸百會升下陷之清陽殊效。

第六節　噤口痢

症狀：胸悶吐逆，痢不止，心煩發熱，飲食不下，舌黃膩或燥，脉弦數。
病因：暑熱濕濁滯中宮，脾之清氣不升，胃則失其化力使然。
治療：初起即噤口者依照赤白痢條針之，久痢噤口者依照休息痢條灸之，然多不救也。

第十一章　咳嗽門

第一節　風寒咳嗽

症狀：形寒頭痛或頭暈，鼻流清涕、咳吐痰涎，白稠而爽，或咳而嘔，或咳引脅痛，或咳而喘滿，脉象浮滑，舌苔薄白或膩。
病因：風寒之邪，由外襲入，肺氣先傷，清肅失司，氣逆乃咳，氣失舒化，痰入肺絡而嗽乃作。
治療：取列缺、風府、肺俞、合谷、天突。兼嘔加針太淵、經渠。兼喘加針三間、商陽、大都。咳引脅痛加針行間、期門。
治理：合谷、列缺、風府，以解表而驅風寒，天突以宣肺氣，肺俞用以治咳，太淵以止嘔吐，脅痛屬肝故取行間、期門以泄之，兼喘滿者，取三間諸穴泄肺氣以治之。

第二節　痰熱咳嗽

症狀：咳逆不暢，咯痰濃厚，口乾胸悶，舌紅苔黃，脉象浮數。
病因：肺伏風熱，灼爍津液，煅煉成痰，乃為咳嗽。
治療：取經渠、尺澤、魚際、解谿、陶道、豐隆。
治理：經渠能治咳逆，尺澤能泄熱，魚際能退熱，解谿、豐隆泄痰熱，陶道疎解風熱之邪，熱除痰化嗽自止矣。

第三節　痰飲咳嗽

症狀：形寒吐逆．每屆清晨或初更則作咳甚劇，咯痰白膩，胸滿或脇痛，甚或不能臥，脈濡滑或沉濡而細。

病因：素体積受陰寒，脾胃之陽不足化以為痰飲．留着肺底、每感外邪即為觸發。

治療：取肺俞、膏肓、足三里、脾俞（俱灸）。

治理：肺俞、膏肓，能去肺臟之寒邪而化痰飲、脾俞能振脾陽而助運化，足三里則降氣逆，若老人之久年痰飲咳嗽每多下元虧損則宜加氣海關元，以攝納下焦之氣。

第十二章　痰飲門

第一節　濕痰

症狀：肢体沉重．腹脹脘滿，脈滑、面黃，舌淡而膩．痰多易咯，或有濕痰流注關節肌肉結核或痰卷。

病因：脾陽衰憊，濕停不化，積蓄成痰。

治療：取脾俞、膻中、豐隆、足三里。（俱灸）。

治理：古人謂脾胃為生痰之源，故取脾俞、中脘二穴促進脾胃之運化，使津液不致積蓄成痰，灸之則具化濕之功．豐隆能專化痰濁、膻中以宣泄氣機故能奏效。

第二節　燥痰

症狀：喉癢而咳，咳則痰少而濃厚、面恍白，氣短促．咳而不爽。

病因：肺失清肅之權，津為熱爍成痰。

治療：依照咳嗽門痰熱咳嗽條治針之。

第三節　風痰

症狀：神機驟然蒙閉，神昏厥逆，四肢抽搐．痰声如鋸，胸脇滿悶，脈弦、面青，兩目怒視。

病因：肺失肅降．金失其權，肝風內動，木火上燔．風火相灼津水成痰。

治療：取大椎．行間、中脘、膻中、列缺、關元、百會、人中。

治理：大椎、行間潛息肝風、中脘泄化痰濁，列缺膻中宣肺理氣而開痰濁壅塞以治胸脇滿悶，人中，百會醒神昏而止抽搐，關元攝納下焦之氣，諸穴合用則具潛陽熄風抑肝滌痰之功。

第四節　熱痰

症狀：煩熱口渴，神昏好睡，咯痰稠黄，脈洪面赤，神識不靈。

病因：由於心火熾盛，濕熱相煎，醞釀成痰，蒙閉清竅。

治療：取經渠、陽谿、豐隆，間使、委中、靈道、神門。

治理：經渠泄肺氣熱，豐隆化痰濁，委中、陽谷、間使清熱而治煩熱口渴，靈道、神門、清熱而醒神昏。

第五節　寒痰

症狀：咳痰稀薄，面色青黑，手清冷，少腹拘急，小便少，脈沉細，舌潤有青紫色。

病因：命門火微，不能蒸化津液，上泛以為痰。

治療：取命門、腎俞，膻中，肺俞，足三里。（俱灸）。

治理：灸腎俞命門能促進腎臟之分泌機能，所謂壯腎陽以制之也。肺俞、膻中，則溫化肺胃之寒痰。足三里引氣下行，灸之能運化水液，使不致停蓄為痰。

第六節　痰飲

症狀：咳逆稀痰，腸間水声漉漉，頭目眩暈，足下覺冷，甚或肌肉浮腫，脈弦滑，舌紅潤。

病因：肥胖之体，痰濕素重，中氣則弱，水聚成痰，留走腸間，身遂瘦弱，故素盛今瘦。

治療：取天樞、中脘、命門、膏肓、氣海。

治理：天樞、中脘、氣海運行腸胃之水飲使不停留。命門溫補腎陽以通利小便，膏肓行肺中之痰飲以治咳逆也。

第七節　懸飲

症狀：咳嗽白沫，脇下引痛，脈沉弦細，舌白而潤。

病因：中宮陽氣衰微，三焦失疏，水停脇下，留積為痰飲。

治療：取大椎、陶道、肺俞、（灸）。肝俞（針灸）期門章門（針）。

治理：肝俞行肝臟停留之水飲，期門、章門、治脇下引痛且能運行脇部之水飲，大椎、陶道、肺俞灸之則振陽氣化飲以治咳唾痰沫。

第八節　溢飲

症狀：肢節疼痛，筋骨煩疼，嘔逆咳嗽，喘急不得臥，脈

浮弦，

病因：三焦水道不利，水入腸膜，溢於肌膚，走於四肢，喘急不能安卧。

治療：取水分、關元、神闕、肺俞、中脘、足三里。（俱灸）。

治理：水分專治水病，以其能分利水液也，關元、神闕、中脘，能促進胃腸之從化機能使水液運行，足三里降氣逆以治嘔逆喘急，命門促進腎臟分泌，使水飲從小便輸出，則無洋溢之患矣。

第九節　支飲

症狀：頭眩嘔吐，脹滿咳逆，氣短不得卧，脉弦細，舌淡潤。

病因：水氣不化，支結於肺腸心下之處。

治療：依照溢飲條針治之。

第十節　伏飲

症狀：胸滿嘔逆，喘咳腰背痛，心下痞，振振惡寒身瞤動脉伏或滑。

病因：飲邪留伏筋骨俞穴之間，脾腎陽虚不能蒸散。

治療：取膻中、中脘、關元、腎俞、脾俞、膏肓（俱灸）。

治理：膻中、中脘去肺胃之伏飲，腎俞、脾俞治腰背之疼痛而振脾腎之陽蒸化伏藏之水飲，膏肓治喘咳而化痰飲，伏飲去而諸恙解。

第十三章　哮喘門

第一節　熱哮

症狀：身熱口渴，喘咳不得卧，聲如曳鋸，而脉滑數。

病因：痰熱內鬱留於肺絡，氣為痰阻，呼吸有聲，即內經所云中熱而哮。

治療：取天突、膻中、合谷、列缺、足三里、太冲、豐隆。

治理：熱哮由於痰熱內鬱，故刺天突、膻中以宣肺氣，而治咳逆，復取足三里、豐隆以泄降痰熱，合谷、列缺清泄肺熱，太冲能治諸逆上冲。

第二節　冷哮

症狀：形寒肢冷，咳嗽痰多，喉中有声，脉細弦，舌潤不渴病因：痰飲積於胸中留而不去，每遇風寒外束陽氣不得外泄，引動痰飲上逆而發。

治療：取靈台、俞府、乳根、膻中、天突、豐隆、肺俞、足三里。

治理：灸靈台以解表寒，灸膻中以宣肺氣，天突、乳根等穴以化痰飲。表解飲除則肺氣寧而病自愈矣。

第三節 實喘

症狀：胸高氣粗，兩肩聳動，不能卧，声達户外，兩脉滑實。

病因：感受外邪，壅塞肺竅氣道為之阻塞，升降是因失常故呼喘迫矣。

治療：針肺俞、合谷、魚際、足三里、期門、内關。

治理：肺俞、合谷、魚際以泄肺氣，期門、内關以泄胸中之邪，足三里降氣。若喘至面浮鼻冷則不治，然速灸氣海、關元各數十壯或可救。

第四節 虚喘

症狀：喘時声低息短，吸不歸根，若断若續，動則更甚，心情怔忡，兩脉虚細。

病因：腎元虧損，丹田之氣不能攝納，氣浮於上而作氣喘。

治療：灸關元、腎俞、氣海、足三里。

治理：關元、氣海攝納氣之上浮而補丹田之氣，足三里能引氣之下行，腎俞療腎元之虧損，腎氣足、丹田氣充，則氣上逆之解矣。

第十四章 虚勞門

第一節 陽虚

症狀：目眩肢疲，膝下清冷，自汗氣喘，納食則脹，食減無味，怯寒短氣，兩脉虚大或沉細。

病因：腎中真陽虚衰，脾陽不旺，憂思恐慮而成。

治療：灸命門、腎俞、脾俞、關元、神闕。

治理：灸命門、腎俞，壯腎陽也，腎陽充則膝下冷等症悉解。脾俞温養脾臟，關元、神闕振下焦元陽而强心，脾陽振則化力強，心陽振則輸血力足而病自日愈矣。

第二節 陰虚

症狀：骨蒸潮熱，咳嗽痰紅，怔忡盗汗，兩脉虚數。

病因：君相之火上炎，陰氣虧損，精血過度，骨髓枯竭，

腎虛則水虧火旺，肺虛則氣促咳血。　郄

治療：取大椎、陶道、肺俞、膏肓、足三里，陰郗、後谿、肝俞、腎俞。

治理：大椎、陶道潛陽退熱，肺俞、膏肓、足三里治咳嗽而益虛，肝俞、腎俞益肝腎之陰而涵陽，陰郗後谿清虛熱而治盜汗，熱輕可針而灸，熱重者則慎勿灸也。

第三節　五勞

症狀：潮熱盜汗，咳嗽痰多，初起多稀薄，久則漸成濃厚，胸部或背部作痛，或側面而臥，此肺勞也。若蒼白盜汗者為心勞，食少肌消而脹泄者為脾勞也，兩脇引胸作痛而不能行者為肝勞，足軟弱不能久立而遺精者為腎勞也。

病因：精氣虛憊之極，五臟氣血陰陽皆損無以為祟。

治療：取四花腰眼。肺勞加肺俞、膏肓、足三里。心勞加陰郗（郄）後谿，脾勞加脾俞、胃俞，肝勞加肝俞、章門，腎勞加志室三陰交。

四花腰眼專治五勞及一切虛損，肺勞則灸肺俞等穴以治咳而降氣，心勞則參陰郄、後谿以養陰退熱而治盜汗，脾勞加脾、胃兩俞以益脾胃而止泄瀉，肝勞則加肝俞以益肝，章門以治脇痛，腎勞則加腎俞志室三陰交以補益腎臟而治遺精。

第十五章　吐衄門

第一節　吐血

症狀：或從吐出，或從嘔出，傾盆盈碗，或鮮散中兼此黑大塊，面色晄白，脈虛芤。

病因：多由胃熱迫血妄行，因而上溢，或暴怒傷肝，或肝火昌熾，或飲酒過多，皆足致此。

治療：取魚際、尺澤、足三里、膈俞、中脘、內庭。嘔吐加肝俞、行間。

治理：吐血出於胃，故針足三里、內庭以泄除胃氣之上逆。蓋氣逆而後血逆也，針膈俞以寧血，魚際、尺澤以止血，中脘清胃熱而降衝氣，嘔血屬肝火，故取肝俞以抑肝，如兼胸脇脹痛，則宜加針期門、陽陵陵泉以治之。

第二節　咳血

症狀：因咳而見血，或痰中帶血咳出，氣喘急，所上之血不多，脈多微弱。

病因：多由於外感風熱鬱而傷肺，或由陽虛火動上逆所致。

治療：取肺俞、百勞、足三里、膈俞，陽虛火動者加三陰交、肝俞，痰中帶血者加豐隆、中脘。風熱襲肺者加風門、列缺。

治理：咳血屬肺，故肺俞、百勞為治咳血之要穴，足三里以降氣，陰虛火動者加針肝俞、三陰交以養陰，如因酒傷痰中帶血者加中脘、豐隆以降氣化痰，風熱傷肺者加風門、列缺，以宣泄風熱之邪。

第三節　衄血（鼻、眼、耳、肌、牙）

症狀：鼻衄即鼻中出血（亦名紅汗），耳衄、牙衄即耳中與牙齒出血也，眼衄即眼中出血也，肌衄即皮膚出血也。

病因：衄者血從經絡滲出而行於清道也，多由風熱壅盛而發，或煙酒、惱怒刺激而出。

治療：鼻衄取合谷、禾髎、大椎、魚際、列缺、少商、上星。如病因風熱襲肺，肝火上炎而成，故針合谷、大椎、上星疏散風熱，魚際、列缺清肺熱，禾髎居鼻旁，故亦能治鼻衄，少商能清肺，且為鼻衄之特效穴。

眼衄取睛明、太陽、行間、曲泉，眼衄乃積熱傷肝，或操持擾動陰血，以致血從目出，故宜針行間、曲泉，以清泄肝熱，睛明、太陽，其部位近目，故能泄局部之熱而止血也。

耳衄取竅陰（出血）、俠谿、陽陵泉、行間、翳風，此症多由飲酒過多或多怒之人，肝胆火上升，以致血從耳出，故針俠谿、竅陰、陽陵泉、行間以泄肝胆之熱，翳風以泄病灶局部之熱而止血。

肌衄取膈俞、血海，此症亦血熱沸騰而從毛竅溢出，故取膈俞、血海以清熱而止其血也。

牙衄取合谷、內庭、手三里，牙衄乃陽明熱上乘，故針內庭、合谷、手三里以泄陽明之熱，足三里清熱而引熱下行。

第十六章 嘔吐門

第一節 熱吐

症狀：口渴作熱，食入即吐，或苦或酸，頭目昏眩，舌黃脈數。

病因：胃有蘊熱，氣不下降而致嘔逆，或緣肝氣，肝陽上亢，或肝胆風熱上炎，皆足致之。

治療：取內庭、合谷、內關、中脘、上脘、足三里，肝胆之火上炎者加陽陵泉、太冲。

治理：熱吐由於胃熱，故針內庭、足三里以清熱而降氣，嘔吐之病均在胃，故針中脘、上脘以泄胃中之熱而止嘔吐，合谷、內關宣泄胸中之氣而清熱，肝胆之火上亢者，則針太冲、陽陵泉以泄之，若輕症之嘔吐則單針足三里留捻稍久有效。

第二節 寒吐

症狀：嘔吐稀涎，面青冷，胃脘不舒，口鼻氣冷，不渴，苔白，脈細。

病因：脾胃之陽不振，寒濕濁邪留滯中宮，乃上逆作嘔。

治療：灸中脘、內關、氣海、胃俞、三陰交、膻中、脾俞、足三里。

治理：嘔吐皆由氣上逆，故足三里為要穴，內關、膻中宣泄胸中之氣，脾俞、胃俞振脾胃之陽而化寒濕濁邪，三陰交亦能溫脾化濕，氣海理腸胃之氣，氣調則無上逆嘔吐之患者矣。

第三節 乾嘔

症狀：乾嘔不止，有声無物，但覺胸膈不舒。

病因：清濁之氣升降失常，阻拒於胸膈之間所致。

治療：灸中脘、足三里、內關、脾俞、胃俞、章門。胃熱者改灸為針，加針內庭、厲兑。

治理：為虛寒者則用單灸法以溫補脾胃，如脾胃二俞、中脘、章門等穴是也。其針足三里、內關，亦無非降氣行氣，而具升清降濁之功，因胃熱者則針以泄之，復加內庭、厲兑，以清陽明之熱。

第十七章　噎膈門

第一節　寒膈

症狀：脘腹脹滿，嘔吐清水，四肢厥冷，食不得入，面色恍白，兩脈遲細。

病因：中宮氣細微，寒氣凝聚，肝氣不能升，胃氣不能降而寒膈成矣。

治療：取膻中、膈俞、（灸），中脘、足三里、公孫、脾俞、胃俞（針灸）。

治理：膻中、膈俞宣展胸膈之氣，足三里、公孫降氣逆，中脘、脾俞、胃俞振脾胃之陽以理寒邪。

第二節　熱膈

症狀：胃脘熱甚，口苦舌燥，煩渴不安，食則吐，面赤，脈細。

病因：胃津枯乾，食道液燥，胃炎上沖，故食不得下。

治療：取內庭、中脘、足三里、支溝、合谷、大陵、內關、委中、大腸俞。

治理：內庭、中脘泄胃熱，足三里降氣逆，支溝、合谷用之則有導府之功，合谷、大腸俞清腸中之熱，委中清膀胱之熱，大陵、內關清熱而治煩渴不安。

第三節　氣膈

症狀：噎氣頻頻，中脘滿痛，痛引脊背，胸悶氣逆，食不得下，大便不利。

病因：中心抑鬱，氣結不解，則氣鬱於中，運化不行，肝氣上逆，膈氣不通。

治療：中脘、膻中、氣海、列缺、內關、胃俞、三焦俞、足三里，（俱灸），期門（針）。

治理：氣膈之調氣為主，故取膻中、氣海，理氣之鬱結也。足三里以降上逆之氣，列缺、內關以宣泄胸膈之氣，期門以泄肝氣，鬱結不舒，則胃氣不能散布，故取胃俞、三焦俞，以運行胃氣，氣調鬱解，則病自愈，惟憂鬱為情志病，當病者能達觀，則收效尤易也。

第四節　痰膈

病狀：咳嗽氣喘，喉間痰声，胸脹滿不舒，飲食不能下咽，兩脈滑實。

病因：顽痰留着食管之间，阻塞窍道，饮食不下咽，每为所阻隔而不得下。

治疗：取膈俞、肺俞、下脘、大都，（俱灸），天突、丰隆、足三里（针灸）。

治理：肺俞、天突治咳嗽气喘，膈俞理膈之气，丰隆化痰浊，足三里、大都降气，下脘旋运中州以行痰浊。

第五節　食膈

症状：胸中胀满不得安，食虽下咽而痛甚，甚或气塞不通危殆不堪。

病因：过饥之后，猝然暴食，壅塞胃之上口，闭塞脾胃之机而为膈，患者多属老年。

治疗：取中脘、脾俞、胃俞、膻中、气海、足三里、巨阙。

治理：中脘、足三里、巨阙化食滞兼导六腑，脾胃二俞助脾胃之消化，膻中、气海则调气而宣气机之闭塞。

第六節　虚膈

症状：肌肤干燥，饮食不下，便似羊屎，两脉虚涩，体倦神疲。

病因：由于脾胃津枯血燥，胃腑干燥而不能化纳。

治疗：取合谷、膈俞、大包、太冲。

治理：灸膈俞数十壮以治膈气，针合谷以宣大肠之气，针灸大包以补胃，针太冲以降逆，然多不救也。

第十八章　臌胀门

第一節　水臌

症状：初起肢头面肿胀，渐延脚腹，皮肤黄而有光、胀大绷急，按之窅而缓起，脉浮、心悸、气促。

病因：脾胃之阳不振，脾不运输、肾不分利，水郁于内，化以为毒，溢于皮肤，散于胸腹而肿胀如牛矣。

治疗：肾俞、膀胱俞、水分，（俱灸），三阴交、阴陵泉，人中（俱针）。

治理：肾俞、膀胱俞以宣膀胱之气化而促进肾脏之分泌，阴陵泉通利小便，脾俞振脾阳而行水，水分为治臌之特效穴，以其能分利水分也。三阴交运化脾脏之湿，人中可用粗针以泄水尤佳。

第二節　气臌

症狀：腹大而皮色不變，按之窅而即起，喘促煩悶，或腸鳴氣走，漉漉有声，脉弦鬱。

病因：七情鬱結而不暢，氣道壅隔而不運，升降失常，留滞中焦，故脹為之膨脹。

治療：取膻中、氣海、關元、脾俞、胃俞、中脘、足三里（各灸數十壯）。

治理：氣臌原屬氣積，治以理氣為主，故取膻中、氣海、關元調氣而開鬱結，脾俞、胃俞、足三里則助脾胃之運化。氣調則脹滿自除，脾胃強則化力足，諸症均解。

第三節 寒脹

症狀：腹脹堅硬、大便秘結，行動呆滞，呼吸短促，脉沉滑或沉細。

病因：多吸寒涼生冷，脾陽不振，失其健運，濕滞阻滞，因而腹脹，（經曰：濁氣在上則生䐜脹者是也）。

治療：依照氣臌各穴針灸之，以調其氣，大便秘結者，加針支溝、內庭並瀉足三里以化結滞而導元腑。

第四節 虛脹

症狀：腹部脹滿，大便溏薄，小便清白，脉細少氣，面淡唇白。

病因：飲食起居不善攝養，或病後飲食不慎，中氣衰因而致滿。

治療：灸關元、中脘、下脘、神闕、脾俞、胃俞、大腸俞。

治理：虛脹由於中氣虛損，脾胃衰弱，故灸關元、神闕、中脘、下脘各穴以益中氣，大腸俞以鼓舞腸中氣化以治大便溏薄，脾俞、胃俞則調補脾胃扶助下元，脾胃健則運化復常而疾消矣。

第十九章 癥瘕門

第一節 癥

症狀：面黄肌瘦，飲食減少，神疲体倦，胸脘腹間有塊，硬痛，按着形牢固不移，舌光、脉澀。

病因：血瘀痰食，稽經絡還，泣滞而凝結成之，血癥多結於小腹，食則多結於脘間，痰則多結於脅下。

治療：小腹有塊者關元、太冲、行間、三陰交、膈俞，少腹有塊，多屬血積，故所取各穴多為於血分之穴，如太冲能行血，行間、三陰交能破瘀，膈俞通治血症、關元調氣以行血。

臍上脘下有塊，取神闕、下脘、中脘、章門、脾俞胃俞，臍上脘下有積多屬食積，故取中、下二脘以消積滯、脾胃二穴以健脾胃而助運化，神闕、調氣章門能直達病灶消脇下之塊。

脇下兩旁有塊，章門、期門、行間、肺俞、豐隆、陽陵泉，此症多由於痰積，故取肺俞、豐隆以化痰，章門、期門以消積，行間、陽陵泉疏肝胆之氣，以脇下屬肝胆二經也。更宜於塊之中央及上下左右針而灸之，不問其為何積，均可如法施治，直達病灶收效尤易。

第二節 瘕

症狀：發時胸脇臍腹或脹或痛、或噯氣、或嘔吐，腹中有塊攻冲，游移無定，脈沉細或弦澀，舌苔薄白。

病因：肝脾之氣不和，肝氣橫逆，脾失輸化，水飲痰液凝聚成瘕，隨氣之吸逆運滯而時形時散。

治療：氣海、關元、脾俞、肝俞（各灸十數壯），噯氣嘔逆者，加針灸內關、足三里。

治理：瘕症多為氣滯而發，故取氣海、關元以調氣，脾肝二俞調和脾胃之氣，嘔逆噯氣則針灸內關以宣胸膈之氣，足三里以降逆氣，更須調攝得宜可收全功。

第二十章 五積門

第一節 心積

症狀：臍上有塊，形如屋樑由臍至心下，伏而不動，口苦、異常，脈沉弦，舌絳。

病因：心積名曰伏梁，心經氣血不舒凝聚成然也。

治療：上脘、心俞、膈俞（針灸）、大陵、行間、三陰交、足三里（針）。

治理：上脘直刺病灶散氣血凝滯，心俞、膈俞、大陵活血通絡而泄心經之積氣，足三里調氣行血，行間、三陰交行血而破血結，苟能心曠神怡則收效尤速。

第二節 肝積

症狀：左下有塊如覆杯，寒熱似瘧或喘咳，脇下脹痛，脈弦細。

病因：肝積名曰肥氣，肝經氣逆，與瘀血責合而成。

治療：章門、中脘、（灸），行間、膈俞、針灸，期門、（針），寒熱咳逆加針灸大椎、足三里。

治理：章門、期門化脇下之塊，肝俞調肝氣，膈俞，行間行血破瘀而化積，中脘為諸穴之佐使，位近病灶，能理氣而消積，寒熱者則針灸大椎以除之，嘔逆者則取足三里以降之。

第三節　脾積

症狀：脘中脹痛如覆盆，面黃肌瘦，飲食不為肌膚，脈多沉細。

病因：脾積名曰痞氣，由於脾胃衰弱，氣少運行，寒邪痰飲積聚不化所致。

治療：痞根穴脾俞中脘、足三里、內庭、隱白、行間（俱灸），塊之上下左右針而灸之。

治理：痞根為經外奇穴，專治痞積，凡屬積聚用之皆効，脾俞、中脘療脾胃衰弱而助運化，內庭、隱白、足三里行脾胃之精氣，行間破積聚，復於塊之上下左右針灸之，其效益著。

第四節　肺積

症狀：微寒微熱、咳喘氣促，右脇下癖大如杯胸痛引背，脈弦細。

病因：肺積名曰息賁，由於肝氣不利，痰濁不化結聚而成。

治療：針灸巨闕、期門、肺俞、經渠、章門、豐隆、內關、足三里。

治理：息賁治法而降氣開痰散結，故取章門、期門、巨闕直達病灶以散結，內關、經渠宣肺氣而開痰濁之積聚，豐隆、足三里降氣而化痰濁。

第五節　腎積

症狀：先於小腹右角起一小塊而微痛，塊漸大痛漸劇，時上時下，痛引腹部，寒熱不時，甚則痛攻心下，坐臥不寧，繼則漸漸不衝，塊漸小痛亦漸止而至於無起伏不時。

病因：腎積名奔豚，由腎氣虛寒邪結聚，或以房勞不節，發感寒冷、亦易作斯疾矣。

治療：灸中極、章門、腎俞、湧泉、三陰交、關元。

治理：奔豚由於腎氣虛寒水氣上逆，故灸腎俞、湧泉以益腎陽而排除水氣，關元、中極行氣而通調水道，章門、三陰交以祛腎臟之寒邪，他如氣海、期門各均可酌取。

第二十一章　三消門

第一節　上消

症狀：心胸煩熱，大渴引飲、飲不解渴、小便清長，食量減少，舌絳赤，脈細數。

病因：內經云心熱移於肺傳為膈消，膈消即上消及心肺之蘊熱也。

治療：針內關、神門、魚際、尺澤、肺俞、人中、然谷、太谿、金津、玉液。

治理：上消由於心肺蘊熱，故針內關、神門以清心熱，魚際尺澤以清肺熱，然谷、太谿清熱養陰，金津玉液清心熱而生津液，針人中以泄陽邪而治消渴也。

第二節　中消

症狀：口渴引飲，多食善飢，不為肌膚，小便多而味甜，關脈滑數，舌紅苔黃。

病因：經云邪在脾胃，陽氣有餘，陰氣不足，則熱中善飢病乃陽明陰虛火盛也。

治療：針中脘、胃俞、脾俞、內庭、曲池、足三里、支溝、陰陵、金津、玉液。

治理：中脘、胃俞、內庭泄胃熱也，曲池清大腸之熱，脾俞陰陵清脾熱，金津玉液清熱而生津液，足三里、支溝清熱而通大便。

第三節　下消

症狀：初起煩渴引飲，漸至腿膝枯細，面色黧黑，小便多而渾濁，或上浮如脂，或如濁淚，脈細數，舌絳。

病因：下消名曰腎消，為肝腎陰虛，虛則火旺而津液為之消爍也。

治療：針湧泉、然谷、腎俞、肺俞、肝俞、曲泉、中膂俞。

治理：下消由於肝腎陰虧，虛火上炎，腎俞、肝俞以益肝腎之陰而制陽光，湧泉、然谷、曲泉以清虛熱，而養津液，中膂俞清熱而養腎陰，此為治腎陰而成消渴者，然亦有命門火衰，火不歸元者，則灸腎俞中極、命門、關元、氣海以振下焦之陽而納上浮之火也。

第二十二章　黄疸門

第一節　陽黄

症狀：一身盡黄，色黄如橘子柏皮，身熱煩渴，消谷善飢，大便秘而色白，小便赤，脉滑數，舌苔黄厚。
病因：脾胃濕熱鬱蒸，熱勝於濕發為陽黄。
治療：針中脘、足三里、委中、至陽、胆俞、陽陵泉、公孫、三陰交。
治理：中脘、足三里清熱而導府，委中清熱而利濕，胆俞陽陵泉泄胆中熱，公孫、三陰交清脾熱，至陽化濕而退身熱。

第二節　陰黄

症狀：身目皆黄，其色晦黯有如烟薰，形寒肢冷，腹滿，四肢披重，渴不欲飲，舌淡而白，脉濡而細，大便白色。
病因：寒濕在裏，蘊於脾胃，寒勝於濕，越於皮膚則為陰黄。
治療：灸脾俞、氣海、足三里、至陽、中脘、陽綱。
治理：陰黄屬寒濕，阻於脾胃，故灸脾俞、中脘以化脾胃之濕邪，氣海除腹中之寒濕而治腹滿，至陽、陽綱化寒濕，足三里行濕而治嘔吐。

第三節　酒疸食疸

症狀：身目均黄，心下懊憹，胃呆煩吐，脛腫泄黄，面發赤色，小便短少，足下熱，舌苔黄膩，脉弦遲，此酒疸也，若寒熱不食，或食畢則頭暈，脘腹滿悶二便秘結，舌膩脉滑遲者，此食疸也。
病因：酒疸者，疸之由於酒傷得之者也。如飢時飲酒或酒後當風臥，入水淋浴，以致酒濕之熱遏而不宣，蒸發黄。
食疸亦名谷疸，乃食傷所成之疸也，多由胃熱大飢飲食停滯，致傷脾胃而成。

治療：酒疸依照陽黃條針之。食疸取中脘、足三里、胃俞、內庭、至陽。

治理：酒疸雖由酒傷，亦屬濕熱為病，故每與陽黃同治。食疸由於食積，故取中脘、足三里以運化食滯，胃俞、內庭以泄胃實而清熱，至陽清熱而退黃，其餘陽綱膽俞等穴，俱可採用，更宜與陽黃條互相參看。

第四節 女勞疸黑疸

症狀：額上黑、身膚黃、微微汗出，手足心熱或薄暮發熱，然必以少腹拘急、小便自利，大便黑，方為女勞疸之的症。若初起面部發黑，甚則周身漸黑，大便亦黑，若腹脹如水狀，皮膚不仁者則為危矣。

病因：房勞無度或醉酒入房；或少腹蓄血，或脾中濕濁下趨所致。黑疸則多由酒疸女勞疸久延或誤下，以致脾胃虛弱而成。

治療：灸公孫、然谷、中極、脾俞、至陽、陽關，血瘀者加關元膈俞。

治理：女勞黑疸均由脾腎虛弱，故灸脾俞、腎俞以益脾腎，佐公孫、然谷以宣脾腎之氣化，至陽、陽關專退身黃，為治疸病要穴。若腹有瘀血者，則加針灸關元膈俞以行瘀。

25/11

第二十三章 汗病門

第一節 自汗

症狀：不因勞動或發散而自汗出，惡寒身冷，脈象虛微，舌多淡紅。

病因：自汗多屬陽虛，陽者衛外而固表者也，內氣內虛，陰中無陽，故表不固，腠理疏則汗隨氣泄，經云陰勝則身寒，汗出即其候也。若過服劑汗出不止，則為亡陽危候。

治療：針合谷、灸大椎、復溜。

治理：瀉合谷、補復溜以止汗，大椎以固表而振陽，若自汗欲脫急宜灸神闕，不論壯數，但以止汗為度。蓋汗出過多則心臟衰弱，神闕功能強心故也。

第二節 盜汗

症狀：寐中則汗出，醒後倏收，氣虛神倦，脈虛細、舌多紅而光。
病因：盜汗爲陰虛，陰者内營而微藏者也。陰氣虛弱則生内熱而汗液外泄。
治療：間使、後谿、陰郄、肺俞、百勞。
治理：盜汗爲陰虛内熱，故針間使、後谿、陰郄以養陰退熱，肺俞、百勞退熱而益陰，故能奏效。

第三節　黄汗

症狀：身重而冷，狀如周痹，胸中鬱塞不能食，煩躁不眠，汗出口渴，汗沾衣色正黄如柏汁，脈多沉。
病因：黄汗爲疸病之一，身黄而汗出沾作黄色也。乃脾家濕熱蘊蒸，由毛孔泄出，多由汗出用水浸浴，水入毛孔，經鬱蒸而爲黄汗。
治療：脾俞、陰陵、三里、中脘、公孫、至陽。
治理：黄汗爲脾家濕熱，故取脾俞、公孫，以清脾熱，三里、中脘、至陽以清熱化濕，陰陵滲利濕邪，此外如三焦俞、人中等穴，均可佐使也。

第二十四章　寤寐門

第一節　不眠

症狀：輾轉不寐，心煩焦急，精神恍惚，善驚。
病因：思慮過度而傷心陰，神不守舍乃爲驚惕，長恐多思終夜不寐。
治療：三陰交、神門、間使、心俞、内關。胃有積熱者則針中脘、三里、内庭、天樞。痰濁阻滯則針豐隆、中脘、足三里、肝俞、隱白、陰陵泉。
治理：失眠之病由於心陰不足，神不守舍與血虛火旺者，則針三陰交、間使、内關以滋陰養液，心俞神門以安神定志而養心陰，若因積或熱與痰者則宜去積清熱化痰則病自愈。

第二節　多寐症

症狀：四肢倦怠無力，呵欠頻頻，精神萎頓，反複昏睡，脈虛緩。
病因：大勞大病之後，脾陽虛憊，精神不振或濕邪内蘊，神志不清，昏迷好睡，亦有因飲食不節，脾陽不振

·32·

而終日欲寐者。

治療：脾陽虛衰者大椎、肝俞、至陽。濕邪內蘊者，中脘、足三里、脾俞、胃俞。

治理：大椎、至陽振陽氣，脾俞益脾，艾灸三穴則能興奮精神而治陽虛多寐。屬濕者則取中脘、足三里、脾俞、胃俞以斡旋而化濕邪。

第二十五章 脚氣門

第一節 濕脚氣

症狀：初起足部浮腫，軟弱光亮，漸延兩股兩腘，不便行走，甚則按之流水，痠重難動，因寒而發者，面黑惡寒，足冷如冰，是為寒濕脚氣。濕鬱化熱者面黃口渴，便閉溺赤，足熱如火，是濕熱脚氣，若惡心嘔吐，煩渴異常，氣短喘息，胸滿心跳，或腹部衝脈動躍應手，則為脚氣衝心危候，若脈燥促，舌紫黑或苔焦，其人昏厥不語而兩鼻孔煽動者則不治。

病因：多由久居低濕之地，濕邪侵入足脛經絡皮肉而致腫脹，或飲污穢之水及腐敗食物，化生濕熱下注兩足而得之，若濕毒上攻則成脚氣毒衝心之症。

治療：足三里、三陰交、絕骨、風市、陽輔、犢鼻、商丘、崑崙，脚氣攻心則針關元、氣海、大敦。

治理：陽陵、陽輔、風市等穴功能通絡，足三里、崑崙能化濕而行氣，餘穴皆在病灶局部，故施治有效驗。惟寒濕脚氣則宜針而灸之，若濕熱脚氣腫處發熱者慎不可灸，若脚氣冲心則宜加關元、氣海、大敦等穴以乂氣之上逆也。

第二節 乾脚氣

症狀：兩脚萎瘦，不腫不痛，或萎弱拘急，或日見枯細，步履艱難，舌乾紅，脈弦數，或微細，甚則亦能冲心而致心悸氣促，腹部震動等症。

病因：本病多起於病後營養缺乏或暑熱傷足三陰，津液為熱所灼，以致枯細瘦弱，而成乾脚氣。

治療：湧泉、至陰、太谿、崑崙、陰陵、陽陵、三陰交、絕骨、足三里。

治理：本症所取各穴，均能直達病灶，而具養陰清熱通經治絡之功。若攻心症則與濕脚氣之攻心條同治可也。

第二十六章　痿痺門

第一節　痿症

症狀：腿膝手足不利或不能伸屈、或軟弱不能履行、或冷麻而失知覺。

病因：痿者如萎靡之狀也、此症多由熱邪爍傷精血，而皮毛筋骨為之軟弱無力，或病後精血大虧，筋骨失所營養而成，內經所謂大經空虛營衛之氣不足也。

治療：陽陵、絕骨、大杼（俱灸之），並參看手足各病門。

治理：痿症乃筋骨為病，故灸陽陵、絕骨、大杼三穴以恢復筋骨之用，並參照手足各病門以療之。

第二節　痺症

症狀：筋骨兩部份作痛，或拘攣，或遊走痛而無定處。

病因：經之風寒濕三氣雜至而為痺、風氣勝者為行痺，寒氣勝者為痛痺、濕氣勝者為着痺。都為經絡受風寒濕各邪襲擊而發生疼痛拘急等症。

治療：依照痿症治療各穴，改灸為針，或針且灸之，並參照手足胸背各病門。

22/12

第二十七章　疝氣門

第一節　衝疝

症狀：氣從小腹衝心，而痛不得前後伸為衝疝。

病因：寒濕之邪久鬱於內，化而為熱，客寒觸之遂成斯疾。

治療：取關元、太沖、獨陰、臍上三角灸法。

治理：衝疝乃衝任與肝三經之氣滯而成，故用臍上三角灸法以宣通氣結，關元、太沖疏肝任二經之氣，獨陰為經外奇穴，治疝氣頗有效。

第二節　㿗疝

症狀：少腹控卵腫急絞痛、甚則陰囊腫大，經之三陰為病發寒熱，謂為㿗疝。

治療：曲泉、中封、大敦、太沖、氣海、中極。

治理：肝脈循陰器，故疝病皆宜取肝經之穴，曲泉、中封泄肝氣也，太沖、大敦疏肝氣也，且二穴治疝氣每有特效，可為治一切疝病之主穴，氣海、中極則以之調氣而化寒濕之邪也。

第三節　厥疝

症狀：脉大而虛，少腹疼痛上下左右攻衝無定，甚則四肢厥逆。

病因：肝經素有鬱熱，寒邪外來，肝氣乃不調達，因而橫逆遂成斯疝。

治療：太冲、大敦、獨陰、石門氣。

治理：太冲、大敦疏泄肝氣，石門、氣海行氣而治少腹疼痛也。

第四節　狐疝

症狀：睾丸偏大，臍痛脹緊，臥則入腹，立則下墜。

病因：肝所生病為狐疝，由於寒客厥陰沉結下焦所致。

治療：依照癩疝條治之，並於臍下六寸兩旁一寸灸三壯。

第五節　瘕疝

症狀：腹有瘕痞，痛而熱，時下白濁，女子不月，男子囊腫。

病因：脾傳之腎為瘕疝，由於脾經濕氣注於衝任交會之所。

治療：氣海、中極、陰陵、陰交、大敦、太冲。

治理：陰陵化脾經之濕氣，大敦、太冲治囊腫痛，氣海、中極、陰交宣衝任之氣而消瘕痞。

第六節　潰疝

症狀：睾丸偏脹堅硬如石，痛引臍中；甚則囊膚因腫脹而成瘡，時出黄水，或成稀清糊，或下膿血。

病因：厥陰之脉循陰器，肝不調達則血凝氣滞，結於陰囊而為病。

治療：依照癩疝條治之，再加灸氣冲中極以行氣之凝滞而治臍腹部痛。

第七節　癃疝

症狀：少腹脹痛，腎囊大，小便秘塞，甚則脹緊欲絶。

病因：癃者小便不通也，疝病而小便秘塞，故名癃疝，此病多由脾經濕熱下注膀胱濕熱鬱結而成。

治療：關元、陰交、三陰交、水道、大敦、太冲。

治理：癃疝治法當通利小便，故取關元宣膀胱氣化而治小腹滿痛，陰陵水道化脾經濕熱通調水道、大敦、太冲，則治陰囊腫脹也。

第二十八章　遺精門

第一節　夢遺

症狀：夜夢遺精、脈數、舌紅。

病因：多由慾念妄動則君火搖於上、相火熾於下，水不能濟而精隨泄。

治療：針心俞白環、腎俞、中極、關元、三陰交。

治理：心俞、白環俞、腎俞三穴清君相之火而滋陰，三陰交則養以涵陽，所謂壯水以制火也，中極、關元益虛弱而固精，惟由於慾念妄動者則為心理所造成，尤宜恬淡寡慾，庶可收效也。

第二節　滑精

症狀：每在睡中無夢自遺，或動念即遺，不拘晝夜，慾念偶生而精即滑出。

病因：色慾過度，心腎氣虛，不能攝精，遂成斯病。

治療：灸精宮、腎俞、關元、中極、膏肓、足三里。

治理：精宮能固攝精氣，專治遺精，關元、中極固精益元氣而補虛弱，腎俞補益腎臟，若兼潮熱、盜汗等症則加針膏肓、足三里尤為特效。

第二十九章　淋濁門

第一節　五淋

症狀：石淋臍腹引痛，小便難，輕則下沙，重則下石，便時刺痛，令人難忍。

勞淋小便淋瀝、不斷，遇勞而發，身体疲憊，溲時數痛腹脹，牽引谷道。

血淋之痛帶血，血色鮮紅、脈數。

氣淋小腹滿痛，溺有餘瀝。

熱淋莖中熱痛，小便熱赤，口渴或渴熱。

病因：石淋由於膀胱蓄熱，失其氣化之職，結成砂石從尿道而出，為淋病中最重之症，勞淋由於本能衰弱，元氣不足，膀胱不能輸送水道，一遇勞事，溺竅因之痿塞不通而為淋病，血淋亦由熱蓄膀胱，熱甚搏血，失其常道，與溲俱下，氣淋由於氣化不及州都，胞中氣脹，故使小便澀滯小腹滿堅，熱淋有虛實之分，屬實者如與不潔之婦人交合，或好食辛辣煎炒厚味積熱太甚，流注下焦膀胱而為熱淋，虛者如好色縱慾陰精枯燥相火昌熾，灼爍津液，腎氣為之斷衰致水道不利而成斯症。

治療：腎俞、三焦俞、小腸俞、膀胱俞、陰陵、中極、合谷、尺澤。石淋加針行間、太谿、委中。勞淋加灸關元。血淋加針血海、三陰交。氣淋加氣海。熱淋加湧泉。

治理：淋雖有五，然皆為小便澀痛，屬腎與膀胱熱邪鬱結不能滲泄故也。故針腎俞、膀胱俞宣通氣化，三焦俞、小腸俞以清熱，中極以鼓下焦之氣化，佐陰陵以通利小便，合谷尺澤開肺氣而調水道，石淋加行間、太谿、委中以清熱養陰。勞淋加灸關元以益下元。血淋加血海三陰交以清血。氣淋加灸氣海以調氣，熱淋加湧泉以清熱。

第二節 赤白濁

症狀：初起莖中熱痛，小便時如火灼刀割，械濁之邪淋瀝不斷隨時衝出，不便時自流膿液。白濁則色白如眵如膿，赤濁溺赤濁亦赤，經過相當時日則莖中不作灼痛，小便則頻數濁液自流。

病因：赤濁多由入房太甚，或交媾不潔，忍精不泄，以致敗精乘腐醞釀而成，間亦有由濕熱而成，此症白者多屬濕，赤者多屬火。

治療：取三陰交、關元、腎俞、陰陵泉，膀胱俞。

治理：濁淋雖屬二症，而治則頗近，本症取腎俞、膀胱俞關元等穴，鼓舞下焦之氣化，佐三陰交、陰陵清熱而分利小便，蓋小便暢通則濁自除；如因日久脾、腎虛者則宜針灸脾俞、章門、關元、中極以益腎而固下元尤為有效也。 6/1

第三十章 癃閉門

第一節 小便癃閉

症狀：屬濕熱者則煩悶舌赤，小便不通，莖中疼痛。屬虛寒者則背寒喜暖，手足厥冷，小腹亦冷，裡無熱候口不渴，舌淡紅，然皆小腹脹急，腹痞滿，甚則胸滿氣短。

病因：屬熱者則多因燥熱之邪鬱阻膀胱以致小便閉塞、小腹脹滿。屬虛寒者則由於腎陽衰弱不能分佈水液，以致小溲點滴日數十行。然亦有敗精瘀血阻塞溺道以致小便閉者。更有肺氣不宣而起者。古人謂肺主通調水道，肺氣不暢則小便不通也。

治療：取氣海、關元、中極。屬實熱者加針陰陵、三陰交曲泉。屬虛寒者加灸腎俞、膀胱俞。肺氣不宣者加合谷、尺澤。

治理：氣海、關元、中極宣下焦之氣化，氣化行則小便暢下。屬實熱者則佐陰陵等穴清熱而利小便。屬虛寒者則佐腎俞等穴以振腎陽。肺氣不宣者則佐合谷等穴以開展肺氣，上竅開則下竅自利。若因敗精瘀血者，則多屬鬱熱之症，可依照實熱條針治之。

第二節 大便閉

症狀：大便閉結，腹部脹滿，疼痛拒按，內熱煩燥，口渴溺赤，此為實閉。若形弱神衰，內無熱而大便秘結此為虛閉。

病因：實閉症多由食與熱邪阻滯腸中，以致便閉脹痛，故必兼煩渴等症。

虛閉者則因血虛液枯，腸中失所濡潤，不能輸送糟粕外出，故無實熱等見症。

治療：大腸俞、足三里、支溝、氣海、照海。實熱者加中脘、內庭、三間。虛秘者加太冲、太谿。

治理：大便不行，病灶在腸，故取大腸俞以宣腸中氣化，三里、支溝、照海降腸胃之氣而通大便。實熱症加針中脘、內庭以化積滯，而清熱邪。虛秘者則加太冲、太谿以滋養津液，津液充則大便自然潤下。

第三十一章 便血門

第一節 大便血

症狀：先便後血名曰遠血，先血後便名曰近血，面色黃淡肢倦神疲，脈虛芤。

病因：經云陰絡傷則血內溢，血內溢則為後血。此病大都由血中蘊熱，飲食不節而損傷血絡所致。

治療：針承山、複溜、太冲、太白，多灸大腸俞、長強、膈俞。

治理：承山、太白等穴功能止便血，膈俞能治一切血症，大腸俞能治大腸諸疾，長強穴近病灶故針灸有效。

第二節 小便血。

症狀：小便溺血，脉虚無力，神疲肢倦。

病因：多由血室有熱，血得熱而妄行，或肝腎兩虚，血室之血失於統攝所致。

治療：膀胱俞、關元、三陰交、湧泉、肝腎虚者加肝俞、腎俞以補益之。

治理：膀胱俞清膀胱之熱，佐關元以固血，湧泉清熱以寧血，肝腎虚者加肝腎俞以益補之。

10/1, 195

第三十二章 頭痛門

第一節 頭痛

症狀：外感頭痛多屬三陽經絡。太陽頭痛在正中與項部。少陽頭痛多在兩側，陽明頭痛多在額部、内傷頭痛多見氣怯神疲，過勞則發，或頭痛如破，或時常牽引作痛，心裏不安。

病因：外邪襲入三陽經絡，頭部血管或充血或鬱血皆致頭痛，以頭部為三陽經絡也。然皆因風寒暑濕熱等之差別，感受風寒而痛者則多兼惡風惡寒。因於濕者則頭痛而重或倦怠無力，因於熱者只見發熱煩渴。因暑者或有汗或無汗，身惡熱。如因血分不足陰火攻冲則痛連魚尾，善驚惕，或内心煩熱。因七情惱怒，肝胆火鬱上冲，而痛者則頭痛如破、或痛引脇下。因痰飲而痛者則兼昏重眩，欲嘔，其原因頗多，不可不細辨也。

治療：巔頂痛取上星、風池、百會。正頭痛取上星、神庭、前頂、百會。頭角眉稜骨痛取攢竹、合谷、列缺、眉心。偏頭痛取頭維、太陽、風池、頭臨泣。

治理：以上各穴皆根據病灶而取，頭痛之屬實熱者則針而瀉之。屬虚寒者則針而灸之。更宜究其病何屬而加用其他穴俞。如因外感風寒者當加風門、大椎、風府等穴針之，以去風寒。因濕者則加取中脘、三里、陰陵等穴以化濕。因暑熱者則加委中、尺澤、合谷、曲池、間使等穴以清暑熱。內傷血分不足陰火上沖者加復溜、間使、三陰交、肝俞、腎俞等穴以養陰退熱。肝膽之火上沖者加肝俞、期門、行間等穴以泄肝。因痰飲者加豐隆、足三里、肺俞等穴以化痰飲。此皆貴乎醫者臨症時隨而衷之，

第二節　頭風

症狀：頭風與頭痛並非二症、風頭痛之久而不愈，起伏不常時愈時發者、即頭風也。故其症狀與治法與頭痛無異，惟有因痰飲停留胃脘，其人嘔吐痰多，發作無時，甚則停痰上攻，口吐清涎，昏暈不省人事，飲食不進者則為痰頭風，若頭痛而起核塊者為雷頭風，多由痰濁阻滯，若頭中如雷之鳴者，風客所致也。

治療：（1）痰頭風宜取豐隆、足三里、中脘、肺俞等穴以化痰濁。佐風池、腦空、頭維、合谷等穴以治頭痛。
（2）雷頭風宜取百會、風池、風府以驅風而止痛，因痰者，佐以化痰之穴，更宜審其寒熱於核塊處，屬寒者則灸之，屬熱者則刺出血，則收效更易也。

第三節　眩暈

症狀：由於內風者多兼耳鳴心悸，或夜間盜汗，五內常熱。屬外風者則多兼寒熱、骨節疼痛，或兼頭痛頸痛。

病因：經云：諸風眩暈皆屬於肝，故本病多屬肝腎陰虛不能戢陽，而虛陽上亢所致，其因於外者，間亦有之。蓋風邪外襲激動痰涎上干而成眩暈，然屬內風者為多也。

治療：屬外風者取風池、風府、頭維、攢竹、豐隆、足三里、中脘。屬內風者取百會、頭維、太陽、攢竹、上星、肝俞、腎俞、湧泉、行間、三陰交。

治理：內風眩暈屬肝腎陰虛，而虛陽上越、治當滋養肝腎、故取肝腎二穴及湧泉、行間三陰交等穴以益肝腎而納虛陽，佐百會、攢竹等穴以治頭部之眩暈，標本兩顧庶免有誤。外風則取風池、風府以驅風邪，頭維、攢竹以治頭暈頭痛，復佐豐隆、中脘、三里等穴以化痰濁。風解痰除，其病自已。

（附）大頭瘟、蝦蟆瘟：

大頭瘟：此症多由風熱之邪襲入三陽經絡，初起於鼻額，

延及面目紅腫如火灼熱，面有光澤或壯熱氣粗，口渴舌燥、咽喉腫痛不利，或寒熱往來，甚則大便不通。若不急治腫處，必致腐化成膿，更有傳染之可能。

蝦蟆瘟：則腫於頸項部，亦屬風熱為病，其兼見之症狀與大頭瘟相較亦能傳染，治此症急宜於太陽穴之紫絡用三稜針刺去惡血，委中、尺澤之靜脈及少商、商陽、中沖、少沖、少澤等穴均刺出血以清熱而解毒，復針合谷、曲池等穴以退熱而消腫，如大便不通者更宜針中脘、足三里、支溝等穴以通大便。

1958.1.15

第三十三章 目疾門

第一節 目赤 或赤縷亂脉、

症狀：兩目紅赤或赤脈貫睛，以怕日羞明，甚則淚下，其因多屬風熱上乘，或火鬱於上以致目球充血，故目赤而疼痛，若因肝熱而上凌者，則多赤而不甚痛也。

治療：太陽、睛明、攢竹、頭維。屬風熱上鬱者加風池、委中、合谷以疏風清熱。屬肝熱者加針足臨泣、行間、肝俞等穴以泄肝熱。

第二節 目腫脹

症狀：此症之因有二：1.為外因；2.為內因，外因者乃感受外界之風熱之邪而成者，其症：眼胞腫脹，輕則如杯，重則如碗，淚多而癢痛不堪，治之易愈。內因者多由龍雷之火上攻，其珠必痛，重則淚沸閉塞，血灌睛中，頗為難治而變症不測也。

治療：外因刺風池、頭維、合谷以驅風熱之邪，刺瞳子髎及太陽穴靜脈出血以泄局部之熱而治眼胞內膜充血。內因亦宜刺太陽、攢竹、睛明、頭維、頭臨泣等穴以清熱退腫，復宜針肝俞、足臨泣、光明、行間、湧泉等穴以引上逆龍雷之火下行，然每多不治也。

第三節 青盲雀目

症狀：青盲者瞳孔如常，惟視物不見，其因多由七情內傷損其精血，以致目失所養，最為難治。若高年及病後，或心腎不充而成斯症者難治難愈。

雀目俗稱雀盲，亦稱夜盲，目科稱高風内障。其狀至晚不見，至曉復明，乃由血虚所致，内經曰：目得血而能視，血虚則不能視。

治療：青盲與雀目均由陰血虧虚而成，治當滋補肝腎之陰，故宜取肝俞、命門、三陰交以滋肝腎之陰，陰充目得所養而光自復，復取瞳子髎、攢竹，以恢復視神經之功用。

第四節　目昏

症狀：初起時但昏如霧露中行，漸見空中有黑花，又漸見睹物成二體，久則遂成盲疾。此症多由血液虚少，光華虧損而然，亦有因目疾失治，耗其目光而昏者，則醫治尤難也。

治療：依照青盲條治之，因三者皆屬肝陰不足而成之症也。

第五節　目淚

症狀：此症有二，（1）為迎風流淚；（2）為目淚自流。迎風流者多患於年老婦人，蓋年老則淚腺硬化，一遇風寒，伸縮力減退則淚外流，且婦人善哭泣，以致淚腺弛張亦成斯症。目淚自流者多由感受熱邪或肝熱上炎，淚腺分泌目淚過多而向外溢出也。

治療：迎風淚宜針灸太陽及針頭維、攢竹，以恢復其功用，並直接灸大小骨空每有特效。目淚自流者取太陽、風池、頭維、後谿、睛明等穴以泄熱，肝熱者加肝俞、頭臨泣以泄肝熱。

20/1.59

第三十四章　耳疾門

第一節　耳聾

症狀：此症有二，一為耳聾，一為重聽。耳聾則兩耳無所聞，重聽則較耳聾為輕，但聞之不真也。腎開竅於耳，少陽之脈絡耳，故肝膽之火上逆則為耳聾，腎氣虚則為重聽。亦有風熱之邪襲虚而成耳聾者也。

治療：取耳門、翳風、聽宮，耳聾者加肝俞、行間、俠谿、頭臨泣以泄肝膽之火，重聽者加肝俞、腎俞、太谿以補益之。耳暴聾者加風池、合谷等穴以疏散風熱之邪。

第二節　耳鳴

症狀：此症有虛實二種。耳中如蟬鳴不休，以手按之愈鳴者屬實，乃肝胆之火上逆也。若時鳴時止，以手按之則不鳴、或減少者屬虛，乃肝腎之陰不足也。
治療：虛者依照重聽條治之。實者依照耳聾條治之。

第三十五章　鼻疾門

第一節　鼻塞

症狀：鼻為肺之竅，風冷傷肺，津液凝滯，則鼻塞不通，或風熱襲肺，鼻膜炎腫亦成鼻塞之病。
治療：宜取迎香、通天，以宣鼻塞。後取風府、合谷、上星以疎散風邪。

第二節　鼻流清涕或濁涕

症狀：鼻流清涕不止名曰鼻鼽，多由感受風寒鼻膜分泌粘膜過多而向外流溢也。
鼻流濁涕名曰鼻淵，亦曰腦漏，鼻涕時下如白帶有時或紅或黃，作腦髓狀，氣甚腥臭，亦由風寒風熱鼻膜因炎腫而成此症也。
治療：鼻鼽宜取風池、上星、大椎針而灸之以驅風寒。鼻淵宜於以上各穴单用針法以驅熱，後加針迎香、百會、合谷以泄熱而去鼻膜炎腫。

22/1. 1919.

第三十六節　牙齒門

第一節　牙痛

症狀：齒為骨之餘而屬腎，其部位則屬陽明，故陽明蘊熱或腎陰虛而虛陽上亢，則為齒痛，或風熱外襲亦成斯症。然屬陽明蘊熱者則舌黃口渴、紅腫疼痛，多兼發熱。虛陽上亢者則不腫不渴，舌多無苔，若因風熱者則多發熱而兼惡風寒。其因虫痛者，則齒上有蛀孔也。
治療：合谷、頰車刺病灶之局部以止痛，上牙痛則加針人中，下牙痛則加針承漿。陽明有熱者則針内庭以泄之。虛陽亢者加針呂細以清之。屬風熱者則加列決以驅之。（呂細即太谿）

第三十七章　口舌門

第一節　口乾舌腫

症狀：唇屬脾胃，脾開竅於口，故口乾唇腫皆屬脾胃有熱，若唇腫而起白皮破裂如蠶繭者名口繭唇，屬心脾之火上逆也。

治療：宜取合谷、二間、足三里、三陰交、少商、商陽，（刺出血）以清脾胃之熱，繭唇加刺大陵、神門、尺澤等穴以清心熱。

第二節　舌瘡出血

症狀：舌瘡者舌疼痛而有瘡，甚則發生糜爛，舌出血者舌破而有血流出，按心開竅於舌，故舌病屬心，心經火盛則舌瘡糜爛或舌破出血也。

治療：取金津、玉液（刺出血）以清心火，後針合谷、委中、人中、太冲、內關等穴以泄熱。

第三節　重舌木舌

症狀：重舌者舌下腫脹如舌形。木舌者舌腫滿口而語塞。亦屬心經鬱熱而發於外也，均屬急症，宜速治之。

治療：宜速以三稜針於舌下兩邊刺出血以清熱退腫（舌正中不可刺）、復刺金津、玉液、十宣等穴出血以泄熱。

24/1.1959.

第三十八節　咽喉門

第一節　喉痹

症狀：喉嚨腫塞疼痛，痰多不能咽物，甚則水漿不能下也。其原因頗多，有由於風熱者，則兼壯熱惡寒。有由於熱毒者，則兼面黄耳赤目睛上視，有由於陰毒者，則喉腫如紫李，微見黑色、惡寒身倦，腰痛肢痠。又有由於飲酒過度而成，或七情所傷而成氣鬱喉痹等症者，非數言可盡，然多屬痰火及風熱抑遏而已。

治療：宜刺少商、合谷、頰車、風池等穴以開鬱泄熱，復針尺澤、神門、湧泉、豐隆、足三里等穴以清熱而化痰。

第二節　喉風

症狀：咽喉腫痛，痰多壅塞，口噤不開，不能言語，或面赤腮腫、湯水難下，多由痰火而成，其名稱甚多、有所謂鎖喉風，（甲）弄舌喉風；（乙）纏喉風等等。

治療：宜急刺少商、商陽、關冲（出血），以清熱開閉，再針合谷、尺澤、魚際、神門、內關、豐隆以清熱化痰。

附註：

（甲）鎖喉風：此症喉腫大如雞卵，氣塞不通，多痰而喘、與喉風尤甚，刺之有血出者生無血者死。

（乙）纏喉風：此症腫而大、急劇疼痛，喉中有紅絲纏緊，勢如絞縛，且麻且癢、手指甲青，手心壯熱，痰氣壅盛如鋸、手足厥冷、或兩頤及項赤色，纏繞身、發寒熱，此由平日多怒所致。此症最宜急治。若過一日夜則瞳直視，牙噤喉如雷，灯近即滅、此氣已離根，有升無降，不治。喉中兩塊凑合，腮塞上腭不通，氣塞不通者，不治。喘急額汗不治。

第三節　腫痰喉痛

症狀：普通之咽喉腫痛，皆屬風熱。宜取少商、合谷、液門等穴以疏散之。

第四節　乳蛾

症狀：乳蛾生於喉丁之旁，形如乳蛾，頭紅腫疼痛，妨礙飲食，有單蛾双蛾之別，單蛾生於一邊，双蛾生於兩邊，其因有二，一屬實火，一屬虛火，實火者則起病急，兼有形寒發熱頭痛等症、虛火者則發緩慢而無實熱之現象也。

治療：宜刺金津、玉液、廉泉等清熱退腫、後佐合谷、少商以泄熱邪。

8/1.1959.

第三十九章　胸腹門

第一節　胸痛

症狀：多由傷寒表邪未解，下之太早，內陷胸中，或六淫之邪傷肺，肺氣鬱沸不宣，胸亦為之作痛，而痰凝氣結，或血積於內亦成胸痛、惟多隱隱作痛，其痛緩、其來漸、久久不愈，飲食減少，此內傷胸痛也。

治療：外感胸痛、表邪內陷者，（針）支溝、間使、行間、

·45·

内關以開泄表邪。六淫傷肺者，氣戶、肺俞、中府、列缺、少商針之宣肺氣。内傷胸痛者，期門、天突、中脘、膻中以調氣。凝痰者加足三里、豐隆以化痰。血積者加膈俞、行間以行血。

第二節　胸中痞滿

症狀：此症心下膈阻，而無實質可指，多由脾胃虛弱運化不及，以致痰凝食滯，或憂思鬱結，氣滯不宣，致成胸中痞滿不舒也。

治療：陰陵、中脘、足三里、承山、内關，針灸之，以展氣機而助運化。

第三節　脇痛

症狀：古人謂肝膽藏於内，外應于脇，且厥陰少陽二經均行脇部，是以脇痛無不屬於肝膽之病，然有内傷外感之別：

内傷者如暴怒傷肝，悲哀氣結，或飲食失節，冷熱失調，或痰積流注於脇，與血相搏皆能為痛，惟因於怒氣或悲哀而作痛者則痛而且脹，其痛有時而息。因痰積者則痛無已時，或脇下高起作痛，此内因也。

外因者以傷寒邪入少陽，耳聾脇痛，此風寒所襲而為脇痛，然多兼寒熱頭痛等症。

此外更有跌仆閃挫内傷于血積於肝經，則脇部亦作痛，惟痛而不脹，按之則劇，綿綿無已時。

治療：一切脇痛以期門、章門、陽陵為主穴。如由暴怒或悲哀過度者，則加灸膻中、氣海以調氣。痰積流注者加針中脘、足三里以化痰行積。血積者加針膈俞、行間、太冲以行血。風寒襲入少陽則依照傷寒少陽病條治之。

第四節　中脘脹滿

症狀：多由中州陽氣衰微脾胃虛弱而致氣滯不運，或食滯不化，或痰濕互阻，更有七情内傷致不調達，或肝氣橫逆，而影响於脾胃亦成斯症。

治療：中脘、建里、内關、足三里針而灸之，以旋運中宫開豁氣機。惟由肝氣失於調達或横逆者，則宜針期門、行間以泄下。

第五節　腹痛

症狀：凡外感寒邪、多食生冷以犯腸胃而痛者，其腹柔軟而不拒按。脾胃虛弱，冷氣凝不通，因而致痛者，其痛綿綿不已，喜熱手按揉。面白神疲，小便清利，飲熱惡寒，或得食稍安，脈多微弱。如口腹不謹強食過飽，或食後坐卧，以致停滯不化，胸腹脹滿，痛不欲食，噯氣作酸、或痛而欲利，利後稍減，脈多滑實。若惱怒太過，憂思鬱結，或跌仆損傷以致血液瘀滯而痛者，則不脹不痛，飲水作呃，過夜更痛，痛於一處，定而不移。他如痢疾腹痛、霍亂腹痛，則多因濕熱或陰寒阻滯也，各詳本門，茲不複贅。

治療：中脘、氣海、足三里、天樞，虛寒者灸之，實熱者針之。脾胃虛寒者（或虛弱者），加針灸脾俞、胃俞、三陰交以溫補之。食滯不分者加針內庭、大腸俞，以化積滯。血凝作痛者加針肝俞、膈俞、行間以破瘀行血，或於痛處針而灸之，以散其瘀。

第六節 肝胃氣痛

症狀：此症多由脾胃虛弱，肝氣乘之，以致當脘脹痛或嘔吐頻作、或口泛清涎、飲食不進，甚則二便不通，手足厥冷，脈沉或伏，時發時愈，每多成為痼疾。

治療：宜針期門、行間、陽陵以疏泄肝氣。中脘、氣海、以調胃脾之氣。內關、足三里行氣而止嘔。若疼痛過劇而致脈伏肢冷，二便不通者，則可於尺澤、委中各部之靜脈（刺出血）。

3/6. 1958.

第四十章 腰背門

第一節 腰痛

症狀：腰者腎主之，腰痛屬腎病，故入房過度損其真氣，腎虛則腰部作痛，惟多腰支痠弱，隱隱作痛，身体疲倦、腳膝痠軟。此外更有風寒、濕、溫、熱、閃氣、瘀血、痰積等之不同，牽引腿足，或兼寒熱，多由受風濕之邪而成也。寒濕者其腰如冰，拘緊疼痛，得熱則減，得寒則增，或兼頭痛身痛等症，多由感受陰寒雨濕之邪而成也。濕熱者痛部沉重，小便赤澀，或兼發熱口渴等症，多由濕熱之邪而成者也。閃氣者閃挫跌仆勞動損傷，忽然腰部疼痛不可俯仰。瘀血者日輕夜重，痛有定處，不能轉側，痰積者痛部重滞，一片作痛，或一片如冰，喜得熱按是也。

治療：取環跳、委中、承山、腎虛者則針灸腎俞以益腎，風濕者則加針灸風市、陽陵，以驅風濕。寒濕者或濕熱者加針足三里、陰陵以化濕。濕熱則針寒濕則灸。瘀血及痰積者，則於痛針而灸之，以行血滞，以化痰積。

第二節　腰痠

症狀：此症悉屬房勞腎虛。治宜峻補。可依照腎虛腰痛條治之。

第三節　脊膂强痛

症狀：督脉之經與膀胱之經，均取道脊膂。若風寒等邪侵襲或經氣凝滞，則脊膂乃作强痛，或打仆損傷，從高墜下，瘀血內留，則疼痛不可忍，或不能轉側。

治療：取人中、委中、白環俞、風府以宣通督脉膀胱二經之氣而驅風寒之邪。瘀血內留者加針肝俞以行血破瘀。

第四節　背痛

症狀：背痛屬太陽經，如風寒濕等邪侵入太陽，或氣滞則背部作痛。肺中有邪則背部亦能作痛。若背部一片作冷而痛，此多由痰飲內伏，或寒邪凝滞也。

治療：取大杼、膏肓、魄户、肺俞、人中以疏太陽之氣。以上所取各穴多直達病灶，故能通治一切背痛。其有兼見他症者，則加取適當之穴以治之。若背部一片冷痛者，更可於痛處針而灸之，則直討其巢，驅其障礙，收效尤速。

5/2. 1959.

第四十一章　手足病門

四肢之病：不外手足腫痛痠麻，不能伸屈行動等。多由風寒濕侵襲經絡，或痰飲流入四肢，或瘀血氣滞，或擎重傷筋，跌仆損傷，或液脈損不榮經絡等等。

治療之法：則視其病症之部位屬何經而針之灸之，若久年宿恙，或痠麻重而疼痛少者宜灸。新病初起赤腫疼痛劇者宜針。腫而不痛不熱者宜灸。腫而熱痛者宜針。屬虛則灸之。屬實則針之。此治手足各病之大法也。庶無誤治之弊矣。

第一節　肘臂痛或麻木

前廉或外廉者取肩髃、曲池、合谷、陽谿、手三里、列缺、外關。內廉或後廉者取大陵、內關、尺澤、陽谷、曲澤、肩外俞、肩中俞。

第二節　肘臂強直不能伸屈

取尺澤、曲池、曲澤、手三里。若手腕不能伸屈取大陵、陽谿、陽池。

第三節　五指麻木或不能伸屈

合谷（透勞宮法）、中渚、後谿。

第四節　兩手厥冷

取曲池、大淵。

第五節　手背紅腫

取合谷、曲池、手三里、中渚、尺澤。肩膊腫者加針肩髃。

第六節　手掌瘙痛

取勞宮、曲澤。

第七節　腿痛

取環跳、風市、居髎。如紅腫而痛者加針委中、血海。如腿膝無力取風市、陰市、絕骨、陽陵、條口、足三里。

第八節　膝痛

取陽陵泉、內外犢鼻、膝關、鶴頂。如紅腫而痛，加針委中、行間。腳脛痛陰陵、絕骨、條口、足三里、三陰交、陽陵。

第九節　腳轉筋

取然谷、承山、金門、絕骨、陽陵。

第十節　足不能步或不能伸屈

取環跳、白環俞、陽陵、絕骨、足三里、曲泉、陽輔。

第十一節　足跗痛

取解谿、崑崙、太谿、商丘、行間。

第十二節　足心腫痛或腳跟痛。

取湧泉、崑崙、僕參。

第十三節　足冷如冰

先灸腎俞、再針勵兌。